ine extrema pati · nec iam exaudire uocatos
eaque primo eneas nunc acus oronta
une arma casus genuit et crudelis secat
ater lia; forte q; qui; fortes q; choantii
e iam finis erat · tum iuppit; ethere summo
espiciens mare ueliuolu; · terasq; iacentes
ittora q; et latos ppolos · sbueract ali
onstitit et libie defixit lumina regnis
tq; illum tales iactantem pectore curas
ristior et lacrimis oculos suffusa nitentes
lloquitur uenus · o qui res hoiu; q; deuq;
ternis regis impius ; et fulmine terres
uid meus eneas in te committere tantum
uid potuit troes ; quib; tot funera passis
unct? ob italiam terra; clauditur orbis
erte hic romanos olim uoluentib; anis
me fore uictores reuocato a sanguine teucri
ui mare qui terras omni ditre tenerent
ollicitus · que te genitor sententia uicit
ce equidem occasu; troie tristes q; ruinas
olabar fatis otraria fata rependens
ue etiam fortuna uiros tot casib; actos
nsequitur · quae ras finem rer magne labor
ntheneor potuit medius elapsus achiuis
llirices penetrare sinus · atq; intima tutus
egna liburnor; · et fontem superare timaui
nde p ora nouem uasto cu; murmure monas
t mare p ruptu; · et pelago premit arua sonanti

Públio Virgílio Marão

# ENEIDA

TRADUÇÃO DIDÁTICA E HOMOSSILÁBICA
EM VERSOS BRANCOS, METRIFICADOS,
COM INTRODUÇÃO E NOTAS DE
João Carlos de Melo Mota

REVISÃO DE TRADUÇÃO
Guilherme Gontijo Flores

autêntica C|L|Á|S|S|I|C|A

Copyright da tradução © 2022 João Carlos de Melo Mota

Todos os direitos reservados pela Autêntica Editora Ltda. Nenhuma parte desta publicação poderá ser reproduzida, seja por meios mecânicos, eletrônicos, seja via cópia xerográfica, sem a autorização prévia da Editora.

Título original: *Æneis*

EDITORAS RESPONSÁVEIS
*Rejane Dias*
*Cecília Martins*

COORDENADOR DA COLEÇÃO CLÁSSICA,
EDIÇÃO E PREPARAÇÃO
*Oséias Silas Ferraz*

LEITURA CRÍTICA DA TRADUÇÃO
*Guilherme Gontijo Flores*

REVISÃO
*Lúcia Assumpção*

PROJETO GRÁFICO
*Diogo Droschi*

DIAGRAMAÇÃO
*Guilherme Fagundes*

**Dados Internacionais de Catalogação na Publicação (CIP)**
**(Câmara Brasileira do Livro, SP, Brasil)**

Marão, Públio Virgílio
  Eneida = Æneis / Públio Virgílio Marão ; tradução didática e homossilábica em versos brancos, metrificados, com introdução e notas de João Carlos de Melo Mota ; revisão de tradução Guilherme Gontijo Flores. -- 1. ed. -- Belo Horizonte, MG : Autêntica, 2022. -- (Coleção Clássica / coordenação Oséias Silas Ferraz.)

  Título original: Æneis
  ISBN 978-85-5030-791-5

  1. Poesia épica 2. Poesia latina 3. Virgílio, 70-19 A.C. Eneida I. Mota, João Carlos de Melo. II. Ferraz, Oséias Silas. III. Título. IV. Série.

21-54296                                                          CDD-873

**Índices para catálogo sistemático:**
1. Poesia épica : Literatura latina 873
Aline Graziele Benitez - Bibliotecária - CRB-1/3129

**Belo Horizonte**
Rua Carlos Turner, 420
Silveira . 31140-520
Belo Horizonte . MG
Tel.: (55 31) 3465 4500

**São Paulo**
Av. Paulista, 2.073, Conjunto Nacional,
Horsa I . Sala 309 . Cerqueira César
01311-940 . São Paulo . SP
Tel.: (55 11) 3034 4468

www.grupoautentica.com.br
SAC: atendimentoleitor@grupoautentica.com.br

# A coleção Clássica

A coleção Clássica tem como objetivo publicar textos de literatura – em prosa e verso – e ensaios que, pela qualidade da escrita, aliada à importância do conteúdo, tornaram-se referência para determinado tema ou época. Assim, o conhecimento desses textos é considerado essencial para a compreensão de um momento da história e, ao mesmo tempo, a leitura é garantia de prazer. O leitor fica em dúvida se lê (ou relê) o livro porque precisa ou se precisa porque ele é prazeroso. Ou seja, o texto tornou-se "clássico".

Vários textos "clássicos" são conhecidos como uma referência, mas o acesso a eles nem sempre é fácil, pois muitos estão com suas edições esgotadas ou são inéditos no Brasil. Alguns desses textos comporão esta coleção da Autêntica Editora: livros gregos e latinos, mas também textos escritos em português, castelhano, francês, alemão, inglês e outros idiomas.

As novas traduções da coleção Clássica – assim como introduções, notas e comentários – são encomendadas a especialistas no autor ou no tema do livro. Algumas traduções antigas, de qualidade notável, serão reeditadas, com aparato crítico atual. No caso de traduções em verso, a maior parte dos textos será publicada em versão bilíngue, o original espelhado com a tradução.

Não se trata de edições "acadêmicas", embora vários de nossos colaboradores sejam professores universitários. Os livros são destinados aos leitores atentos – aqueles que sabem que a fruição de um texto demanda prazeroso esforço –, que desejam ou precisam de um texto clássico em edição acessível, bem cuidada, confiável.

Nosso propósito é publicar livros dedicados ao "desocupado leitor". Não aquele que nada faz (esse nada realiza), mas ao que, em meio a mil projetos de vida, sente a necessidade de buscar o ócio produtivo ou a produção ociosa que é a leitura, o diálogo infinito.

*Oséias Silas Ferraz*
[coordenador da coleção]

# Agradecimentos/dedicatórias

À minha família, antes de mais nada, *in memoriam*, à esposa caríssima Maria Teresa Sampaio Mota, que está cem por cento viva dentro deste e de muitos outros corações; aos muitíssimos amados filhos, netos, genro e noras: à Cristina, ao Vinícius, ao Andrez, ao Iriley, ao Guilherme, ao Daniel, à Adriana, bem como à Isabella, ex-nora, aos queridíssimos familiares (mas sem puxar a brasa para a sardinha dele, ao Maurílio: em sua casa digitei a *Eneida*) e amigos, por sua presença constante em torno deste trabalho.

Ao amigo e "aluno" Rogério Gerspracher Lara, a quem devo, em espírito, a execução desta obra. Como? Sempre que me incentivava à publicação da *Eneida*, nos momentos de leitura, em minha casa, de mais de 35 mil versos de vários autores latinos; ele que, por seu interesse pelo latim e o grego, é um marco vivo da cultura e arte clássicas, entre outras, e que, pois, estimulou o sair à luz de uma versão em prosa, guardada a seguir destruída, e agora transformada em um novo texto, em verso.

Ao cartunista Nilson Azevedo, com quem tive a súbita honra de fazer quadrinhos a quatro mãos: ele, com seu Cientista Louco; eu, com Blablalógus. Pela amizade, mas também com o qual, por ingenuidade nossa, deixamos de registrar no Guinness a primeira história em quadrinhos do mundo, em latim.

Aos amigos e colegas de lidas acadêmicas, Cosme, Milton, Samuel, César, Bianchini e Daniel (*in memoriam*), Antonieta Cunha, Maciel, Melânia, Luiz "Baiano", Anchieta, Perini, Marco Antônio, Vera Casanova, Ianini, Ary Neves e muitos outros, como preito de amizade.

Ao colossal Haroldo de Campos, parceiro (só por meu lado!), pelo apoio póstumo *verbifactoral ingratulável*.

Aos amigos e colegas (vivos e falecidos) do extinto (e distinto) Departamento de Letras Clássicas da Faculdade de Letras da UFMG, a paga por minha ausência, prolongada e constante, quando em seu meio acadêmico.

17 **Prefácio**
As impiedades de Eneias
e a artimanha de Virgílio
*João Angelo Oliva Neto*

39 **Introdução**
De um desabafo existencial
até uma transposição sonhada

## ENEIDA

71 **Livro Primeiro**
97 **Livro Segundo**
125 **Livro Terceiro**
151 **Livro Quarto**
177 **Livro Quinto**
207 **Livro Sexto**
239 **Livro Sétimo**
267 **Livro Oitavo**
293 **Livro Nono**
321 **Livro Décimo**
353 **Livro Décimo Primeiro**
385 **Livro Décimo Segundo**

419 Notas de tradução

447 Glossário de nomes próprios

489 Sobre o autor e sobre o tradutor

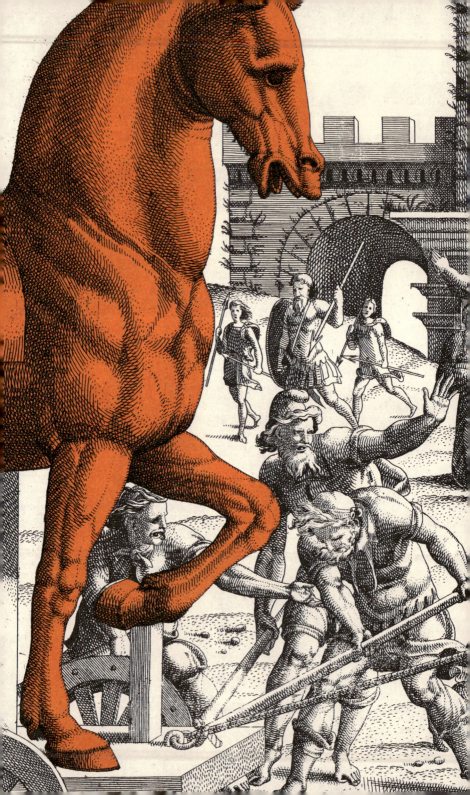

PREFÁCIO

# As impiedades de Eneias e a artimanha de Virgílio

*João Angelo Oliva Neto*,
Universidade de São Paulo

## I. Ler a *Eneida*

A *Eneida* é a extraordinária narrativa que conta a viagem que Eneias, derrotado, fez de Troia à Itália, depois que os gregos destruíram a cidade. É extraordinária porque contém navegação, errâncias, naufrágios, aventuras, um tórrido caso de amor, uma "viagem" ao mundo dos mortos, mulheres notáveis, monstros, traição, deuses olímpicos, intriga política, guerras, lutas corpo a corpo e um estranho herói, Eneias, que dá nome ao poema: "Eneida" quer dizer "gestas de Eneias". É na *Eneida*, não na *Ilíada*, de Homero, que lemos o incrível episódio do cavalo de Troia! A *Eneida* é breve, vai direto ao que interessa, procedimento que era chamado *in medias res*: começa a narrativa e Eneias já está navegando. E não é linear: quando está em Cartago, na África, ele narra em *flash back* para a rainha Dido o último dia de Troia, o estratagema do cavalo de madeira e toda a navegação que fez até aquele momento. É uma ótima história, que é o primeiro e melhor motivo para ler.

No entanto, é fato que a *Eneida*, ao lado da *Ilíada* e da *Odisseia*, é uma das três epopeias heroicas mais importantes da Antiguidade greco-latina, mas foi ela o poema mais influente no que se costuma chamar "Literatura Ocidental".

No próprio mundo romano, na Idade Média, no Renascimento e na Idade Moderna, se não era assumida como modelo por poetas que, por imitação, compunham outras epopeias heroicas, como Os *lusíadas*, era, digamos assim, o ponto de referência de poemas muito diversos dela, dos quais o exemplo mais notável é a *Divina comédia*, de Dante Alighieri. Eis a principal razão por que a *Eneida* é propriamente clássica, o que não deixa tampouco de ser excelente motivo para lê-la. É por isso que Theodor Haecker[1] aponta o poeta como "o pai do Ocidente", é por isso que T. S. Eliot o coloca no centro da civilização europeia[2] e é por isso que para Erich Auerbach, na Idade Média, Virgílio era guia e profeta.[3] Desse modo, ironicamente, a despeito de residir na *Ilíada* a primeira origem da "Literatura Ocidental" e não obstante ser ela o maior modelo da própria *Eneida*, é a *Eneida*, e Virgílio, não a *Ilíada*, nem Homero, o maior modelo da Literatura Ocidental.

Por outras palavras, ler a *Eneida* é condição necessária não apenas para bem entender as letras na Roma de Augusto, mas também para compreender todos os poemas de que é referência. E, se inquirirmos o que fez que se tornasse clássica, a primeira resposta há de ser o caráter de Eneias e suas ações. Por mais que Aquiles e Ulisses continuassem a ser personagens virtuosas no tempo de Virgílio e também depois, algumas virtudes e práticas já eram ultrapassadas, como, por exemplo, o combate singular entre dois guerreiros. Ora, no exército romano, os soldados lutavam sempre alinhados com os companheiros numa precisa formação,

---

[1] *Vergil, Vater des Abendlandes* (1931).
[2] "What is a classic" (1986, p. 68).
[3] *Figura* (1997, p. 58); e "Dante e Virgílio" (2007, p. 100), respectivamente.

de sorte que não apenas não buscavam o combate singular fora do alinhamento, como também eram punidos se o fizessem, porque, ao arriscar-se, desfazendo a formação, expunham ao perigo os camaradas. O interesse do grupo sobrepunha-se ao do indivíduo e não havia nenhuma glória individual no gesto. O combate singular e o desejo de glória, embora ocorrentes no poema e assumidos pelo próprio Eneias, eram considerados, digamos assim, só como um ingrediente poético do gênero épico. Para o público romano e para o público medieval cristão, a virtude de Eneias era de outra ordem. Lutava mano a mano com valentia e sobre-humana força, mas era apreciado por outras ações, justamente aquelas que o tornavam mais próximo de toda gente, que o via queixar-se, chorar, não saber o que fazer e, muito humanamente, hesitar. Era mais fácil reconhecer-se em Eneias. Assim pode ser também que os exemplos dos heróis homéricos – como o sentimento de dever de Heitor ao enfrentar o invencível Aquiles e o gesto deste para com Príamo, quando lhe devolve o corpo do filho –, por sublimes que sejam, ou porque assim eram, fulguravam, admiráveis, mas inatingíveis, enquanto o padecimento de Eneias, apesar do caráter fabuloso das vicissitudes, podia exemplificar por analogia muito do que toda gente suportava: no fundo, Eneias sofre, mas resiste. Mal saído de uma guerra em que foi perdedor, partiu desterrado liderando guerreiros, conduzindo também pai, filho, seguido de uma multidão de retirantes. Fez-se à vela, navegou errante, enfrentou tempestades. Abdicou do régio conforto que poderia desfrutar em Cartago ao lado de Dido, navegou outra vez, fundou cidades, não para si, mas para quem já estava cansado de tanto mar, e seguiu viagem a fim de empreender outra guerra na Itália. Eneias – um pouco como

Ulisses, é fato – nada tem de seu, a não ser uma missão e deveres, muitos deveres, como filho, pai, chefe, sacerdote e cidadão. Tudo isso Virgílio ao longo do poema resume numa só palavra: *pius*.

Eneias é pio; a *Eneida* tem uma boa história e é clássica. Entretanto, a julgar aqui somente pelo número de traduções novas que tem recebido, como veremos, parece claro que há mais interesse pelas épicas homéricas do que pela *Eneida*. Admitamos a hipótese. É de crer que à preferência que os próprios tradutores têm por determinado poema ou autor se soma certa demanda mais ampla do público de hoje, que, embora indistinta, é captada por educadores, editores e até cineastas. Ainda que seja possível, para bem e para mal, estimular o público a conhecer e consumir um produto, qualquer que seja, não me parece que haja maior *interesse* em Homero – Homero é Homero; Homero sempre foi, sempre será Homero, e não admira seu prestígio –, mas, sim, e é forçoso admitir, que, sem embargo de suas qualidades, existia até agora no Brasil certo *desinteresse* geral pela *Eneida*.

Creio que isso se deve também ao fato de que, lendo dois mil anos depois, em vez de permitir que a *Eneida* se ofereça primeiro como a boa história que é para depois informar a repercussão que teve na posteridade, muitos dos que trabalham com o poema, em particular os latinistas, imbuímo-nos de dar todas as informações externas sobre ele (aliás, como se tem feito até agora aqui), isto é, apontamos suas virtudes extrínsecas e fazemos da leitura uma espécie de verificação delas. Quem assim chega à *Eneida* começa a ler sabendo que é clássica, que Virgílio é o pai do Ocidente e que Eneias é pio, o que, vá lá, há de ser verdadeiro, mas não há história, autor e personagem que resistam à tamanha responsabilidade. Acabam por assumir uma perfeição que não possuem. Ora, a *Eneida* não é texto uniforme; tem incoerências e desigualdades, as quais chamo aqui "saliências", bem entendido, asperezas, rugosidades, que a falta de tato pode não perceber. Quando ouvem dizer que a *Eneida* é clássica, muitos leitores de hoje, creio, já não pensam que se deva a ter sido tantas vezes tomada por modelo (o que, sendo virtude, é ainda extrínseca), mas presumem que "clássico" é, por força, tudo que é desde sempre perfeito e, por isso, naturalmente intemporal. Ora, na verdade esse é o conceito que todas as épocas neoclássicas modernas muito mais tarde projetaram nos antigos gregos e latinos, e que eles, porém, jamais tiveram de si mesmos: nenhum autor antigo diz ser clássico. Quem torna uma obra modelar é quem a imita, não quem a compõe. Quanto a Eneias, as personagens afirmam que ele é pio; ele mesmo o diz de si e também o diz o narrador (ou para os antigos, o poeta). Creio que também os leitores, por isso, assim como fazem com a *Eneida*, acabam atribuindo a Eneias um caráter igualmente perfeito, intemporal, paradigmático. A notória piedade de Eneias, somada à santidade que o poeta assumiu na Idade Média, fez santificá-lo e achatá-lo tanto, que já não conseguimos ver suas contradições e complexidades humanas, as quais, numa narrativa, são virtudes. A leitura rasa, ela mesma, *arrasa* as saliências da personagem Eneias e leva leitores a acreditar piamente em Virgílio, que a toda hora diz que Eneias é pio. Ora, Eneias não deixa de ser, como mostram, além do que vimos acima, a observância do que se deve aos deuses, à pátria, ao pai (2, 650-670 e 6, 695-901) e a augustana clemência que demonstra para com os vencidos quando não despoja Lauso das armas após matá-lo e ainda apressa os troianos a que devolvam logo o corpo aos companheiros (10, 822-833). Tudo isso caracteriza o sentido que os romanos davam à *pietas*, "piedade". Já não é mais o caso de lembrar que o sentido de *pietas* se alargou só mais tarde, com o Cristianismo, de modo que Eneias não poderia ser piedoso no sentido que os cristãos dão ao termo. Ocorre, todavia, que o Eneias de Virgílio efetivamente já possui virtudes éticas que seriam valorizadas pelo Cristianismo, como a capacidade de suportar revezes e a clemência. Mas crer que a personagem Eneias é a tal ponto plana só faz eco à velha anedota de Yeats, afamada por Ezra Pound, segundo a qual Eneias mais parece um padre do que um herói.[4] De nada valeram as bem conhecidas palavras do não menos velho Fustel de Coulanges, lembrando que o heroísmo de Eneias assentava mais na investidura sacerdotal (mal compreendida por Yeats e Pound) e na condição de fundador de cultos e cidades,[5] do que no braço forte de guerreiro, como já era muito notório desde a *Ilíada*: ali, metendo-se a enfrentar quem lhe era superior, por duas vezes foi salvo da morte certa. Sim, Eneias é um manancial[6] de piedade, mas não é sempre apenas isso.[7] Não se impede ninguém em qualquer

---

[4] *ABC da literatura* (1986, p. 46-47).

[5] *A cidade antiga*, v. 1 (1957, p. 211-216).

[6] Na *Ilíada* (2005), canto 5, v. 297-318, Afrodite subtrai Eneias do confronto com Diomedes, e no canto 20, v. 293-335, Posídon o subtrai de lutar contra Aquiles. Portanto, na própria *Ilíada*, que é arcaica, vemos exemplificados para Eneias gestos que, possuindo menos heroísmo que sensatez, recebiam a simpatia do público romano 800 anos depois.

[7] Thamos (2011, p. 212) afirma a propósito: "Cedo se revela a humanidade do herói virgiliano, que não deixa de viver a angústia da incerteza, ainda que afirme sua crença nos deuses e nos fados. É o que torna 'o piedoso Eneias' um personagem interessante, com rasgos de complexidade psicológica pouco comum na tradição da épica. Trata-se de um herói que, sem abdicar de sua missão, no fundo sofre como um homem comum: um virtuoso varão que fascina pela natural imperfeição humana".

tempo de eleger aquelas qualidades e considerá-las mais importantes. Como virtudes, talvez sejam. O que não cabe é desconsiderar as outras ações não tão piedosas do pio Eneias! Não é cabível desconsiderar como Virgílio as narra. Examinemos excerto do canto décimo que mostra bem que o troiano pode ser não só impio, mas também ímpio. As ações que mais contrariam o proverbial caráter piedoso de Eneias são aquelas que pratica quando conhece que o jovem filho de Evandro, Palante, ainda inexperiente nos combates, logo na primeira vez que combatia, foi morto e espoliado por Turno. O que faz Eneias? Ele mata em seguida 14 inimigos! Mas o que diz Virgílio? Ou melhor, o que não diz? Como faz para relatar? Ora, em momento algum lemos que alguém explicitamente informa ao herói que Palante fora morto por Turno. Lemos nos versos 510-512 que lhe chega uma notícia de que os camaradas estão em perigo:

| | |
|---|---|
| Nec iam fama mali tanti, sed certior auctor | Não rumor de tal desgraça, mas seguro núncio |
| aduolat Aeneae tenui discrimine leti | a Eneias voa: os seus se acham a leve distância |
| esse suos, tempus uersis succurrere Teucris. | da morte, hora é de socorrer Teucros debandados. |

Até aqui Palante não é mencionado. Somos levados então a pensar que Eneias, como comandante, considera apenas e primeiro o bem maior, atinente ao coletivo, que é a segurança dos "seus" (*suos*, v. 511), ou seja, a salvação dos "Teucros" (*Teucris*, v. 512), como deveras faz na maior parte do poema. Mas no resumo genérico que se segue, prévio à narração detalhada do que faz, vemos que a motivação de Eneias na realidade é também pessoal: ele quer vingar-se matando quantos puder (v. 513-516):

| | |
|---|---|
| Proxima quaeque metit gladio latumque per agmen | A todos mais perto à espada ceifa e por larga fileira, |
| ardens limitem agit ferro te, Turne, **superbum** | fogoso a ferro abre caminho, a ti, Turno, **altivo** |
| **caede noua** quaerens. Pallas, Euander, in ipsis | **por recém-morte**, a buscar. Palante, Evandro, tudo |
| omnia sunt oculis. | nos seus olhos está [...]. |

Assim também entende Perret, que editou o texto da coleção Les Belles Lettres, sem deixar de notar, contudo, que o gramático Tibério Donato (século V d.C.) liga *caede noua* não a *superbum* mas a *quaerens*.[8] Afirma Perret que "Virgílio indicaria assim a transformação ocorrida no caráter de Eneias" e que "depois da morte de Palante, Eneias como que perdeu a humanidade".[9] Argumenta com o mesmo excerto que ora examinamos. Apenas para

---

[8] Donato (p. 358-359):

| | |
|---|---|
| Occidendus fuit ante omnis qui illo tempore causas tanti doloris inflixerat. Bene positum quaerens: cum enim inter plurima quod magis necessarium est quaeritur, negleguntur cetera et removentur in partem, ut ad id perveniatur investigando et scrutando quod necessitatem inquisitionis invexit. Quaerebat igitur Turnum occisi Pallantis causa et hunc caede nova hoc est exquisito supplicii genere cupiebat extinguere. | Antes de todos devia ter sido morto quem naquele momento infligira motivo de tanto sofrimento. Foi bem colocada a palavra *quaerens*, porque, entre muitíssimas coisas, Eneias busca o que é mais necessário, deixando o resto de lado, de modo que, investigando e perscrutando, chegasse àquilo [isto é, Turno] que causou a necessidade da perseguição. Ora, Eneias perseguia Turno por causa da morte de Palante e desejava exterminá-lo com uma inaudita matança, isto é, com um modo excepcional de suplício. |

[9] "Virgile indiquerait ainsi la transformation que s'est faite dans le caractère d'Énée" (III, p. 63). E "Depuis la mort de Pallas, Énée a comme perdu son humanité" (III, p. 208).

efeito de demonstração, assinalo as mudanças, e a leitura passa a ser assim:

> A todos mais perto à espada ceifa e por larga fileira,
> fogoso a ferro abre caminho, a ti, soberbo Turno,
> a buscar-te com *inaudita matança*. Palante, Evandro, tudo
> nos seus olhos está.

Aqui, *caede noua* passa a significar "inaudita matança", que é realizada por Eneias, não por Turno, o que bem assinala a mudança de comportamento do herói! E só depois do massacre perpetrado por ele é que Palante e Evandro são mencionados. Não há uma leitura correta e outra incorreta, mas deliberada e sutil ambiguidade, que em latim permite ambas as leituras. Mesmo que se escolha a primeira possibilidade para traduzir, num passo como este muito importaria que os comentadores, mais que todos, não se deixassem levar por uma pétrea reputação de Eneias, não concedendo nenhuma abertura ao insólito, ao desviante. Assim fazendo, aplainam as saliências, achatam Eneias, arrasam-no por não lhe permitir possuir nem um pouquinho de ambiguidade, ou contradição, vá lá, que enfim é muito humanamente dele, como personagem. Numa palavra: neste e em passos semelhantes, tolhida a ambiguidade textual de Virgílio, tolhe-se a ambiguidade moral de Eneias. E a bem dizer, numa passagem como esta, em que é impossível, talvez, manter o duplo sentido, os tradutores se veem em situação mais difícil que os comentadores, porque, enquanto estes podem consignar as duas leituras no comentário, como fez Perret, aqueles têm de assumir uma posição e traduzi-la.

Agora o poeta começa a arrolar as etapas da carnificina: primeiro Eneias agarra todos os quatro filhos de Sulmão, mais os quatro de Ufente (*Eneida*, 10, 517-520):

| | |
|---|---|
| Sulmone creatos | por Sulmão gerados, |
| quattuor hic iuuenes, totidem quos educat Ufens, | a quatro jovens, em igual número a que Ufente educa, |
| uiuentes rapit, inferias quos immolet umbris | pega vivos para por vítima imolar às sombras |
| captiuoque rogi perfundat sanguine flammas. | e as chamas da pira com sangue escravo borrifar |

 Virgílio pleonasticamente destaca a obviedade de que estão vivos (*uiuentes*, v. 519), só para encarecer que logo estarão mortos, vítimas de sacrifício humano conduzido pelo próprio Eneias. Apesar do precedente homérico (*Ilíada*, XXI, 26-32), na *Eneida* a cena é estranha e, a bem dizer, incômoda, pela hipérbole de sozinho arrastar oito guerreiros e pela esquisita simetria no par de quatro irmãos, conforme leitura de Donato. Os oito capturados não têm nome; são só designados pela juventude (*iuuenes*, "jovens", v. 518) e pela filiação, quero dizer, pela condição de filho (*Sulmone creatos*, "por Sulmão gerados", v. 517; e *quos educat Ufens*, "a que Ufente educa", v. 518), locuções que em cada caso sintetizam numa palavra, ou seja, num átimo, num instante, que é o tempo que dura morrer, o longo trabalho de criar e educar filhos, que é exercício de vida. A síntese só faz destacar o patético da antítese: a vida inteira dos jovens, a faina dos pais acabam num instante. Lembremos que Eneias a rigor ali não tinha como saber nada sobre os jovens que mata: é Virgílio quem nos diz! Impensável nas narrativas contemporâneas, o modo como Virgílio narra nos faz supor que Eneias tenha uma informação que, em verdade, ele não tem. Alguém poderia lembrar que no passado romano houvera sacrifícios humanos, que não seriam estranhos ao passado mítico em que age Eneias. É fato. Mas aqui o poeta não usa do costumeiro anacronismo, como faz quando quer atribuir ao troiano virtudes romanas contemporâneas, como aquela propagada clemência de Augusto. Com Palante e Evandro nos olhos, ao Eneias "onisciente" construído ali por Virgílio não bastava sacrificar tantas vidas humanas fora da refrega, mas quis tolher a dois genitores todos os filhos que tinham. Aqui também, em rigor, Eneias não tinha como saber, mas Virgílio por via indireta indica que Eneias não quis matar guerreiros, quis por vingança privar dos pais a condição de pai. Como o poeta acabara de dizer, o herói tem em mente, ou nos olhos, o pai sem filho que agora é Evandro: efetivamente é olho por olho! Só se podem entender a estranha hipérbole e as duas vezes quatro vítimas como acumulação retórica, que, se marca o proporcional afeto que Eneias tinha por Palante e Evandro, não deixa de conotar *hýbris*: Eneias, quem diria?, um *hybristés*!

O morticínio prossegue; Eneias agora mata Mago, que suplicante lhe dizia (v. 524-525):

| per patrios Manis et spes surgentis Iuli | Por Manes de teu pai e a esperança de Iúlo a crescer, |
| te precor, hanc animam serues gnatoque patrique". | te suplico salves minha vida para filho e pai. [...] |

Outra vez pais e filhos. Mas reparemos na palavra *animam* ("vida", v. 525): irônica e pateticamente o termo que refere a vida que logo terá fim é o mesmo que a designa como sopro, como princípio vital. Pois bem, de novo poder-se-ia lembrar que a menção a pais e filhos na súplica de guerreiros pela vida é um *tópos*, como prova de sobejo a *Ilíada*. É verdade mas não é tudo. Aduzir pais e filhos, que na *Ilíada* é tópico – bem entendido, lugar-comum e, como tal, substituível – neste passo da *Eneida*, sem deixar de parecer tópico, torna-se imprescindível e assim deixa de ser lugar-comum por causa da radical e irônica adequação à fúria de Eneias, cuja vingança consiste em privar de filhos os pais. A adequação é irônica justamente porque Evandro foi privado do único filho que tinha. Ora, como apelar a pais e filhos numa situação dessas? Quando a tópica ocorre na *Ilíada*, os guerreiros inclementes não estão furiosos porque um amigo perdeu o único filho que tinha. Mas Eneias está! Aqui Virgílio subverte a tópica, uma vantagem dos poemas de segundo grau, como a *Eneida*, que, supondo modelos, como a *Ilíada*, podem transformar seus elementos. Eneias, como se vê, não tem piedade, isto é, não tem comiseração, e é, pois, impio.

Depois de abater Mago, Eneias mata o filho de Hémon. Pode-se entender o termo latino *Haemonides* (v. 537) como nome, análogo a "Diomedes", mas pode-se entender, como o tradutor aqui, que seja o patronímico, "filho de Hémon", caso em que uma vez mais a vítima é referida por intermédio do pai. Contudo, o que importa é que o infeliz não é nada menos do que sacerdote de Apolo e Diana ("Trívia"), e, como tal, porta as fitas sagradas (10, 538-543):

| | |
|---|---|
| nec procul Haemonides, Phoebi Triuiaeque sacerdos, | Perto estava o filho de Hémon, ministro de Febo e Trívia, |
| infula cui sacra redimibat tempora uitta, | ínfula as têmporas rodeia-lhe com fitas sacras, |
| totus conlucens ueste atque insignibus **armis/albis**. | todo a brilhar com suas vestes e armas vistosas; |
| Quem congressus agit campo, lapsumque superstans | na luta, o empurra do campo e, em cima do caído, |
| immolat ingentique umbra tegit, arma Serestus | mata e o cobre com a grande sombra. No ombro as armas pegas |
| lecta refert umeris tibi, rex Gradiue, tropaeum. | porta Seresto para ti, como troféu, rei Gradivo. |

No verso 540, há a variante *albis*, "brancas", em vez de *armis*, "armas". Assinalo a alteração, e a passagem ficaria assim:

> Perto estava o filho de Hémon, ministro de Febo e Trívia,
> ínfula as têmporas rodeia-lhe com fitas sacras,
> todo a brilhar com suas vestes e **brancas *insígnias***
> na luta, o empurra do campo e, em cima do caído,
> mata e o cobre com a grande sombra. No ombro as
>     armas pegas
> porta Seresto para ti, como troféu, rei Gradivo.

Não é fácil dizer por que um sacerdote vai às linhas de combate. Aqui a escolha dos tradutores ainda é mais dura. Se lermos *armis*, "armas", como Donato e Sérvio (outro gramático, do século IV-V d.C.), *insignibus* é adjetivo e significa "vistosas". Desse modo, o sacerdote, além de estar onde não devia, é temerário a ponto de ainda portar armas que atraem a atenção do inimigo, como observa Donato. Estaríamos então diante de outra situação irônica, como se o poeta dissesse ao sacerdote: "Bem feito! Quem mandou ser espetaculoso?". Todavia, se lermos *albis*, "brancas", como o gramático Probo[10] (século II d.C.), *insignibus* é substantivo e significa "insígnias", o que, amenizando a temeridade do sacerdote, que cuidadoso se exibia como tal, incrementaria a impiedade de Eneias. E nesse caso, o emprego de *arma*, do v. 542, "armas", é metafórico e só faria aumentar o patético da cena, como se o poeta dissesse: "Eneias matou

---

[10] A informação é dada pelo próprio Sérvio, *Ad Aen.* 10, 549:

| Probus vero "insignibus albis" dicit legendum, ut vestes albas accipiamus, quae sunt sacerdotibus congruae. | Probo, porém, afirma que se deve ler *insignibus albi*s, para que entendamos "vestes brancas", próprias dos sacerdotes. |

um sacerdote, cujas únicas armas eram as insígnias da divindade!". No passo, Jacques Perret (III, p. 64), como comentador, registra uma dúvida: "Seria ímpio matar um sacerdote, ornado dos paramentos, e fazer deles um troféu?". Aqui Eneias não tem piedade, ou seja, é sacrílego, é ímpio. É o caso de indagar se hoje os filólogos editores dos manuscritos, na hora de escolher entre dois termos, como aqui, ao contrário dos gramáticos antigos, não se deixam levar pela piedosa reputação de Eneias e escolhem o termo que a contradiz menos!

Eneias pode também ser *hybristés*, excessivo, cruel, impio e ímpio, o que, se é defeito moral numa pessoa, aqui é virtude psicológica da personagem, pela complexidade que lhe confere. Isto posto, se assim os latinistas mostrarem que ele pode ser, acredito que, como personagem, o herói deixa de ser "chato", nos dois sentidos que o termo tem, isto é, deixa de ser "plano", que em inglês se diz *flat*, e deixa de ser "maçante", que em inglês se diz *boring*. Salienta-se o herói que se torna contraditório, imprevisível, mais humano e menos sacerdotal, mais como nós, e menos santamente piedoso, como Virgílio a toda hora afirma. Daí resulta que, leitores incréus, não devemos tomar unívoca e piamente o que Virgílio diz, mas acolher, como estratégia deliberada, ou seja, como procedimento da sua poética, como *lex operis*, "o critério de uma obra", nas palavras de Horácio,[11] uma ambiguidade que já não é a vaguidão, aquela incerteza nebulosa meio simbolista entre uma e outra coisa, mas a certeza de que é ao mesmo tempo uma e outra coisa sem nenhuma imprecisão. É desconfiando de Virgílio que a boa história que narra se torna ótima.

---

[11] *Arte poética*, v. 135.

## II. Traduzir a *Eneida*

Faltava em português uma nova tradução poética da *Eneida*. Nestes anos do século XXI, temos assistido no Brasil e em muito menor medida em Portugal não apenas à reedição de importantes traduções poéticas portuguesas e brasileiras dos épicos greco-latinos, mas também à publicação de novas traduções poéticas dos mesmos poemas.[12]

Com efeito, é importante republicar traduções poéticas feitas nos séculos passados, porque, ao tempo em que se leem os autores antigos, é possível saber um pouco como foram recebidos em Portugal e no Brasil em cada época, fato que já diz respeito à História da Tradução, História a que algumas editoras brasileiras, sem que talvez o saibam, estão a dar enorme contributo. Ao ler traduções passadas, acabamos por conhecer algo da mentalidade então vigente – por exemplo, os critérios e os limites que os tradutores se impunham ao deparar-se com estranhos costumes antigos – e igualmente ideias ali dominantes sobre poesia. Em mais detalhe, as razões são as seguintes: por um lado, um dado texto antigo funciona[13] como o elemento invariante à luz do qual se podem comparar as variadas soluções que os tradutores encontraram

---

[12] Do século XIX reeditaram-se as versões da *Ilíada*, da *Odisseia* e da *Eneida* feitas por Manuel Odorico Mendes. Da *Eneida* foi reeditada a tradução incompleta de Barreto Feio, concluída por José Maria da Costa e Silva. No século XX, as traduções hexamétricas que Carlos Alberto Nunes fez da *Ilíada* e da *Odisseia* nos anos 1940 praticamente nunca saíram de catálogo, ao contrário da *Eneida*, de 1981, revista e reeditada em 2014. Da *Eneida* foram publicadas em Portugal a tradução de Agostinho da Silva em 1983 e a de Carlos Ascenso André em 2020.

[13] Refiro-me ao conceito segundo o qual a literatura traduzida literariamente a uma língua pertence à literatura vernácula original dessa língua, exposto por Stuart Gillespie e David Hopkins no prefácio de *The Oxford history of literary translation in English: 1660-1790*, v. 3 (2005).

para traduzi-lo e avaliar o engenho e a arte deles, e, por outro lado, os tradutores eram, eles mesmos, *os próprios poetas que produziam a poesia vernácula original daquele tempo*, de modo que a tradução que fizeram nunca se apartou da poesia original que então produziam e se torna hoje mais um elemento para avaliar com muito mais abrangência as letras, isto é, as práticas literárias do período, isto que se denomina "Literatura": é assim, pois, que a História da Tradução traz não pequenos benefícios para a História da Literatura.

Todavia, igualmente importante é retraduzir os poemas antigos, porque traduzir não é só trazer um poema para o idioma – o que, afinal, como acabamos de ver, já tinha sido feito –, mas trazê-lo para a linguagem presente, bem entendido, "linguagem", manipulação ativa do idioma tal como é empregado pelos usuários de hoje, na fala – culta ou coloquial – e em todas as possibilidades da escrita. Se traduzir é construir pontes, a ponte que os tradutores de poesia antiga constroem é dupla, porque, além pôr em contato duas linguagens, põem em contato duas épocas diferentes. A tarefa desses tradutores é fazer que o poema antigo cause em nosso tempo a comoção que causou no tempo dele, e isso só poderá ocorrer quando se agenciam todas as potencialidades da linguagem poética de nossa língua nos dias de hoje: é somente nela que nós nos reconhecemos hoje e é ela a única que pode causar em nós aquela comoção. Por mais que apreciemos belas traduções antigas, nós as admiramos como quem olha de fora, ao passo que, quando estamos diante de uma bela tradução contemporânea, por causa da linguagem que igualmente nos pertence, sentimo-nos parte do texto, como se de alguma forma o poema falasse também de nós, dando-nos assim a sensação comotiva de pertencimento. Para isso, a criatura mercurial que é o tradutor deve encontrar, no arsenal de recursos que a língua lhe oferece, aqueles que lhe servem para redizer o antigo poema alheio e, vulcâneo, deverá forjar outros quando for necessário. Nesse sentido, porque põe em contato e em confronto duas poéticas, dois poemas e duas épocas, a tradução poética talvez seja, digamos assim, um acontecimento "mais poético", isto é, um acontecimento mais carregado de atividade poética, do que a produção de poesia original. Se não for mais poética, não há também de ser menos. Pondo de parte a edificante provocação, o fato é que no século XXI, na onda de novas versões poéticas das epopeias gregas e latinas no Brasil e em Portugal, não havia nenhuma nova tradução integral da *Eneida*[14]: como demonstram as publicações, se nossa *Eneida* não foi mal contemplada quando se reeditaram traduções dos séculos passados, vinha sendo, porém, bem negligenciada pelos tradutores neste século, até o aparecimento oportuníssimo desta versão de João Carlos de Melo Mota, que a Editora Autêntica agora dá a lume.

# Referências

## 1. Autores antigos

**DONATO**
GEORGES, Heinrich; BRUMMER, Jacob (Eds.). *Tiberi Claudi Donati ad Tiberium Claudium Maximum Donatianum filium suum interpretationes Vergilianae.* Leipzig: Teubner. Volumen I: *Aeneidos Libri I-VI.* Volumen II: *Aeneidos Libri VII-XII. Vitae Vergilianae.*

---

[14] Haroldo de Campos (2002), Christian Werner (2018) e Trajano Vieira (2020) publicaram tradução poética integral da *Ilíada*, e Donaldo Schuler (2007), Trajano Viera (2011) e Christian Werner (2014), da *Odisseia*, enquanto em Portugal Frederico Lourenço publicou ambas (2005 e 2003). A recém-editada tradução de Carlos Alberto Nunes fora primeiro publicada em 1981.

## HOMERO

_____. *Ilíada de Homero*. Tradução de Haroldo de Campos. Introdução e organização de Trajano Vieira. 4. ed. São Paulo: Arx, v. 1, 2003; v. 2, 2002.

_____. *Ilíada*. Tradução de Christian Werner. São Paulo: Ubu / SESI-SP, 2018.

_____. *Ilíada*. Tradução de Frederico Lourenço. Lisboa: Livros Cotovia, 2005.

_____. *Ilíada*. Tradução, prefácio e notas de Trajano Vieira. Ensaio de Simone Weil. São Paulo: Editora 34, 2020.

_____. *Odisseia*. Tradução de Christian Werner. Posfácio de Luiz Alfredo Garcia-Roza. Apresentação de Richard Martin. Texto complementar de Franz Kafka e Konstantinos Kaváfis. São Paulo: Cosac Naify, 2014.

_____. *Odisseia*. Tradução de Donaldo Schüler. Porto Alegre: L&PM, 2007. 3 v.

_____. *Odisseia*. Tradução de Frederico Lourenço. Lisboa: Livros Cotovia, 2003.

_____. *Odisseia*. Tradução de Trajano Vieira. São Paulo: Editora 34, 2011.

Sérvio, Gramático

Maurus Servius Honoratus. *In Vergilii Aeneidos libros* (*Servii grammatici qui feruntur in Vergilii carmina commentarii*). [S. l.]: Ed. G. Thilo, 1878-1884. v. 1-2

## VIRGÍLIO

VIRGILE. *Énéide*. Texte établi et traduit par Jacques Perret. V. I, livres I-IV; v. II, livres V-VIII; v. III, livres IX-XII. 2. tirage revu et corrigé. Paris: Les Belles Lettres, 1981.

VIRGÍLIO. *Eneida brasileira*. Edição bilíngue. Tradução de Manuel Odorico Mendes. Organização de Paulo Sérgio de Vasconcellos. Campinas: Editora da Unicamp, 2008. (Versão de 1854 de Odorico Mendes.)

_____. *Eneida*. Tradução de Carlos Alberto Nunes. Organização, apresentação e notas de João Angelo Oliva Neto. Edição bilíngue. São Paulo: Editora 34, 2014. (1. ed. 1981, São Paulo: A Montanha.)

_____. *Eneida*. Tradução de José Victorino Barreto Feio e José Maria da Costa e Silva (livros IX-XII). São Paulo: Martins Fontes, 2004.

_____. *Eneida.* Tradução de Odorico Mendes. Apresentação de Antônio Medina. Estabelecimento de texto, notas e glossário de Luiz Alberto Machado Cabral. Cotia: Ateliê Editorial; Campinas: Editora da Unicamp, 2005. (Versão de 1854 de Odorico Mendes.)

_____. *Eneida.* (1983). Tradução de Agostinho da Silva. In: Obras. Lisboa: Temas & Debates, 1999. p. 135-504.

_____. *Eneida.* Tradução, introdução e anotação de Carlos Ascenso André. Lisboa: Livros Cotovia, 2020.

## 2. Autores modernos

AUERBACH, Erich. *Dante e Virgílio.* In: *Ensaios de literatura ocidental.* Tradução de Samuel Titan Jr. e José Marcos Mariani de Macedo. Organização de Davi Arrigucci Jr. e Samuel Titan Jr. São Paulo: Duas Cidades; Editora 34, 2007.

_____. *Figura.* Tradução de Duda Machado. Revisão da tradução de José Marcos Macedo e Samuel Titan Jr. São Paulo: Editora Ática, 1997.

COULANGES, Fustel de. *A cidade antiga: estudos sobre o culto, o direito, as instituições da Grécia antiga e de Roma.* Tradução e glossário de Fernando de Aguiar. 9. ed. Lisboa: Livraria Clássica Editora, 1957. 2 v.

ELIOT, T. S. (1957). What is a classic. In: *On poetry and poets.* London; Boston: Faber & Faber, 1986.

ELLIS, Roger. *The Oxford history of literary translation in English: 1660-1790.* Edited by Stuart Gillespie & David Hopkins, 2005. v. 3.

POUND, Ezra. *ABC da literatura.* Tradução de Augusto de Campos e José Paulo Paes. Organização e apresentação da edição brasileira: Augusto de Campos. São Paulo: Cultrix, 1986.

THAMOS, Márcio. *As armas e o varão: leitura e tradução do canto I da Eneida.* São Paulo: Edusp, 2011.

INTRODUÇÃO

# De um desabafo existencial até uma transposição sonhada

**Pequena história de um envolvimento**

Entro por fim em uma de minhas mais ambicionadas tarefas escripcionais (ou escriptórias): a tradução da obra poética máxima da latinidade. Não propriamente para um orgulho de poder dizer depois: consegui concretizar um trabalho sobre o mais valioso possível entre o que se poderia escolher do vastíssimo painel literário de uma língua tão eterna (e talvez, mais importante, amada) quanto a cidade que deu nome a uma cultura e um império em muitos sentidos.

E, sim, mais propriamente por uma satisfação finalmente alcançada e que se amarra ferrenhamente a um já longínquo passado adolescente, que resenho, sem pretender conotações autoufanistas ou "autopromovedoras", mas sobretudo com o intuito de desaguar um desabafo diuturnamente represado. Se me ponho num "esboço", além de ser importante situar uma história individual, para uma melhor compreensão do sujeito (tradutor) e do objeto (tradução) em questão, é porque não sei como deixar de atingir a essência de alguém a quem latim e línguas deram um "sentimento do mundo" do artístico e, mais de perto, do literário.

No primeiro ano do "grupo primário", fizera, com desenhos toscos e primitivos, as próprias revistinhas à imitação do gibi *Pato Donald*, e já me agradava bosquejar escritos esparsos do que me ocorresse casualmente.

Aos onze, já no seminário redentorista de Congonhas, "coçado" desde cedo, faço em quadrinhas o primeiro longo poema de fundo – àquela altura "obrigatório" – religioso. Mas, junto com a força de tração do impulso versificatório, brotava também uma deliciosa procura por línguas.

Aos treze, após três meses autodidatas, e com o estímulo do ensino "oficial" iniciado, produzo mais que afoitamente possível uma cartinha em latim ao então superior geral da congregação, padre Gaudreau (não sei se autorizada a seguir ao destinatário, mas me lembrou há pouco o ex-colega Estevão Flores de Salles que, se não foi enviada, pelo menos alvoroçou os superiores).

E o verdadeiro assalto sentimental da língua de Cícero me jogou num mar interno agitado do qual jamais sairia; e o que aconteceu? Aos quinze para os dezesseis, cada vez mais num mundo autista (cuja vivência provocou logo depois a retirada sabiamente aconselhada da escola pelo diretor espiritual Alberto Ferreira Lima), vi-me a *pensar em latim*, evidentemente, de uma forma abstrata, no que se refere às coisas práticas do dia a dia, já que todos os objetos circunstantes não poderiam ser nomeados, nessa fala com si próprio. E tomado de roldão pelo incontrolável, o latim passou a ser minha segunda língua de uso poético e de cabeceira. Porque boa parte das "versificaturas" é feita à noite, na cama. E registro o fato de ser realmente segunda língua – poderia ilustrá-lo tomando a liberdade de reproduzir observação verbal do linguista Mário Alberto Perini, amigo e colega, a respeito de meu vínculo com ela ("se alunos precisarem de um informante 'nativo' para o latim, procurem o João") – por ter ligação com esta tradução. É que em alguns casos, e mais por instinto que por conhecimento científico, é verdade, como que por um "sentir com", escolho determinada variante filológica de um par diverso de manuscritos diferentes, além de dar uma compreensão diferente em um ou outro trecho.

Curioso, já com vinte anos, passei em São Paulo curta temporada, de maio a dezembro, cidade e ritmo de vida que me cortaram, não consigo saber como e por que, o ímpeto de escrever na língua-emoção. Só voltei a fazê-lo regularmente, décadas mais tarde, após a aposentadoria da UFMG. Só que agora as "coisas" brotam com um pensar diferente em latim, parece que sazonado, mas cada vez mais incandescente e incendiariamente (já são dois grossos livros de poemas em metros diversos, ao lado de outros dois que surgem).

O contato, porém, crescente com o chamado mundo real trancava, entre outros, o desejo de pôr para fora algo de significativo que testemunhasse a ligação profunda com a língua entranhada (mas não me refreou, o que chamo quase-instinto, para versificar também em outras línguas, também desejadas). Já quanto a traduções, de concreto, quer dizer, do que ouso ou ousei dar à luz, tenho apenas uma versão para o esperanto do livro *Ah! se eu soubesse*, de Rose dos Anjos, e 100 textos – 68 sambas-enredo e 32 canções, de cunho crítico, da MPB – vertidos para o francês quando da redação de tese em Besançon, e recentemente, através também de tese, dessa vez da autoria de Sueli de Melo Miranda, a tradução em português do soneto "Hiatus Irrationalis" de Lacan. Isso porque várias outras traduções, em verso, de outras línguas, para o português se perderam, por descuido, inteiramente.

Muita coisa ficou, pois, retida em peito e em cabeça, até que, durante a fase de correção do vestibular da UFMG de 2008, dou com a *Eneida*, na tradução de Odorico Mendes, vindo imediatamente a vontade de colocar em versos, agora numa pensada edição bilíngue, o que, em 1994, já tinha feito em prosa.

Dita tradução, contudo, também e, principalmente, elaborada com intenção didática, por não me agradar, inutilizei de cabo a rabo, rasgando folha por folha e enviando para o caminhão dos lixeiros. Dessa forma, preferi não aproveitar absolutamente nada para a presente e nova versão, executada de fevereiro a outubro de 2008, em sua primeira versão. Na sequência, vieram a ordenação de notas, a revisão geral da tradução, da metrificação, um trabalho extraordinário, inesperadamente surgido, de levantamento de um detalhe fonoestilístico de toda a obra (a que retorno depois), a digitação de texto traduzido, sua revisão, esta própria introdução e, por fim, um glossário de todos os nomes próprios (levantamento e digitação).

E tudo, repito, às pressas. A pergunta natural aqui será justamente: por quê? Por, talvez, recear que outra tradução aparecesse antes? De forma alguma. Seria até um regozijo saber que a "obra máxima" não foi tão esquecida assim, em termos de Brasil, é claro. Na verdade, o que se passou foi um atropelo, praticamente inevitável, de, numa ânsia desmedida, satisfazer um compromisso e sobretudo uma dívida que contraí não só comigo, mas com a comunidade "clássica" de colegas, a quem nada e, nunca, apresentei de sólido, palpável, em face de minha certamente conhecida dedicação ao latim e por uma verdadeira vergonha de tal omissão, maior ainda quando me lembro dos caros predecessores Peicher, Romanelli, Rúbio, Olinto e Oscarino, falecidos. Sem mencionar que, no doutorado, não lidei com nenhuma causa clássica diretamente (só aconteceu, ao longo da tese, longínqua e indiretamente). Peso que pesa e dói, agora abrandado.

## Assunto: tradução

Explicitados, assim, os dois vetores de interesse maior (poesia e línguas) e confessada a falha, até então imperdoável, para com os colegas, passamos, sem mais, à ligeira exposição do que corresponde à nossa visão, tacanha, do fenômeno tradutório.

Com vistas à tradução, num sentido geral, lembramo-nos de apenas, talvez em 1982, ter participado de um simpósio realizado na Letras da UFMG, levando a conhecimento público uma tímida posição pessoal teórica do que havia sido nossa experiência em traduzir. De lá para cá, a não ser por lances de olhos, muito esporádicos, de um artigo ou outro – e nunca de uma obra qualquer em sua integralidade –, não tivemos nenhum contato com o que deve constituir, hoje, o universo de conhecimentos sobre tradução. Sendo assim, nos consideramos, com inteira razão, leigo no assunto.

A visão restrita que nos serviu e serve de fundamento para a empreitada ora concluída prende-se a uma maneira de trabalhar o texto estrangeiro com a preocupação maior da assim chamada fidelidade. Sob tal prisma, o objetivo é aproximar-se das peculiaridades do original, é seguir o mais de perto possível como que o *modus videndi* da língua-fonte, mas sem desoriginalizar a língua-alvo. Assim fizemos com relação aos textos vertidos para o francês em 1986. Assim encaramos a presente obra, agora em sentido inverso, mesmo sabendo que, para entendidos, isso funciona teoricamente como uma espécie de "infidelidade vernácula".

Não nos interessa – nem compete – entrar em debate com nenhuma posição tradutória, por mais sólida e profunda que seja. Somos apenas – talvez mais, e nada mais, ainda que não recomendável isso – um praticante desses exercícios de tradução virgiliana.

Já sob outro ponto de vista, para nós, não existe uma tradução definitiva. Traduzir é sempre uma travessia, uma passagem que pode, aliás, ser sempre repetida, ou não, da mesma forma (em duplo sentido); em outra situação possível, tomaríamos outros caminhos, novas versões. Aliás, traduzir é sempre uma versão daquele momento para determinado ponto de chegada abraçado. É importante dar-se conta de que, no fundo de toda transposição linguística literária, prevalece um substrato de cunho subjetivo, à luz de que o subjetivismo é obrigatoriamente canalizado para uma só concretização, mas que seja ele um *trans*itar reconstrutor, tudo isso valendo como uma explicação, se não mais uma razão, para a deficiência natural e para o "mal necessário" que é qualquer tradução. Interessante, sempre pelas trilhas da velha língua universal, ocorre-nos que, na área semântica de tradução – e o latim é muito rico em termos que dizem respeito a tal operação – o termo *transgressio*, além de incorporar sentidos de um passar para outro lado, de uma travessia ou transposição, encerra quase ironicamente o de infração, invasão, transgressão, violação... De certa forma, entretanto, ela pode ser também um "bem desejável". E é bem o que desejaríamos, apesar de tudo, fosse esta *versão*.

Ainda no campo da tradução, como que criando aqui parênteses, não poderíamos deixar de registrar uma, de cuja existência só viemos a ser informado através da amiga e colega Ângela Maria Salgueiro Marques, feita por Leopoldo da Silva Pereira, seu tio avô. O intelectual (1868-1932), tradutor exímio de prosa e verso, nos surpreendeu, no caso específico da *Eneida* e dos *Anais* de Tácito, com sua precisão, segurança, facilidade e domínio total do latim. Embora só tenhamos lido as edições da Garnier e, há muito tempo, da Belles Lettres, dá para perceber que Leopoldo está em outro nível, num patamar, não temos dúvida, dos melhores tradutores mundiais. Tão excelente quanto, lamentavelmente, desconhecido, deixou também *Prosadores Latinos* (trechos escolhidos), *Voyages de Saint-Hilaire, Catecismo*, de Antonio Claret (do catalão) e, do italiano, *Francesca da Rimini*, de Silvio Pellico, livros de cuja leitura não pudemos, contudo, nos aproveitar, ainda.

Apenas o lemos, muito rapidamente, em *Eneida de Virgílio*, por trechos que selecionamos, mas nossa impressão e apreciação não ficaram prejudicadas por tão pouco; também nos *Anais*, só pudemos nos dedicar a trechos esparsos, mas constatamos que conseguiu transformar o "cipoal" tacitiano em joia de clareza e simplicidade, por nós ao menos, jamais vistas.

**Comentários sobre generalidades
e opção de vocabulário**

Primeiramente, no tocante a edição, e edições variadas em várias línguas, queremos deixar claro que não tivemos hora nenhuma por escopo abordar e estudar filologicamente, por comparação, esta ou aquela obra predecessora, muito embora nos tenhamos envolvido, no passado, em sondagens de filologia clássica, românica e, em especial, de língua portuguesa (indo mesmo, por diletantismo, no caso dessa última, ao exotismo de compor poemas em português arcaico). Apenas escolhemos como texto base o da coleção Garnier, organizada e traduzida por Maurice Rat, permitindo-nos só raramente discrepar de um vocábulo ou outro. Uma única edição, aliás, que examinamos em muitos trechos, na língua de destino, com a finalidade única de darmos subsídios gerais (culturais, históricos, geográficos, às vezes até "enciclopédicos") a quem se envide em penetrar mais fundo no contexto de compreensão global em que se insere a *Aeneis*. A preocupação com não compararmos traduções se deveu fundamentalmente ao fato de não nos "contaminar" com nenhuma sugestão alheia; o que, evidentemente, não afasta talvez fortuitas coincidências, por ser absolutamente impossível a sua não-ocorrência.

Em segundo lugar, sob o mesmo aspecto de ponto de apoio em outra tradução, esvoaçamos exclusivamente sobre trechos totalmente esparsos, não fazendo leitura, de caso pensado, em mais de oitenta por cento, da *Eneida de Virgílio*, de Odorico Mendes, precisamente para fugir de qualquer influência exterior, mesmo que subliminar. Foi ela compulsada, posteriormente a nosso trabalho, somente para confronto crítico de passagens mais conhecidas. É significativo para nós o resultado de um aprofundamento concreto e pessoal no afã de se debater com o texto – (s)ocorrem-me aqui Naief Sáfady e Fidelino de Figueiredo – e daí retirar quem sabe uma nova realidade, a de efetivamente poder apresentar, mesmo que inermes ou sem mérito, soluções particulares, só possíveis em tal caso, acreditamos, com o desvencilhamento de traduções alheias. *Mutatis mutandis*, aplicamos a tal atitude uma assertiva de Jean Marie Jacques, no artigo "L'idée comique et sa réalisation scénique dans *Les*

*Acharniens* d'Aristophane", integrante do *Cahier du GITA*, n. 5, déc. 1989, Univ. de Montpellier (p. 3): "*J'essairai d'oublier ce qu'ont dit les auteurs et de retrouver la fraîcheur des impressions premières [...] Mais au lieu de chercher à situer ma réflexion par rapport à la critique, j'ai préféré qu'elle naisse d'un contact direct avec l'oeuvre*".

Fomos impelidos, pois, só pelo objetivo de oferecer um texto organizado inteiramente por efeito de nossa própria experiência, método e maneira pessoal de traduzir e versejar. Isso não nos exime do dever de declarar que acatamos, e nos baseamos nela, a opção de colocar, no domínio da formação de palavras, apelativos à Haroldo de Campos. Embora tenhamos recorrido a expediente da mesma natureza em outras obras versificatórias nossas, confessamos que, pela autoridade de dito poeta-tradutor, nos sentimos confiantes de, numa tradução de obra clássica universal, da envergadura de uma *Eneida*, introduzir algumas criações a modo, p. ex., de "Atena, olhos-azuis" ou de intensificar a "armação" de vocábulos plasmados à maneira de "polilágrimo". Fica então consignada nossa dívida e preito a tão eminente escritor *verbifúlgido*! (E como sentimos não poder ele avaliar este "piérico" trabalho de tradução!) Muito do que talvez possamos ter conseguido de bom, devemos pôr, dedicatória mas efetivamente, na sua conta.

Voltando agora a Mendes, constatamos que, enquanto é ele um "transdutor", pela síntese que recria um novo texto, somos um tra-du-tor, o que atravessa ferrosamente as sendas dos Livros e apresenta uma opção empobrecedora da luminosidade virgiliana. Por outro lado, sem qualquer desdouro, não quer dizer que, ao lado de geniais resumos de versos – sua tradução não é do tipo verso por verso –, e do uso de termos fabricados poeticamente (recurso altamente elogiado, valorizado, "reciclado" e recriado por Haroldo de Campos), não deparemos com casos que comprometam uma percepção mais apurada de alguns trechos. Procuramos, por nosso lado, o mais estreitamente possível observar uma ordem mais atenta, seja semântica, seja sintaticamente. Porque uma coisa é se compreender um trecho, ou uma frase, ou até um fragmento de frase, pela ideia de conjunto (Rat peca muito por isso), outra é atravessar cada uma das partes, não deixando um termo nem sequer "mal-digerido". E é nessa direção nosso empenho total, mesmo que haja falhas insanáveis, por nossa própria deficiência.

Ao contrário de Odorico Mendes, muito menos nos dedicamos a ler, confrontar e criticar inúmeros textos de traduções, de autores de diversos países, em verso ou em prosa, nem a fazer uma longa e prestimosa pesquisa de termos, mais adequados, segundo ele, a cada caso particular de objetos, armas, etc. Cabe-nos tão somente enaltecer tamanho rigor, e vigor, em cumprir metas difíceis, eruditas e inestimáveis dentro da operação maior do traduzir, e enfatizar e corroborar todos os seus méritos.

Ainda a propósito de Mendes, forçoso nos é observar que não concordamos com ele num único ponto: não nos parece necessário, mais especificamente então no caso da *Aeneis*, recorrer a um manancial de termos diferentes e, quanto maior sua diversidade, tanto mais valiosos. Nenhuma epopeia, acreditamos, precisa se constituir de um número avantajado de termos, nem que eles sejam os mais "ilustres" possíveis, muito menos a de Virgílio, que não se pejou de repetir, por exemplo, termos iguais a curta distância, nem de variar tanto assim, numa visão global, a gama das palavras que compõem as façanhas de

Eneias. Como um caso entre tantos, citaríamos: "campis" (IX, v. 32 e 34); "fluctus... fluctibus" (V, v. 238 e 239); "hastam... hasta" (X, v. 521 e 522) etc., etc.

Quanto à abundância vocabular, nas grandes epopeias que conhecemos, só faz exceção a *Divina Comédia*. Mas, nesta, ocorrem dois fatores principais que regem um maior acervo lexical: a) Dante precisava consolidar e enriquecer a própria língua, considerada, então, como as demais faladas, "vulgar", em face do latim, mãe, e do grego, tidas como "nobres"; b) a necessidade de fundo rímico normalmente postulada pelo entrelaçamento típico da *Terza Rima*, o que acabou por implicar em arcaísmos, recurso a outras línguas (latim, provençal, etc., além de um verso, o 1º do canto 7º do Inferno, em língua *infernal* fictícia), bem como termos exóticos ou pouquíssimo empregados. Em riqueza vocabular, além disso, se não nos falha a memória, há um estudo que mostra justamente, entre outras coisas, a genialidade de Camões em compor seu longo poema com número significativamente e, é claro, proporcionalmente, baixo de palavras. Sob esses dois pontos ("multiverbalismo", diríamos, e pomposidade epopeica), nos parece, pois, sem minorar em nada os méritos evidentes de sua tradução, como já positivamente enfatizado, que a *Eneida*, em face da *Aeneis*, é "mais realista que o rei", para tomar de uma expressão corriqueira.

O que fizemos foi acompanhar Virgílio, com simplicidade, em sua marcha sintática e em seu não-compromisso com a exuberância de palavras. Simplicidade que não vai ser ferida quando se virem tantos casos de verbos deslocados mais para o fim de orações, pois precisamente estamos com isso, mas sem exagero, "copiando" o sabor original. Assim, a menos que uma exigência métrica maior ocorra, optaremos por um vocabulário mais transparente, mais acessível; p. ex., sendo possível optar, acaso, num par, ou num grupo mais extenso de sinônimos, entre termos eruditos, "sevo" e "cruel", ou "prófugo" e "fugitivo", será escolhido o segundo de cada confronto. "Com simplicidade" significa, também, por outro lado, recolocar da melhor forma encontrável um verso, ou trecho, em que a correção, não possível de ser feita, levou Virgílio a um deslize de tautologia ou pleonasmo. Tais casos serão apontados nas Notas.

Às vezes (ou muitas vezes) haverá rompimento de tal simplicidade, pelo menos consciente e intencionalmente procurada, agora no que diz respeito somente à estrutura sintática, quando a infração se der em razão: a) de métrica, em sentido estrito (ex.: VI, v. 580); b) de métrica, em sentido amplo ou em função do ritmo de determinado verso (ex.: V, v. 552); c) de se assemelhar, o mais possível, a estrutura vocabular do fim de verso em relação com o mesmo fim do original (ex.: VII, v. 592); d) de se procurar melhor correspondência com aliterações constantes da *Eneida* – como se mostrará mais adiante – (ex.: I. v. 26).

Ainda no domínio de termos empregados, queremos ressaltar que, sempre na medida do possível, evitaremos não render determinado substantivo, adjetivo ou verbo por seu equivalente exato em português, a menos que o uso já esteja consolidado ou não haja recurso, dentro da medida do verso, a um vocábulo sinônimo mais extenso. Dessa forma, não faz sentido colocar "pulverulento", "infrene", "apropinquar", "diro", "honesto" (na acepção de "belo", "formoso", p. ex.,), "sino", "luco", "crebro", etc., etc., por "puluerulentus", "infrenis", "propinquare", "dirus", "honestus", "sinus", "lucus", "creber": dá-se aí o que pessoalmente chamamos de "intraduzir", ou seja, usar, aportuguesado, nos exemplos em pauta, o termo latino.

A propósito, pois, de escolha de termos, adotaremos, em princípio, uma filosofia de moderação ou controle de vocábulos mais eruditos. Partindo de um hipotético verso sáfico, teríamos, em progressão válida para uma escala completa de tradução, o seguinte arranjo:

    a)    sáfico original: *Aerea o uirtus nimiae procellae*
    b)    tradução em verso
          b.1)    "intradução": Érea ó virtude de nímia procela
          b.2)    projeto de tradução (ideal): Ó vigor brônzeo de excessiva chuva
    c)    tradução em prosa
          c.1)    tradução corrente: Ó força de bronze de uma exacerbada tempestade
          c.2)    tradução perifrástica (reformulação de c.1): Uma tempestade, quando encarniçada, traz escuridão, além de sua violência.

Repetindo, tudo isso se propõe como uma tendência desejada.

Procuramos trabalhar, portanto, numa faixa relativamente restrita em relação a um possível estoque lexical volumoso. Haverá principalmente variações relativas a alguns termos básicos enormemente repetidos, tal qual "comes"; assim, serão usados, em razão do espaço métrico, indistintamente, cidade/urbe; sócio/companha/parceiro/companheiro; muros/muralhas, etc.

Já sob outro ângulo, não vamos proceder regularmente à repetição enfática, para corresponder ao original, que normalmente a faz por necessidade e/ou facilidade métrica.

Ênfases conscientes acontecem, geralmente, em prosa e não em poesia.

Nas Notas, nem sempre, mas muitas vezes, acusaremos transformações, ou não, em português, geradas em latim seja por hipálage, seja por hendíadis. Virgílio, diga-se de passagem, é hipalagético e grande cultor dessa última modalidade semiossintática, em alto grau.

Fidelidade ao original. Embora tenhamos composto uma versão diferente para o mesmo verso (p. ex., livro XI, v. 831 e livro XII, v. 952), e que carrearia uma preocupação rítmica maior ["e sua alma, revoltada, foge às sombras com um gemido"], reproduzimos o mesmo verso traduzido, por fidelidade total almejada, nos dois ambientes citados. O mesmo deve se dizer relativamente aos demais versos repetidos da epopeia.

Em nosso certamente ultrapassado, provavelmente ingênuo, confessadamente diletante e desejosamente esmiuçador método tradutório, o importante é, além da correspondência fônica geral, a seguir examinada, a precisão de um ritmo sintático entre fonte e alvo, mas precisão que não pretende emparelhar palavra por palavra, nem mesmo as unidades básicas consideradas; nesse caso, os versos de uma e outra língua.

## Sobre o título (e o subtítulo)

Primeiramente, o "didática" do subtítulo se justifica pelo esforço e cuidado de tornar mais próxima e acessível a linguagem poética de Virgílio, em sua obra maior, para amantes do latim (alunos, professores de Letras Clássicas e interessados das demais áreas de conhecimento) e se explica pelas Notas, que visam, mais que tudo, esclarecer os pormenores morfossintáticos bem como os de opções tradutórias adotadas. O nosso extraordinário autor é pouco conhecido, pode-se afirmar com pesar; o próprio fato de esta ser a terceira tradução completa, em 500 anos de Brasil, é o sinal mais convincente do inexplicável descuido e desinteresse por aquele que pisa, juntamente com poucos, o plano mais elevado da produção épica. Apenas Homero é maior que ele pela precisão, vigor e o próprio pioneirismo epopeico na cultura ocidental, embora seja Virgílio, em lirismo, maior que o próprio Homero. Não à toa Odorico Mendes, lidando cabalmente com as obras deste e com a virgiliana mais importante, ainda que não tida por muitos como a mais perfeita, relevou as virtudes do Mantuano sob inúmeros aspectos, mesmo que em face de seu mais que ilustre predecessor.

Sob nosso míope ponto de vista, aliás, o lirismo é um componente tão grave quanto o narrativismo e o descritivismo quando se leva em conta uma epopeia como um todo. E na vertente latina/neolatina, destacam-se justamente Virgílio, Dante e Camões. Para nós, também, mais lírico – mas aí não se considera sua ligação com o epopeico propriamente dito – que Virgílio só foi Catulo. Mas esta é outra história, mas esta é outra estória, porque no fundo, sempre segundo nosso parecer, esta última compõe o arcabouço substancial de qualquer poema, mesmo o não-descritivo/narrativo: fazer lirismo é contar, descrever (leia-se passar) o mundo pelo subjetivismo, e é contar, descrever (leia-se passar) a si mesmo pelo mundo recontável. Ainda sob essa observação digressiva, vemos em Catulo um mestre e inspirador incondicional, e por outro lado reputamos Ovídio como o maior épico/lírico que lemos, mesmo se nele o lirismo não irrompa com frequência, mas, é certo, com e como um insuperável tempero. As *Metamorfoses* já estão, aliás, para constituir, brevemente, nossa próxima aventura, que esperamos publicada. E na introdução à sua tradução comentaremos melhor o que vem a ser o lirismo ovidiano.

Entretanto, nosso empenho concomitante foi de ao didático unir o poético, ainda que não nos arvoremos, de forma alguma, em autor poético, no sentido mais profundo do termo. Se a tal empenho se possa ligar algum efeito alcançado, não cabe a nós julgar.

Em segundo lugar, o "homossilábica" procura trazer o que talvez seja uma inovação e mostrar, por assim dizer, um parentesco métrico-rítmico entre os dois textos apostos. Vale lembrar, antes de mais nada, que no hexâmetro virgiliano, incluindo-se aí um caso exceção de treze sílabas – mas com um esquema irregular em EDEEEE (ver possibilidades de realização hexamétrica logo a seguir) – existe, sob o ponto de vista do número de sílabas, a gama de 5 variações, os versos de 13, 14, 15, 16 e 17, e se contam, com vistas à sucessão e combinação de pés dáctilos e espondeus, 24 realizações possíveis: DDDDDE, DDDDEE, DDDEDE, DDEDDE, DDEDEE, DDEEDE, DEDDDE, DEDEDE, DEEDDE, DEEDEE, DEEEDE, EDDDDE, EDDDEE, EDDEDE, EDEDDE, EDEDEE, EDEEDE, EDEEEE (a exceção), EEDDDE, EEDEDE, EEDDEE, EEEDDE, EEEEDE e EEEDEE. A consciência e a maestria em dispor o mais aleatoriamente possível tais combinações, idealmente falando, é que dão um vigor especial e uma quebra de monotonia dáctilo-espondaica, de preferência, e é o presente caso, quando a sequência é só de hexâmetros, modelo mais adotado em toda a latinidade. Exemplo de cada uma das 5 medidas básicas, legíveis em sequência, se apresenta do v. 534 ao 538 do livro XI, na seguinte disposição: versos de 14, 15, 13, 17 e 16 sílabas.

As vantagens da tradução homossilábica se apontarão em muitos versos e em muitos trechos mais famosos, espalhados ao longo de toda a epopeia. Casos só para citar, *en passant*, entre centenas de outros, da utilidade, e mesmo necessidade (forjaremos: amplifonético-semântica), de verso mais pausado são os do livro I, v. 104 e 118; ou do livro VI, v. 156, 268, etc. Assim também, pelo contrário, versos mais longos e cuja cadência desperta mais a atenção poderão ter seu "retrato" tirado mais de perto, no verso traduzido correspondente (cf., p. ex., livro II, v. 09; livro VIII, v. 406; livro X, v. 456; livro XII, v. 511). Mas não será nosso propósito enveredar em tal trilha de exemplificação. No que concerne particularmente ao verso de 13 sílabas, mais ainda se torna evidente a imitação, também silábica, no caso da língua latina e, aí, mais fartamente possível, em Virgílio, *Aeneis*, em contraposição à língua grega, em que não só se evita, mas é quase inexistente.

Uma novidade que se destaca é a do final de alguns versos originais em que a conjunção enclítica *-que* aparece como um falso acréscimo do último pé, quando, na verdade, é esse *-que* absorvido (logo, cortado) pela vogal – obrigatória então – inicial do verso seguinte. Comparem-se, p. ex., livro V, v. 422/423, em latim e em português. Mas, para igualar a operação métrica nesse caso, foi mister recorrer, como imitação também, a um corte de palavra, só que visualmente, graficamente.

A versão homossilábica permite, entre outras coisas, maior facilidade em seguir o *enjambement* constante dos hexâmetros, bem como completar, com mais propriedade, a porção extrema com a porção inicial do verso seguinte, sobretudo se esta última se constituir de um só vocábulo (isso ocorre também em versões não-homossilábicas). Entretanto, nossa maior preocupação é com a vantagem de que a tradução possa acompanhar o movimento interior dos versos originais, e o leitor, acompanhar o movimento interior da tradução.

Ainda no âmbito do modelo homossilábico, especificamente na *Eneida*, a vantagem é grande a nosso favor porque, além das 5 variações métricas mencionadas, concorremos, em fidelidade, também com a variação dos versos incompletos (completos, às vezes, apenas no sentido), num leque de 9 tipos, compreendendo versos de 3 a 11 sílabas, assim distribuídos: 5 de 3; 12 de 4; 4 de 5; 12 de 6; 3 de 7; 4 de 8; 8 de 9; 5 de 10 e 3 de 11, o que perfaz 56 ocorrências nos 12 livros. Com isso, será compensadora nossa variação rítmica (lembremo-nos sempre de que o ritmo sobrepuja, de muito, à métrica), podendo trabalhar com mais liberdade cada verso, isto é, com sua toda particular autonomia! O mais importante é que o ritmo se assentará ora na extensão total de um verso, ora na do hemistíquio esquerdo, ora na do hemistíquio direito, sem cortar a ligação com o verso seguinte, que fica aproveitável ou não pela leitura, e este recurso ampliará o movimento rítmico global de determinado trecho (completo ou não).

No que concerne ao subtítulo, ao contrário do que se poderia supor, trata-se de um prazer de jorro ou de um jorro de prazer, só que sob um medo constante, a ponto de provocar estremecimento, e com um indisfarçável reconhecimento de humildade, em vista da tarefa quase-missão, de sua envergadura, em face daquela talvez-impossibilidade da consecução do arremate e, sobretudo, pela sensação de tirocínio de menino aprendiz, mesmo que não sob o olhar e ordens de um patrão. Na verdade, até que esse existe, e é o próprio coração, navegante, mas já ao largo de um não-retorno.

Forçosamente, agora nos repetimos: ou seja, na dissertação de mestrado, também a toque de caixa executada em seu arcabouço escrito, tivemos a sensação de estreante (subtítulo: sondagens estilísticas). Era o medo de pôr à tona uma realização mais "sentida" que intelectualizada, justamente porque, como a presente, simbolizava, e simboliza, uma montanha-russa de risco, acima de tudo, pessoal. E isso porque, diante de empreendimentos desejados ou de obras fundamentais, como a *Aeneis*, não saibamos nos controlar emocionalmente. O subtítulo, para nós, portanto, carrega talvez mais peso que o título.

## O Virgílio fonético

No amplo painel das realizações fonoestilísticas, deixaremos, a seguir, por questão de bom senso, falta de oportunidade e necessidade de não sobrecarregar a introdução, poucas e pequenas observações.

Antes de uma abordagem propriamente fônica, cumpre mostrar, bem por alto, como normalmente se traduzem, em versos, textos clássicos gregos e romanos, o que se deu através dos séculos.

À parte versões de perífrases versificatórias nos próprios idiomas mencionados, absolutamente esporádicas e resumos de cantos ou de toda uma epopeia, a forma mais encontradiça é a que privilegia os tradicionais versos alexandrinos ou decassílabos, por constituírem, em línguas ocidentais, um padrão heroico, nobre. Dos primeiros, bom exemplo são as traduções de Antônio Feliciano de Castilho, em Portugal, e, dos segundos, a famosa *Eneida* de Odorico Mendes, ambas em versos brancos.

Há ainda, casos bem raros, em que se procura, além da métrica de determinada língua, submeter o texto a rimas. Não é necessário dizer da perda tão acentuada da precisão ou fidelidade que com isso sofre qualquer produção de tal natureza.

Por fim, em vários países, fizeram-se traduções à imitação da metrificação clássica (ocorrendo até mesmo na língua "neutra" internacional Esperanto). Um exemplo de que dispomos é a de Hans Rupé, para o alemão, a partir da *Ilíada*. Evidentemente, elas não se pautam, nem seria concebível, por acompanhar os versos originais com a mesma disposição métrica original de cada um, mas literalmente os 'fabricam' dentro de uma lógica entonacional própria da língua-alvo. E a alemã se presta bem a isso. Entre outros tantos problemas acarretados por tais tipos de composição, ressaltamos o fato de que há, tanto para dissílabos quanto, em especial, para monossílabos, um expediente de tratá-los, no caso de dissílabos, ora num esquema espondaico (ex.: "Singe" em "Singe, Göttin, den Zorn des Peleiaden Achilleus", canto I, v. 1, esq. EDEEDE), ora em troqueu (ex.: "Sandte" em "Sandte verderbliche Seuche durchs Heer, und es sanken die Völker", idem, v. 10, esq. DDDDDE); e, no caso de monossílabos, ora como longos (ex.: "von" em Zwölf von Mennig leuchtende Schiffe folgten dem Führer", canto II, v. 637, esq. EEDEDE), ou breves (ex.: "von" em "Die von Dulichion stammten und aus den geweihten Echinen", idem, v. 625, esq. DDDDDE), recolhidos aleatoriamente.

E o pior é a falta quase absoluta de cesuras, o que só era possível no aparato rítmico e métrico da quantidade, de acordo com os cortes de palavras nos dois idiomas clássicos, no âmbito da versificação, quando não, como em Cícero, até em conclusão de cláusulas em prosa, em peças oratórias. O que acontece, afinal de contas, é lançar-se mão de uma técnica servil, tenaz e forçosamente imitativa, com o agravante de um reducionismo ou restrição da "fala poética" dos pés métricos, empresa que se traduz, consequentemente, em penoso, mal- sucedido, ineficaz e estéril artificialismo.

**Um caso especial: a aliteração**

O leitor atento – ou, quiçá, nem tanto assim – deverá talvez se impressionar com uma enorme recorrência, por todo o território traduzido, de aliterações, aquelas do tipo primário, quer dizer, as que se verificam no início de algum vocábulo, seja por consoante, seja por vogal. O seu então questionável abuso pede uma explicação. E essa se deve particularmente àquele tipo que não implica necessariamente numa correspondência entre tal ou tal verso aportuguesado em face do latino, já que as aliterações que coincidem, de caso pensado, entre ambos não estariam em julgamento, por ser isso um procedimento normal altamente desejável, quando se trata de transpor versos de uma para outra língua.

Seja dito, e enfatizado, entretanto, que vai nos ocupar, aqui, exclusivamente, o que denominamos aliteração simples: repetição de vogais e consoantes iniciais, desde que comportem o mesmo fonema; tal se dá entre, p. ex., "cadere" e "quod". Mas também será considerada, quanto às vogais, a semelhança entre, digamos, "Aeneas" e "Augustus", ou entre "aequa" e "apparet", etc. Dessa forma, nem a aliteração interna – de, p. ex., "magnorum ululare luporum", livro VII, v. 18; de "Pro̲tinus ad sedes Pri̲ami", II, v. 437, apesar da maior projeção acústica do "p", em função de toda a variação silábica de pro̲ e pri̲; de "Misce̲tur [...] tre̲mi̲t excita̲ tellus", XII, v. 445, etc., etc. – será computada, nem outros recursos porque fazem parte de uma pesquisa mais ampla e profunda em torno de explorações fonoestilísticas, coisa que englobaria vários ângulos de abordagem. Para melhores, seguras informações e competente aprofundamento, remetemos o leitor à clássica *Fenomenologia da obra literária*, de Maria Luiza Ramos.

E agora vem o esclarecimento de nosso supostamente abusivo emprego do fenômeno em pauta: os dois gêneros de aliteração somados, a simples ou pura, e a interna, acrescidos do que chamaríamos de "efeitos fonoestéticos globais" (*grosso modo* impressividade) devem projetar Virgílio no cenário literário universal como um caso à parte em sons valorizados e conscientemente, e obsessivamente, procurados, e o revelariam como uma verdadeira orquestra, ou se preferir, uma verdadeira selva ("questa selva [...] aspra e forte": v. *Divina Comédia*, Inferno, canto I, v. 5) "literofônica", de múltiplas facetas. O que bem pode também ser compreendido como um dos, se não o maior, dos maneirismos virgilianos.

Vem, portanto, de encontro a nosso esquadrinhamento, análise e conclusão, uma afirmação como de Rat, para quem Virgílio "*use de* l'allitération [...] *avec une exquise discrétion*" (Rat, v. II, p. 486), evidentemente levado por impressão subjetiva geral ou por só ter cotejado esporadicamente um ou outro verso.

Levantamos, em pesquisa exaustiva, sem maiores considerações particulares, só os dados simples de casos de aliteração, ditas simples, na *Aeneis*, tomando como base de cálculo os seguintes procedimentos, adotados nossos próprios critérios:

a. primariamente, arrolam-se as aliterações ocorridas entre palavras imediatamente seguintes uma(s) à(s) outra(s) (do tipo: "tendere tantum" ou "ardens agit aequore", etc.); nesse último exemplo, prevalece a vogal tônica do ditongo;)"

b. consideramos, em razão do aspecto auditivo muito forte ou influente, ou de impressão fônica relevante, como arroláveis para a pesquisa:

b.1. casos em que as vogais ou consoantes iniciais se separam apenas por uma palavra (ex.: "cum refluit campis");

b.2. casos em que as vogais ou consoantes iniciais se separam por até duas palavras, desde que uma destas se aglutine a um dos termos em que houve aliteração, fazendo então que as duas sejam sentidas como uma só. ex.: "uersantqu(e) in litore uentis"; "in litore", separadamente, constituiriam dois vocábulos;

b.3. casos em que o mesmo termo, isolado ou não como composição vocabular, ou termo da mesma categoria gramatical, ainda que em flexão diversa da do primeiro. Do 1º tipo: "si forte pedem, si forte"; do 2º: "subsidunt [...] sub axe..."; do 3º: "hoc Ilium, et haec loca...";

b.4. toda repetição de consoante ou vogal por três ou mais vezes em qualquer distância (mesmo que duas ou três palavras aí se interponham); ex.: "Per Superos, et si qua fides tellure sub ima est". Com maior razão, tal assunção se dará com consoantes ou vogais 4 ou 5 vezes repetidas, visto que, em função da própria capacidade ou condição do número de palavras de um verso, a distância não poderá ser de mais de 2 vocábulos entre os termos aliterados. Ex.: "Et pater Aeneas et auunculus excitet Hector".

Por outro lado, versos que teriam forte poder de aliteração interna ou de sugestão imitativa não farão parte do levantamento. Assim, entre centenas: "Ignea rima micans percurrit lumine nimbos"; "Tam magis illa fremens et tristibus effera flammis"; "Huic caeruleus unum de crinibus anguem" (aqui, além das nasais e vibrantes, a aliteração de "cum" com "caeruleus" não pode ser levada em conta, de acordo com os itens propostos); "Cum fremit ad caulas, uentos perpessus et imbres"; "Os humerosque deo similis, namque ipsa decoram"; "Contremuere undae penitusque exterrita tellus"; "Purpuream uomit ille animam, et cum sanguine mixtam"; "Voluitur ille uomens calidum de pectore flumen"; "Frigidus et longis singultibus ilia pulsat", etc., etc. O sublinhado, contudo, não esgota outros recursos analisáveis sob outras facetas.

Ademais, o número de versos com aliteração de duas até seis palavras interpostas é impressionante, bastando dizer que só os que contam com a 1ª e a última palavras aliteradas sobem a 747, tendo-se que atentar para o fato de que, à medida que diminui a distância entre 2 palavras aliteradas (portanto, não levantadas aqui) aumenta a quantidade de versos com aliteração a média e pequena distância em cada verso.

Passamos, agora, sem mais, à recolha das diversas aliterações simples (As), em sua realização numérica, esclarecendo que, por haver vários tipos de versos com mais de um par de dito recurso, foram contados como indicações legítimas da quantidade de realizações estudadas os casos de equivalência em potencial do fenômeno fônico. Por isso, foi dado um peso a cada diferente caso de aliteração ou combinação de tipos. Peso, aqui, corresponde à proporção do número de aliterações simples em relação a toda a extensão de um verso, num conjunto em que 2 (a soma da aliteração básica ou mínima, como "credita campi" ou "implicat ignem") é a razão matemática para as demais modalidades de aliteração.

**Resumo estatístico de aliterações simples**

| Combinação | designação | número de alit. | peso | total |
|---|---|---|---|---|
| 2 | As1 | 3450 | 1 | 450 |
| 2+2 | As2 | 601 | 2 | 1202 |
| 2+2+2 | As6 | 25 | 6 | 150 |
| 3(3+, 3-) | As3 | 733 | 2,5 | 1832 |
| 3+2 | As3+2 | 161 | 4,5 | 724 |
| 3+2+2 | AS3+2+2 | 5 | 6,5 | 32,5 |
| 3+3 | As 3+3 | 10 | 6 | 60 |
| 4(4+, 4-) | As4 | 77 | 4 | 308 |
| 4+2 | As4-2 | 20 | 6 | 120 |
| 4+3 | As4+3 | 1 | 6,5 | 6,5 |
| 5 | AS5 | 7 | 5 | 35 |
| 11 | - | 5080 | - | 7920 (Totais) |

Alguns exemplos de versos de acordo com sua ocorrência de aliteração:
As2 = "Tum consanguineus Leti Sopor, et mala mentis" (o "m")
As2+2 = "In nemus ire parant, ubi primos crastinus ortus" ("i" e "p")
As2+2+2 = "Ferte uiam uento facilem et spirate secundi" ("f", "u" (semivogal), "s")

As3 (3+) = "Primitiae, manibusque meis Mezentius hic est" (o "m")
As3 (3-) = "Romuleoque recens horrebat regia culmo" (o "r")
As3+2 = "Quo sequar aut quae nunc artus auulsaque membra" ("q" e "a")
As3+2+2 = "Quem primi colimus, cui pineus ardor acerno" ("q" e "a")
As3+3 = "Quantus Athos, aut quantus Eryx, aut ipse coruscis" ("q(c)" e "a")
As4 (4+) = "Arrectaeque amborum acies; at perfidus ensis" (o "a")
As4 (4-) = "Ardet in arma magis, paucisque affatur Amatam" (o "a")
As4+2 = "Centum alii curua haec habitant ad litora uulgo" ("a" e "c")
As5 = "Corpora constiterant contra, quos fida crearat" (o "c" ou "q")

O total indicado de aliterações simples (coluna 5), não computadas, pois, as que ocorrem dentro de cada verso, em distâncias variadas (mas com o índice maior de separação, por apenas 2 palavras), quer dizer que, de 9896 versos, 8003, proporcionalmente, teriam aliteração. Ora, por um cálculo bem grosseiro, não nos interessando nem valendo a pena ir até o fundo da questão, essa porcentagem subiria a um patamar altíssimo, e ele indicaria, sem dúvida, no Virgílio da *Aeneis*, um potente, e talvez inigualável maneirismo (sempre entendendo-se tratar de literariedade de alto coturno, e não algum autor "menor" que, por acaso, na esteira de Ênio, abusasse desse expediente estilístico), pois o Virgílio de *Bucólicas* e *Geórgicas* já se enquadraria, sob esse aspecto, na normalidade dos demais grandes autores.

**Um pequeno teste comparativo entre *Aeneis* e *Metamorphoseon libri*, sob a ótica da aliteração**

Pareceu-nos interessante pensar a *Aeneis* em relação às outras obras de fundo descritivo/narrativo. E o exemplo que logo nos veio à mente foi o daquele que consideramos o 2º maior épico latino, contra mesmo, de acordo com a crítica tradicional, o próprio Lucano, e, o que é mais, contra mesmo o fato de aquele nem ser cotado como um autor épico, ou epopeico. Por sinal, Ovídio é muito mais que isso, como se pretende mais tarde demonstrar em nossa introdução à tradução de sua obra maior.

Aleatoriamente, em princípio, foi escolhido o livro II das *Metamorfoses*, mas dois aspectos pontificaram: 1) o número de versos (875) confere tecnicamente com o do livro V da *Aeneis* (871); 2) no Livro II de Ovídio, há uma das mais longas narrativas/descrições (o episódio de Faetonte) em que, justamente, o épico ovidiano se exibe e se admira.

### Resumo da comparação entre os dois livros

Feita já a conversão, para os dois casos, dos pesos, conforme foram atribuídos supra à totalidade de casos de aliteração na *Aeneis*.

| Livro II (*Met.*) | | Livro V (*Aen.*) | |
|---|---|---|---|
| As1: | 178 | As1: | 344 |
| As2: | 20 | As2: | 56 |
| As4: | 8 | As2+2: | 90 |
| As4+2: | 5 | As2+2+2: | 6 |
| As3: | 6 | As3: | 245 |
| | | As3+2: | 63 |
| | | As3+3: | 12 |
| | | As4: | 20 |
| | | As5: | 5 |
| Totais: | 277 | | 841 |

Os números são autoexplicativos. Isso, todavia, nada quer dizer da exploração fônica, por parte de Ovídio, sob todos os outros pontos de vista possíveis.

## A métrica na *Eneida* (licenças poéticas)

Não vamos nos delongar como nas subsessões anteriores. O objetivo desta minissessão reside apenas em esclarecer um pouco nossas licenças poéticas tomadas no que tange à metrificação do verso branco.

Antes de proceder ao brevíssimo quadro de tais liberdades tradutórias, destacaremos, também muito rapidamente, alguns exemplos de licenças da *Ilíada* de Haroldo de Campos. E nossas observações se aplicarão exclusivamente aos cantos I e II.

Canto I: no verso 156, encontramos <u>plantios</u> lido contraidamente em "plantiws": "devastaram plantios. Muitos montes medeiam"; no v. 253, o "a" de "na" se perde no da sílaba inicial de "ágora": "Nestor, o bem-pensante, falou como na Ágora";

Canto II: "ainda", do v. 42, é lido como "aynda": "esperta (e em torno dele o deus ainda ressoava"; o v. 110 envolve o "Ó" com o "a" de "amigos": "Ó amigos, heróis, Dânaos, servos de Ares, Zeus", enquanto o seguinte, o 111, recorre à ligação estreita do que sublinhamos "<u>Pai, a</u> uma", tornando o conjunto uma sílaba única e, ao final, faz o "e" de "-me" ser tragado pelo "E" de "Ele": "Pai, a uma empresa atroz, gravosa, encadeou-me. Ele"; mais para frente, no v. 381, "guerra" + "a" estacam-se num som só, criando hiato com Ares: "A comer, pois! Depois, no deus da guerra, a Ares!"; já o v. 583, assim como o 156, já visto, tira a força tônica do "gi" de Augias e a transfere para a sílaba anterior (processo muito comum em português, já em Camões): "columbário, os que vinham de Augias aprazível".

Apoiado em tão grave pedestal, quem seríamos nós para não "requerer" "poético-licenciosamente" o seguinte:

a) Som de sílabas idênticas em contato num segmento frasal, como ocorrerá frequentemente (é o caso da terminação de 3ª pessoa do plural de verbos da 2ª e 3ª conjugações) pode (rarissimamente), ou não, se elidir, tornando-se uma única sílaba; o recurso poderá se estender a verbo da 1ª conjugação: livro XI, v. 209: "À porfia campos fulgem em fogos frequentes" (=13 sílabas), e no livro VII, v. 165: "Vibram com o braço e provocam em corrida de luta" (=14 sílabas);
b) Excepcionalmente, "com" pode-se ajuntar à palavra seguinte, tal como no livro VII, v. 354: "E ao entrar contato inicial com úmido veneno" (=14 sílabas). Por outro lado, a "sem" nunca se atribuirá tal fusão;
c) A terminação da 3ª pessoa do singular em ditongo poderá ou não se fundir com o artigo seguinte (livro VII, v. 534: "é abatido; fixou-se a arma sob a goela e trancou o" (=16 sílabas).

## Conclusão (em 1ª pessoa do singular)

E, agora, depois de uma espécie de longos parênteses, esdruxulamente, mas como que ligando desabafo e sonho, volto à abertura desta introdução. De certa maneira de encarar escritos, a ciência exata ou perfeita não existirá. Só seria plena com a emoção. Esta é o substrato imanente à estrutura e realidade daquela. Mas entenda-se: emoção aqui é o mesmo que homem. Transpondo-nos para o universo da comunicação de qualquer natureza, existe alguém a quem se escreve ou se diz o que quer que seja, por mais formal, ou científico, que seja o escrito. E o destinatário é o elo importante entre o conhecimento e o cientista que, querendo ou não, é comunicador.

Já a arte, mesmo a apenas tentada – e é o nosso caso – envolve necessariamente devoção e afeição. Lembro-me que Foucault já dissera: "a arte de descrever os fatos [nesta conta jogo todo o "realizável"] é a suprema lei em medicina: tudo empalidece diante dela".

Sob tal ponto de vista, confesso o latim como uma paixão. Ou mais que isso. É uma paixão de vida. Ou mais ainda: uma paixão-vida e/ou uma vida-paixão. Assim, se o desabafo não interessa a ninguém, não é culpa do desabafo. Afinal, não é só de tijolo e cimento que um escrito, como qualquer objeto, vive. Como não é só de razão e régua que uma introdução "ex-siste": põe-se de pé por si mesma. Fica, pois, aqui esta introdução mais confessional que técnica, testemunho de um fazer que iguala – e se confunde com – um viver.

O que dito, passemos para a *Aeneis* e sua sombra, em despido português, é verdade, mas que foi sombra sonhada.

# ENEIDA

# Livro Primeiro

Canto armas e herói que, primeiro, das praias de Troia,
chegou à Itália, acossado do destino, e aos litorais
de Lavínia; em terra e mar, muito foi revolteado,
obra dos De-Cima e a ira lembradora de Juno;
e em guerra sofreu muito, até fundar a cidade,                5
e introduzir deuses no Lácio, de onde a gente Latina
e os chefes Albanos e os muros de Roma altiva.
Musa, me lembra as razões, por qual deidade ofendida,
ou doída com quê, a mor deusa, a tantos males voltear
o herói ilustre em piedade, a enfrentar tantas labutas,       10
tenha impelido. Há ira tamanha em corações celestiais?
Houve antiga cidade (a ocuparam colonos Tírios),
Cartago, em face à Itália e longe das fozes do Tibre,
em recursos rica e duríssima em bélico exercício:
que mais que a todas as terras, diz-se, Juno estimou,         15
postergada até Samos; aqui seus exércitos estão,
carros, aqui; já então a deusa se esforça e cuida
que esse seja o reino dos povos, se o fado deixar.
Mas que sairia uma estirpe de Troiano sangue,
tinha ouvido, a romper um dia os Tírios baluartes,            20
daí um povo amplamente rei e ilustre em guerras
por vir, para o fim da Líbia: assim teceram as Parcas.

Isso a temer, e lembrada Satúrnia da guerra antiga
que, antes, diante de Troia, armara por caros Aqueus
(nem ainda as razões do rancor e cruéis tormentos            25
caíram do peito; aí, no fundo, fica renovado
de Páris o juízo e a afronta, sua beleza desprezada,
e a casta odiosa e a glória de Ganimedes raptado):
com isso, a arder, agitados por todo o oceano,
aos Tróades, restos dos Dânaos e de Aquiles atroz,           30
afastava longe do Lácio; e por longos anos,
fado a os tocar, volteavam por todos os mares:
de tanto peso era plantar a Romana nação!
Mal da vista do Sículo torrão pelo mar alto
velejam alegres, rompem com o bronze espumas de sal,         35
eis quando Juno, a ter no peito a chaga fixa,
isto a si diz: "E eu, vencida, largar o intento?
e não poder revolver da Itália o rei dos Teucros?
Eh! Me tolhem fados. Palas queimou toda a esquadra
dos Aqueus e aos mesmos pôde afundar nas ondas,              40
por culpa de um só e do furor de Ajax, filho de Oileu.
Ela mesma, lançando das nuvens o rápido raio
De Júpiter, desfez naus, mexeu mares com ventos;
a ele a expirar chamas, têmporas varadas,
com turbilhão o agarra e o crava em aguçado rochedo.         45
E eu que me vou, rainha dos deuses, de Júpiter,
de igual, irmã e esposa, com um povo só, por anos
faço guerra! E há alguém que adore a deidade de Juno?
Ou, o que é mais, suplicante, põe no altar oferta?
Isso a deusa consigo no peito em fogo volvendo,              50
ao lar dos nimbos, lugar fecundo de furiosos Austros,
chega à Eólia; aí Éolo, rei, na caverna imensa
a ventos que se envolvem e a borrascas de som,
com poder sujeita e refreia com corrente e prisão.

Revoltos, com um mor murmurar da montanha 55
rugem em volta de enxovas; Éolo senta em pétreo topo;
firmando o bastão, dobra os ânimos e as fúrias dosa.
Não o fizesse, aos mares, às terras e ao profundo céu
num turbilhão trariam consigo e os varreriam no ar.
Mas o Todo-poderoso os esconde em negras furnas, 60
por o temer; e o peso morto de altos montes pôs
por cima, e lhes deu rei, o qual, em convenção regular,
soubesse, ao ser mandado, rédeas premer e relaxar.
Com quem, em rogo, Juno usou destas palavras:
"Éolo, já que a ti o Pai dos deuses e dos homens rei 65
deu ou de amansar vagas ou as erguer com ventos,
gente odiosa para mim navega o mar Tirreno,
portando Ílio à Itália e seus Penates derrotados;
impõe força aos ventos e, afundando-as, encobre as naus,
ou os mexe em vários lados e destroça homens no pego. 70
A meu dispor, quatorze ninfas, corpo soberbo,
das quais, a de forma mais perfeita, Deiopeia,
em firme laço unirei e a ti em especial devotarei,
para contigo, por teu grão valor, cada ano
passar e tornar a ti pai de uma prole ditosa." 75
Por sua vez, Éolo assim: "É teu, rainha, o que queiras
tentar, o afã; a mim é dado executar os pedidos;
és tu que tudo de meu reino, o cetro e Júpiter
proporcionas, me fazes sentar nos festins dos deuses
e me tornas senhor das chuvas e tempestades." 80
Logo isso dito, com a lança virada, o oco do monte
bate de lado; e os ventos, qual se por uma fila feita,
rompem por onde há fuga e com tufão suflam as terras.
Caíram sobre o mar, e por inteiro, de suas bases,
juntos, Euro e Noto o arrancam, e o em bátegas fértil 85
África; e rolam para as praias ondas imensas.

Sobrevém grito de homens e das enxárcias chiados:
as nuvens roubam de repente o céu e a claridade
aos olhos dos Teucros, negra noite deita no mar;
horizontes trovejam, luz com fogos frequentes o éter; 90
e tudo projeta nos homens, em cena, a morte.
Já se abrandam de frio, a Eneias, os membros:
dá gemidos e estendendo para os céus ambas as mãos,
fala estas palavras: "Ó três, quatro vezes felizes,
a quem, de face aos pais, sob os paredões de Troia, 95
coube falecer, ó das gentes dos Dânaos o mais bravo,
Tídides, a mim sucumbir nas planícies de Ílio
não foi possível e exalar na tua destra esta alma,
onde jaz feroz Heitor ao dardo Eácido e onde o grande
Sarpedão, onde o Simoente, ao fundo, tantos roubados 100
broquéis e elmos e os corpos valentes de guerreiros rola."
De quem diz isso, um vendaval a fremir com o Aquilão
de chofre fere a vela e os vagalhões alça aos astros;
partem-se os remos, vira-se a proa e para ondas
dá o flanco; com cachões alcantilado morro de água vem. 105
Do pico de ondas uns pendem, a outros, fendida,
a água abre entre ondas a terra, ferve a maré na areia.
Três naus tomadas roja Noto em sumidos rochedos
(Ítalos chamam Aras rochas que estão em meio às águas,
costa imensa à flor do mar), a três Euro, de cima, 110
comprime em baixios ou bancos (cena de lastimar),
e esmaga em vaus e as rodeia com acúmulo de areia.
A uma que levava Lícios e o fiel Orontes,
ante os próprios olhos dele um vagalhão, dos píncaros,
na popa bate: e, tombando, é cuspido o timoneiro 115
de cabeça para baixo e, aí mesmo, a onda a impele
fazendo rodeio, e um rápido vórtice a engole n'água.
Em nado, apontam poucos na larga voragem:

armas de heróis, quadros votivos e Ílios tesouros no mar.
Já à possante nau de Ilioneu, já à do robusto Acates,  120
e à em que vai Abante e à em que o maduro Aletes,
doma a tormenta: todas, já frouxa a armação lateral,
apanham líquido infesto e vão-se abrindo em brechas.
Entanto, a se mexer com murmúrio imenso o largo
e abaixada a chuva sentiu Netuno, e dos fundos  125
vaus a água esvaziar, profundamente tocado, e de cima
olhando ao longe, da superfície expôs o calmo rosto;
por todo o mar desfeita vê a frota de Eneias,
Ílios abatidos de onda e do que do céu desceu.
Ao irmão não se furtou a ira e embustes de Juno.  130
A si Euro e Zéfiro chama; então diz tais palavras:
"Mas tamanha arrogância de vossa casta vos possui?
Então já ao céu e à terra, ventos, sem minha anuência,
ousais remexer e altear massas tamanhas?
Ah eu vos...mas pousar ondas revoltas é melhor,  135
não com igual castigo, após me pagareis os erros.
Voai em fuga e explicai isto a vosso imperador:
o mando do oceano e o feroz tridente não a ele,
mas me foi dado em sorte, ele possui gigantes rochedos,
vossos lares, Euro, em sua corte lá se gabe  140
Éolo e reine no presídio trancado dos ventos."
Assim diz e mais veloz que o dito amaina os grossos pegos,
e acossa as nuvens juntas e torna a trazer o sol.
Juntos, Cimótoe e Tritão, firmando-se, da aguda
rocha desgarra as naus, ele as sustém com o tridente  145
e expõe os amplos areais e serena as águas,
e em leve carro desliza pela ponta de ondas.
E, qual num povaréu, frequentemente eclode
um motim, e a gente ignóbil tem o ânimo afogueado,
e já tochas, calhaus zunem, a ira armas subsidia;  150

então, se acaso um varão forte em virtude e por valores
viram, se calam, e param, ouvidos atentos,
com o falar, ânimos rege e corações suaviza,
tal cede todo o troar do aquoso abismo, depois que as naus
olhando ao longe o Genitor, e levado por céu claro,   155
doma os cavalos e no carro veloz solta as rédeas.
Ralados, Enéadas a costa mais perto, em viagem,
batem-se em buscar e se viram às bordas da Líbia.
Em longínquo recesso há um ponto: uma ilha aí fez
um porto, opondo as margens, pelas quais a marola que vem  160
se refreia e se divide em duas angras retiradas.
Aqui e ali, rochas amplas, e avançam contra o céu
picos gêmeos, sob cujo tope a onda em largo vão
guardada se cala; então, do alto, copa de trêmulas
brenhas, e bosque negro pende com sombra de arrepiar.  165
Sob a borda oposta, uma gruta de escolhos pendentes:
dentro, água salgada e bancos de rocha viva,
mansão de ninfas; aí às naus batidas não prendem
amarras, e a âncora não as retém com o curvo gancho.
Eneias, aí, com sete naus reunidas,   170
entra, e os Troianos, com um desejo enorme de terra,
se assenhoreiam de uma tão cobiçada areia
e nessa praia põem seus corpos que escorrem sal.
Já Acates faísca faz sair da pedra, ao bater,
faz pegar fogo às folhas e põe víveres secos   175
em círculo: rapidamente ateou fogo na lenha.
O pão que a água estragou, e apetrechos de o prepararem,
cansados do lavor, retiram, e os cereais reavidos
fazem tostar ao fogo ou despedaçam com seixos.
Eneias, por sua vez, sobe um penedo e com longe olhar   180
busca o pélago em extensão, para ver se enxerga Anteu
impulsionado pelo vento, e as birremes da Frígia,

ou a Cápis, ou as armas de Caíco sobre as popas.
Nenhuma nave à vista, três cervos na areia
a vagar divisa, aos quais toda a manada segue 185
por trás, e pasta por vales sua longa fila.
Aqui se posta e lança mão do arco e das rápidas setas,
aqueles dardos que o fiel Acates carregava;
primeiro, os próprios guias que têm topes altivos
de arbóreos chifres abate e, após, os comuns e toda 190
a tropa mexe com golpes por entre o mato frondoso.
Não desiste antes que, vencedor, derrube sete
caças gigantescas e iguale seu número com os barcos.
Daí segue ao porto e as dá para cada companheiro.
Depois, o vinho, com que o bom herói Acates enchera 195
os tonéis no litoral Trinácrio e servira aos que partiam,
com eles divide e abranda com fala os tristes peitos:
"Companheiros, pois somos já conhecedores dos males,
oh, passastes mais graves: a tais também um deus dará fim.
Vós também chegastes ao furor Cileu, e aos rochedos 200
que ao longe atroam, também lá provastes ciclópeo
monte pedroso; o vigor avivai e o triste pavor
deixai ir: um dia talvez dará prazer isso lembrar!
Por riscos vários, por tantas provações de fatos,
buscamos o Lácio, onde pacífica morada os fados 205
mostram: pode-se aí reerguer o reino de Troia,
perseverai e vos reservai prosperidade".
Claro isso conta, e aflito com cuidados avultados,
no ar, dá esperança: dor profunda sufoca no peito.
Rodeiam-se de caça, isto é, dos festins que virão; 210
das costelas lombos destrincham e entranhas desnudam.
Parte os despedaça e os fixa palpitantes em espetos,
outros na areia põem tachos e lhes sujeitam chamas.
Aí renovam forças com o pasto e, em relva esparsos,

fartam-se de velho vinho e de uma caça gorda.  215
Tirada a fome com banquete e retirada a mesa,
em longo parolar, nos parceiros idos pensam,
dúbios de esperança e medo, seja se os creem vivos
ou passam o pior, sem ouvir serem chamados.
Sobretudo o pio Eneias: já de Oronte ardoroso,  220
já de Ámico chora consigo a desdita e o inumano
destino de Lico, e o forte Gias e o forte Cloanto.
E já findara, eis quando Júpiter, no éter supremo,
do alto olhando o mar de-vela-em-voo e os extensos países,
e litorais com seus vastos povos, sim, no alto do céu  225
se estacou e os olhares cravou no reino da Líbia.
E a ele a agitar tais cuidados lá no peito,
meio triste e nos olhos brilhosos de choro impregnada,
vira a palavra Vênus: "Ó tu que, rei de homens e deuses,
dominas eternos impérios e com o raio aterras;  230
o que pôde cometer contra ti meu Eneias;
o quê, os Troianos?, a quem, sofrendo tantas matanças,
por causa da Itália, trancou-se o orbe inteiro da terra?
Deles, certo, um dia os Romanos, volvendo anos,
deles, saírem guias, do revivo sangue de Teucro,  235
para terem mar e terra com todo o poderio,
prometeste: qual intento, Pai, houve que te mudou?
Assim, ao certo, o ocaso de Troia e negra perda
consolam-me, a medir fados a fados adversos.
Já sorte igual homens levados por tantos desaires  240
persegue: que termo dás, rei grande, aos infortúnios?
Conseguiu Antenor, subtraído de entre os Aquivos,
entrar no meio de Ilíricos e, seguro, nos reinos
dos Liburnos, e ir além da fonte do Timavo,
de onde, por nove bocas, e ao ronco enorme do morro,  245
vai, rebentado, o mar, e com fluxo troante assola os campos.

Aí, porém, pôs a cidade de Pádua e as moradas
de Ílios, e deu nome ao povo e exércitos assentou
Troia: já descansa acalmado na serena paz.
Nós, tua prole, a quem concedes as alturas do empíreo,   250
perdidas as naus (de espantar!), pelo ódio de uma só,
nos expusemos e afastamos bem, das costas da Itália.
Esse o prêmio da piedade? Assim nos repões no trono?
A ela sorrindo, o Gerador de homens e de deuses,
com o semblante com que aplaca céus e tormentas,   255
roça na filha um beijo; a seguir, fala tais coisas:
"Poupa-te o medo, Citereia, fixos te estão os fados
dos teus: verás cidade e prometidas muralhas
de Lavínio, e ao alto erguerás às estrelas do céu
Eneias, grande de alma, e nenhum intento me mudou.   260
Este (e te anuncio, já que tal cuidado te aflige,
e, passando adiante, arcanos dos fatos mexerei)
levará vasta guerra na Itália, e aos povos arrogantes
calcará, e às pessoas leis e muralhas porá,
até a terceira geração reinar no Lácio   265
e para os domados Rútulos passarem três invernos.
E o menino Ascânio, a que se junta agora o cognome
de Iúlo (era Ilo, enquanto esteve de pé o reino de Ílio),
preencherá, passando os meses, trinta longas
voltas no comando, e o reino da base Lavínia   270
mudará, e Alba Longa munirá fortemente.
Já então trezentos anos completos reinará
por filhos de Heitor até a rainha sacerdotisa,
Ília, prenhe de Marte, num parto de gêmeos rebentos.
Então, feliz com o manto de ouro de loba nutriz,   275
Rômulo aceitará a gente bárbara e porá os muros
de Marte, e a partir de seu nome a chamará Romanos.
Não imponho a eles termo e tempo de governo:

concedi-lhes império sem fim; ademais, Juno irosa,
que ora os mares, as terras e o céu, com pavor, persegue,   280
em melhor porá seus desígnios, e comigo aos Romanos,
senhores do mundo, e à nação togada apoiará.
Assim me aprouve. Época virá, correndo gerações,
em que a casa de Assáraco à Ftia e à ilustre Micenas
forçará a escravidão e dominará Argos, vencida.   285
O Troiano César nascerá de fonte ilustre,
que confine o império no oceano e a glória nos astros,
Júlio, esse nome descendido de Iúlo, insigne.
É a ele que um dia, no céu, farto de espólio Eoo,
em calma abrigarás, votos também a ele invocarão.   290
Cessada então a guerra, abrandar-se-ão as rijas eras,
a bela Fé e Vesta, Remo com o irmão Quirino
legislarão: à tranca e ferrolhos bem cerrados
fechar-se-ão portas cruéis da guerra; dentro o Furor mau,
sentado em duras armas, com cem nós brônzeos atado   295
nas costas, a boca em sangue, horripilante rugirá".
Isso diz e ao filho de Maia manda céu abaixo,
que as terras se abram e as defesas, da nova Cartago,
em pouso aos Teucros. Dido, não ignorando os fados,
não os afastasse das lindes. Ele voa no ar vasto   300
com o remo de asas e veloz para nas orlas da Líbia
e já cumpre as ordens; os Penos depõem os ânimos
ferinos, ao querer do deus; e, mais, toma a rainha
brando humor e para com os Teucros uma intenção bondosa.
E o pio Eneias, bem cogitando pela noite,   305
mal deu-se a alva benigna, dá-se a sair, sondar
os novos sítios, a que orlas, com o vento, chegou,
quem as mantém (pois vê o mau trato), homens talvez,
    talvez feras,
indagar e relatar aos companheiros dados certos.

A frota, na curva das matas, sob rocha em cova,  310
circumfechada de árvores e tétricas sombras,
ocultou, ele próprio seguido apenas de Acates,
na mão dois brandões brandindo de haste ampla de ferro.
Em pleno bosque sua mãe se vai ao seu encontro,
tendo o ar e o traje de virgem e de virgem Espartana  315
as armas, ou qual uma Trácia, Harpálice, acossa
os cavalos, e a Euro alígero ultrapassa no curso.
De fato, por costume, ágil arco aos ombros pendera,
caçadora, e dera à cabeleira espalhar-se aos ventos,
joelhos nus, e ajuntando num laço o voante plissado.  320
E primeira: "ei", disse, "jovens, contai se vistes uma
de minhas irmãs a vagar por acaso aqui,
cingida de aljava e manto de um lince mosqueado,
a encalçar a grito o curso de irado javali".
Assim, Vênus; e por sua vez o filho assim principiou:  325
"De tuas irmãs nenhuma ouvida ou vista foi por mim,
oh como quem posso dizer-te, virgem?; teu rosto
não é mortal, nem de homem soa a voz. Ó deusa, ao certo
de Febo irmã, ou uma da progênie das ninfas?
Sê benigna e, quem sejas, abranda nossa pena;  330
e, enfim, sob que céu, em que paragem do mundo nos
jogam, expõe; sem saber de povo quanto de terra, er-
ramos, propulsos por vento e vagas enormes.
Muitas vítimas te cairão ante aras por minha mão".
Então Vênus: "Não sou digna ao certo de honra tamanha,  335
para as virgens Tírias portar aljava é costumeiro,
e amarrar no alto as pernas com coturno escarlate.
Vês um reino Cartaginês, Tírios e a cidade de Agenor,
e os confins do Líbico, raça indomável nas guerras.
O reino é Dido que governa, provinda de Cartago,  340
fugindo do irmão; narrar o agravo é longo, longos

os rodeios: irei por pontos altos dos fatos.
Era-lhe esposo Siqueu, riquíssimo em lavouras
entre os Fenícios, querido em forte amor da infeliz;
a ele o pai a dera intocada e com seus melhores       345
augúrios. Mas detinha o reino de Tiro seu irmão
Pigmalião, o maior celerado entre todos os demais.
A fúria se interpôs entre eles, e o primeiro a Siqueu
(desumano ante o altar e cego de amor do ouro),
incauto, vara a ferro às escuras, frio ao amor        350
da irmã; e o feito ocultou longo tempo, e fingindo,
muito arteiro, iludiu, de esperas vãs, a triste amante.
Porém, em sonhos, veio a própria imagem do marido
enterrado, expondo um rosto sem cor de um modo horrendo:
a ara ensanguentada e o peito transfixo por ferro     355
expôs e aclarou todo o absconso crime palaciano;
isso então a induz a escapar veloz e a pátria deixar
e, ajuda para a viagem, da terra extrair tesouros
antigos, ignorado montão de ouro e prata.
Disso agitada, Dido arranja a fuga e companheiros;    360
ajustam-se com quem tem do tirano ódio encarniçado
ou medo agudo; e as naus, que acaso estavam preparadas,
à pressa pegam e de ouro suprem; levam-se as riquezas
do avarento irmão pelo mar: mulher à frente do feito!
Chegaram ao local onde agora vês os paredões          365
gigantescos e o forte a se erguer da nova Cartago;
compram o solo, Birsa, pelo nome da empresa,
por quanto envolver se possa com couros de boi.
Mas, enfim, quem sois vós? ou de que plagas viestes?
ou que rumo tomais?". A quem pergunta, ele, a um suspiro,  370
e do profundo peito arrastando a voz, estas diz:
"Se do início mesmo, deusa, repisando, continuo,
e se se dá a ouvir anais de nossos labores,

Vésper já terá feito um dia no céu fechado.
De Troia antiga (se acaso aos vossos ouvidos        375
corre o nome de Troia), a nós, idos por mares vários,
casualmente uma borrasca atirou nas costas Líbias.
Sou o pio Eneias que os Penates, das mãos adversas,
levo comigo na frota, em fama tido além do éter.
Busco por pátria a Itália e a raça de Júpiter supremo.   380
Em dez vezes duas naus me embarquei no mar da Frígia,
mostrando a deusa mãe a rota, predições dadas segui,
mal sobram sete, rompidas por ondas e Euro.
Eu próprio obscuro, indigente, percorro Líbios ermos,
de Europa e Ásia expulso". A ele não mais se lamentar   385
suportando Vênus, em meio à queixa, assim entrediz:
"Quem quer que sejas, benquisto dos do céu, creio, ares
de vida tomas, que chegas à cidade Tíria.
Sus, vai em frente e atinge daqui a soleira real,
pois te anuncio os parceiros que tornam e que é trazida   390
de volta a frota, e impelida de Aquilões não-contrários,
se é que não em vão me ensinaram meus pais a pressagiar.
Repara em doze cisnes, contentes, em fileira,
que a ave de Jove, em queda do espaço etéreo, encalçava
em céu aberto, agora parecem pegar chão,                395
em lenta fila, ou desprezar as já capturadas;
como, em voltando, brincam, com asas estridentes
e em bloco a abóbada rodeiam ou põem-se a cantar.
Não de outro modo tuas naves, ou o grupo jovem dos teus
se prende ao porto ou, a plenas velas, adentra o estuário.   400
Eia, à frente, e leva os passos por onde a via leva!".
Disse e, virando-se, rebrilhou na nuca rosada,
e a madeixa exalou na cabeça divino olor
de ambrosia, e para baixo, aos pés, deslizou-se a veste,
e, no andar, a deusa mesma se expôs. Logo que à mãe     405

reconheceu, seguiu-a a sair, com tais palavras:
"Por que também, cruel, tanta vez ao filho com falsa
aparência iludes? Por que enlaçar a mão na mão
é vedado, e ouvir e responder palavras reais?".
Com tal fala adverte e estende os passos às muralhas.   410
Mas, enquanto andam, Vênus com névoa negra os cercou
e jorrando um véu espesso de sombra a deusa os rodeou,
para que ninguém pudesse vê-los ou neles tocar,
para opor retardo ou indagar causas de sua vinda.
Ela própria a Pafos se retira e revê contente   415
sua morada, onde um templo e cem altares para ela
ardem em incenso de Saba e exalam com grinaldas frescas.
Por onde a senda indica, já tomam caminho
e sobem por um morro que é o que mais se lança
sobre a cidade, e encara do alto os cumes contrários.   420
Admira Eneias a pétrea massa, antes choças,
admira as portas, e o ruído e os caminhos calçados.
Ativos, mexem-se os Tírios: uns alçam muralhas,
ou fazem a fortaleza, ou à mão rolam pedras,
uns traçam lugar para o teto e o fecham com calhas   425
[e elegem leis e magistrados e o sacro senado];
uns cavam um porto aqui, outros lá assentam bases
fundas para teatros, ou colunas gigantescas
talham das rochas, nobre enfeite de futuros palcos.
Qual obra mexe abelhas na nova estação por várzeas   430
em flor sob o sol, quando alimentam suas crias
adultas da espécie, ou quando condensam os méis
a pingar e cobrem favos com doce néctar,
ou quando pegam cargas dos que chegam, ou, feita a fila,
das colmeias afastam os zangões, bando indolente:   435
a obra fervilha, e recende o mel que cheira a tomilho.
"Ó fortunados cujas muralhas já surgem!",

diz Eneias, e olha de baixo os picos da cidade.
Mete-se, em bruma rodeado (assombro de se dizer!),
entre homens, e se mescla a eles sem por ninguém ser visto. 440
Havia um bosque em plena cidade, mui fecundo em sombra,
aonde arrojados por onda e tufões, os Tírios
cavaram um sinal, a cabeça de um brioso,
que a potente Juno fez saber: sim, que proveria
raça brilhante em guerra e pronta ao vencer, para sempre. 445
Um templo insigne aí a Juno Dido de Sídon
erguia, rico pelos dons e o poder da deusa:
umbrais de bronze se erguem dos degraus e, juntas por bronze as vigas, chiava o gonzo nos batentes de bronze.
É nesse bosque que algo novo, à vista, ameniza 450
os medos: primeiro aqui ousou Eneias esperar
salvação e mais confiante ficar nos contratempos.
Pois, enquanto sonda detalhes no templo imenso,
aguardando Dido, enquanto, quão rica é a cidade,
e os arremates dos artistas entre si e os lavores 455
admira, vê, uma após outra, as batalhas Troicas
e as guerras já dadas pela fama a todo o mundo,
os Atridas, Príamo, e Aquiles, duro para os dois.
Deteve-se e a chorar: "Que parte", disse, "ó Acates, da terra,
que região já não é cheia de nossa desdita? 460
Eis Príamo: aqui também há recompensas para o louvor,
as coisas têm seu choro, e o que é mortal toca o peito!
Dissolve o medo: essa glória te trará algo de ventura".
Assim diz e apascenta o peito embalde com pinturas,
gemendo forte, e a face alaga com grosso rio. 465
Pois via como, por um lado, sitiando Pérgamo,
corriam Graios; os acossava Troiana tropa,
Frígios, por outro; os corre, em carro, Aquiles cristado.
Daí não longe, a tenda de níveos toldos de Reso,

chorando, lembra, que, pega no primeiro sono, 470
Tidides, sangrento, destruiu, em basta chacina,
e os rudes corcéis ao campo retornou, antes que
provassem do Troico pasto e do Xanto bebessem.
Lá Troilo, armas perdidas, a fugir, rapaz infausto,
e, com Aquiles em pugna desigual, é puxado 475
por cavalos e adere ao vazio carro, de costas,
mas as rédeas segurando, nuca e madeixas se arrastam
no chão, e com a lança virada o pó se escreve.
Entanto, ao templo da iníqua Palas caminhavam,
comas soltas, as Ilíades e o peplo trajavam, 480
num rogo triste e golpeando os peitos com as palmas.
Virada, a deusa sustinha os olhos pregados no chão.
Três vezes em torno aos muros de Ílio a Heitor arrastara
e o corpo sem vida por ouro vendia Aquiles.
Então, bem de dentro, largo gemido Eneias dá, 485
logo que divisou os butins e o carro e o corpo
mesmo do amigo, e a Príamo a estender as mãos sem armas.
Reconheceu a si também, junto a capitães Gregos,
viu hostes Orientais e tropas do negro Mêmnon.
Fileiras de Amazonas de escudos recurvos conduz 490
Pentesileia, enfuriada, e ferve em meio a soldados;
atando por baixo o boldrié à mama extraída,
guerreira, e ousa, como mulher, combater com homens.
Enquanto isso assoma estupendo ao Dardânio Eneias
e pasma e se fixa atento numa só mirada, 495
Dido, a rainha, belíssima no aspecto, ao templo
anda lenta, adensando-se enorme turma jovem.
Como nas beiras do Eurotas ou por cumes Cíntios
Diana faz turmas andarem, seguindo-a, milhares,
daqui e dali se aglomeram Oréades, ela, a aljava 500
nos ombros e, ao caminhar, se sobressai sobre todas as deusas;

prazer enleva de Latona o peito em silêncio:
tal estava Dido, tal se transportava entre os seus
contente, importando-se com a obra e o futuro reino.
Pela porta e dentro do domo do templo da deusa,  505
de armas rodeada e, no alto trono sentada, fica.
Dispensava juízos e ordens, e as funções dos trabalhos
igualava em justas partes ou tirava em sorte.
Eis de repente Eneias avista, em grande grupo,
avançando Anteu, Sergesto e o forte Cloanto, e os demais 510
dos Teucros que medonho turbilhão dispersara
pelos mares e aportara em orlas diversas totalmente.
Pasmaram-se, de igual, ele, de igual Acates, batido
de júbilo e temor, desejosos de conjugar as mãos
flagravam, mas coisa ignorada os ânimos tolhe.  515
Dissimulam, e envoltos em funda nuvem consideram:
qual sorte a dos nautas, em que orla deixaram a frota?
A que vêm? Pois, de cada nau, escolhidos chegam,
rogando favores e aos gritos buscam o templo.
Entrados, e dado o poder de em público falar,  520
o mais velho, Ilioneu, assim começa com ânimo calmo:
"Ó rainha, a quem Júpiter concedeu erguer nova
cidade e com justiça refrear povos soberbos,
míseros Troicos, postos por vento a todos os mares,
te pedimos, livra as naus de incêndios inauditos;  525
poupa uma raça pia e olha mais perto nossas causas.
Não para devastar com ferro Líbicos Penates
viemos, nem levar à praia, roubados, teus proveitos,
nem tal fúria em peitos, nem soberba tamanha em vencidos!
Um país há, por nome dizem os Graios Hespéria,  530
antigo, forte em armas e em riquezas de solo;
moram nele Enótrios, diz-se ora que Itália chamam
a nação os oriundos, do nome do seu condutor.

Para aqui viemos,
e, saindo da água, súbito Oríon chuvoso 535
contra vaus inviáveis nos deu e com Austros desregrados
e por vagas, vencendo o mar, e por inviáveis rochas
nos dispeliu: até essa praia, poucos, nadamos.
Que tipo esse de gente ou terra esse costume aceita
tão bárbara? Impedidos somos da pousada na areia: 540
movem-nos guerra e nos proíbem pôr pés sobre a terra.
Se da espécie humana e das armas mortais tendes desdém,
temei que os deuses se lembrem do que é bom e do que é mau.
Nosso rei era Eneias, do qual mais justo ninguém
nem maior em piedade foi, nem em combate ou armas. 545
Se a tal homem guardam os fados, se ainda se nutre do ar
do éter, e ainda não se deita nas sombras implacáveis,
sem medo, nem te arrependas de o preceder no obséquio.
Temos também em terras da Sicília cidades, campos,
como também, de sangue Troiano, o afamado Acestes. 550
Permita-se tirar a frota que o vento arruinou,
e nas matas preparar vigas e talhar remos,
se é dado ir para a Itália, reavidos companheiros e reis,
que partamos para a Itália e o Lácio alegres; do contrário,
se extinta a esperança e a ti, ó Pai mais nobre dos Teucros, 555
tem-te a água Líbia, nem de Iúlo uma esperança resta,
ao menos ao mar Sicânio e às moradas preparadas,
de onde aqui viajamos, busquemos e ao rei Acestes".
Isso, Ilioneu; com sua fala, juntos, fremiam todos
os Dardânios. 560
Dido então, baixando o olhar, brevemente profere:
"Desatai do peito o medo, Teucros, bani cuidados.
Má situação e reino novo a isso me forçam
fazer e, em extensão, custodiar as fronteiras.
A casta de Enéadas e Troia quem desconhece? 565

Valores e heróis e incêndios da importante guerra?
Penos, não portamos alma a tal ponto grosseira,
tão longe da Tíria sede o Sol não prende os cavalos.
Se a grande Hespéria e os campos Saturnais, se as fronteiras
de Érice e o rei Acestes desejais, com meu favor      570
vos deixarei ir seguros e prestarei recursos.
E desejais junto comigo fixar-vos no reino?
Vossa é a urbe que fundo, à praia trazei as naus:
por mim será tratado por igual Troiano ou Tírio.
Quem dera o próprio rei Eneias, pelo mesmo Noto      575
propulso, advenha! Por praias homens seguros porei
e mandarei revistar cada ponta da Líbia,
caso o naufragado, em matas ou cidades, vague".
Com tal fala erguidos no ânimo, o valente Acates
e o Patriarca Eneias, há muito, em romper a nuvem      580
ardiam. Primeiro, Acates interpela Eneias:
"Nascido de deusa, que intento ora em mente aponta?
Em segurança vês tudo, a frota e os companheiros salvos.
Falta só um que nós mesmos vimos em meio à onda
submerso; o mais concorda com o dito por tua mãe".      585
Mal isso disse, quando, esparsa em volta, de repente,
a nuvem se abre e se desfaz pelo éter destampado.
Parou Eneias, e em claridade forte fulge,
semelhante a um deus, face e ombros, pois que a mãe no filho,
num sopro, pusera vistosa cabeleira e um clarão      590
róseo de juventude e adorno atraente nos olhos,
qual a beleza que dão ao marfim mãos, ou em que a prata
ou a pedra de Paros circunda-se de ouro louro.
Então assim fala à rainha e, inesperado, diz
a todos: "Às claras, eu, que buscais, apareço,      595
o Troiano Eneias, raptado das Líbicas ondas,
ó única a apiedar-se da atroz Ília desgraça!,

que a nós, restantes Dânaos, consumidos já por todas
as desventuras por terra e por mar, de tudo faltos,
unes tua cidade, lar. Com gratidão pagar 600
não é de nosso poder, Dido, nem do que existe
em todo lugar de Ília gente em todo orbe esparsa.
A ti os deuses (se alguma deidade olha os pios, se algo
há de justo algures, e mente em si cônscia do certo)
tragam digno prêmio. Qual época tão venturosa 605
te trouxe? Pais de que valor te geraram tão grande?
Enquanto rios correrem ao mar, enquanto sombra
rodear no monte o vale, enquanto céu nutrir estrelas,
tua glória e nome e teu louvor para sempre ficarão,
me chamem terras aonde for". Assim falando, 610
dá a destra ao amigo Ilioneu; a Seresto, a esquerda;
depois, aos outros, e ao forte Gias e ao forte Cloanto.
Pasmou, primeiro, Dido a Sidônia ante a figura,
depois, as penas tamanhas do herói; tal se expressou:
"Que revés, nascido de deusa, por riscos tamanhos 615
te persegue? Que força a selvagens praias faz chegar?
És o Eneias a quem para o Dardânio Anquises
a nobre Vênus gerou à beira do Frígio Simoente?
Por certo me recordo de Teucro ter vindo a Sídon,
banido das fronteiras pátrias, a buscar novo reino 620
com a ajuda de Belo. Então meu pai Belo a exuberante
Chipre arrasava e, vencendo, a mantinha em seu poder.
De tal tempo já me era sabida a sina da Troica
cidade, bem como teu nome e os reis da Pelasgia.
Inimigo, dava aos Teucros nobre elogio 625
e se queria nado de sua antiga estirpe.
Por isso, vamos, jovens, entrai em nossas moradas;
a mim também sorte igual, por infortúnios múltiplos
lançada, quis que nesta terra enfim me fixasse:

sem ignorar o mal, aprendo a socorrer o infeliz". 630
Assim discursa, e já introduz Eneias no palácio
real e já ordena o culto no templo dos deuses.
Mas não menos deixa de mandar à praia aos companheiros
vinte touros, lombos crespados de cem porcos,
gordurosos cordeiros juntamente com suas mães, 635
presentes e agrados para o dia.
E o vistoso interior do palácio, com luxo real,
é arranjado e no seu centro preparam um banquete,
toalhas feitas com arte e em fina púrpura imponente
em mesas, vasta prataria e em vasos de ouro 640
talhada obra de ancestrais, mui longa série de façanhas
feita por tantos heróis, da raiz da antiga gente.
Eneias (pois o amor de pai não permitia descansar
sua mente) ao pronto Acates faz ir, adiantado, à praia:
a Ascânio conte o que se passa e o traga até as muralhas, 645
do caro pai todo o cuidado se fixa em Ascânio.
Além do mais, os bens retirados dos destroços Ílios
manda trazer: manto rijo de figuras e ouro,
véu tecido em volta com acanto cor de açafrão,
adereço da Argiva Helena, o qual de Micenas, 650
enquanto pretendia Pérgamo e as núpcias proibidas,
trouxera, encantador presente de sua mãe Leda;
além disso, um cetro que antes Ilíone portava,
mais velha das filhas de Príamo, e ao pescoço um colar
de perla e, de gemas e ouro, uma dupla coroa. 655
Isso aprestando, Acates às naus tomava caminho.
Mas Citereia novo embuste, novo intento no peito
revolve: Cupido, transformado na forma e no rosto,
vir em lugar do meigo Ascânio, e à rainha, a delirar
com seus dons, abraçar e lhe injetar fogo em ossos. 660
Por temer o enganador palácio e os Tírios de dúbia fala,

queima-a Juno má, e à noitinha volta o seu temor.
Vênus, pois, nestes termos invoca o filho amado:
"Filho, só tu minha força e meu grande poder, ó filho,
que menosprezas os dardos em Tifeu do sumo Pai,  665
em ti me refugio e teu poder, súplice, rogo:
que teu irmão Eneias em torno de todas as praias
é jogueteado pelo ódio da perversa Juno
te é sabido, e muita vez com minha dor te doeste.
Tem-no Dido Fenícia e o retém com sedutoras  670
palavras, e temo aonde se volva o acolhimento
Junônio: não cessará em tal giro dos fatos.
Por isso, pegar antes com manha e em paixão envolver
a rainha penso, pra não mudar, por algum deus,
mas comigo se atar pelo forte amor de Eneias.  675
Como fazê-lo, agora escuta as minhas intenções.
O real menino à voz do pai já se apronta
em chegar à Sidônia cidade, ele, meu maior desvelo,
levando os dons restantes do mar e das Ílias chamas;
paralisado de sono, lá no alto de Citera  680
ou sobre o Idálio, em pouso sacro eu mesma o encerrarei,
para não poder ver a trama ou vir em nosso meio.
Tu disfarça a face dele, não mais que uma noite,
e, menino, de menino toma o rosto que conheces,
para que, quando ao seio te tomar Dido exultante,  685
entre iguarias reais e o líquido de Lieu,
ao dar abraços e suaves beijos imprimir em ti,
sopra-lhe chama oculta e com veneno a engana".
Segue Amor as palavras da mãe querida e suas asas
desveste e, se regalando, ao passo de Iúlo vai.  690
Mas Vênus, em Ascânio, quietude mansa pelos membros
irriga e, aquecido ao seio, a deusa o leva para os fundos
bosques da Idália, onde a suave manjerona o enlaça,

exalando cheiro, com flores e doce sombra.
Já ia, fiel à ordem, Cupido e levava 695
os dons reais aos Tírios, contente com Acates por guia.
Ao chegar, pôs-se a rainha sobre um leito de ouro
com brocados deslumbrantes e se dispôs no centro.
Já o Patriarca Eneias e a juventude Troica
se reúnem, e em leito de púrpura se recosta. 700
Põem-lhes servos água nas mãos e de paneiros retiram
Ceres, e trazem guardanapos de felpas tosadas.
Dentro há cinquenta servas, cabe-lhes, em longa fila,
dispor iguarias e os Lares fazer cheirar com chamas;
outras cem e, de igual monta, criados da mesma idade há 705
para encher mesas de manjar e colocar os copos.
Também os Tírios, em multidão, por umbrais festivos
se ajuntam, mandados deitar em leitos pintados.
Admiram os dons de Eneias, admiram Iúlo
e a expressão luminosa do deus, suas falsas palavras, 710
[seu manto e o véu pintado de acanto cor de açafrão].
Sobretudo, infeliz, votada à ruína futura,
não pode a mente aprazer e se abrasa em olhando,
a Fenícia, e por Iúlo e as dádivas fica tocada.
Assim que pendeu do abraço e pescoço de Eneias 715
e preencheu o grande amor de um pai enganoso,
vai à rainha; ela no olhar, ela com o peito inteiro
se prende e às vezes ao peito aquece a Dido que não sabe
que deus tamanho assenta na infeliz; mas se lembrando
da mãe, Acidaliana, devagar, nela, apagar Siqueu 720
começa e com vivaz amor tenta surpreender
o ânimo há tempo ocioso e um desabituado coração.
Dada a primeira pausa ao festim, e fora a iguaria,
põem-se grandes crateras e coroam os vinhos.
Fez-se um ruído no teto e rolam a voz pelo amplo 725

átrio, caem pendentes dos forros de ouro os archotes
acesos, tochas domam a noite com chamas.
Então a rainha pede pátera pesada
de pedra e ouro, e a enche de vinho; ao que, Belo e os vindos
de Belo, se acostumaram. Fez-se silêncio no paço:  730
"Júpiter (pois se diz que dás aos hóspedes o teu dispor),
queiras feliz este dia para os Tírios e os vindos
de Troia, e que dele se lembrem nossos descendentes;
venha-nos Baco, o dador da alegria, e a boa Juno.
Ó vós, ó Tírios, celebrai com favor este encontro!".  735
Disse e derramou na mesa a oferenda do vinho
e, primeira, vertido, tocou com a ponta da boca.
Então o deu a Bícia, animando-o; ele bebeu sem pausa
a pátera espumante e regou-se com taça cheia.
Depois, os outros chefes. Iopas, cabeludo, tira som  740
com uma flauta dourada; Atlas, o grande, lhe ensinou;
canta a lua que vagueia e os eclipses solares;
de onde veio a raça humana e os animais, a chuva e os raios;
Arcturo, as Híadas chuvosas, bem como as duas Ursas;
por que sóis hibernais se apressam tanto em no oceano  745
se banhar? que demora detém as tardas noites?
Tírios redobram aplausos, Troianos acompanham.
Com variadas conversações, varava a noite
Dido desventurada e bebia um amor sem fim,
com frequência indagando muito de Príamo,
    muito de Heitor,  750
ora com quais armas viria o filho de Aurora,
ora como eram os corcéis de Diomedes, quão grande
Aquiles. "Eia, hóspede, conta-nos, bem do começo,
as ciladas", disse, "dos Dânaos e as agruras dos teus
e os teus volteios, pois a ti já a sétima estação  755
vagante te traz por todas as terras e ondas."

# Livro Segundo

Calaram-se todos e, atentos, mantêm o rosto;
o Patriarca Eneias, do alto do assento, assim começou:
"Tu pedes, ó rainha, reavivar dor indizível:
como aos poderes e ao lamentável reino de Ílio
subverteram Dânaos, coisas das mais tristes que eu mesmo vi   5
e de que grande parte fui. Contando-os, qual homem
dos Mirmidões ou dos Dólopes ou de Ulisses duro
de prantear se refreia? E já do céu noite orvalhada
lança-se abaixo e estrelas que tombam convencem ao sono.
Mas, se o desejo é tal de saber nossos reveses   10
e breve ouvir de Troia o tormento derradeiro,
mesmo se a alma arrepia ao lembrar e reflui de mágoa,
começarei. Fracos da guerra e por fado impulsos,
os chefes dos Dânaos já por tantos anos idos,
um cavalo, qual monte, obra da divina Palas,   15
fabricam, e entrançam de abeto cortado os flancos;
fingem ser voto por sua volta: esse é o boato que circula.
Sorteando guerreiros seletos, à surdina, aí
os encerram em espaço obscuro e, até o fim, os ocos
enormes, e o bojo, com soldado armado preenchem.   20
Fica à frente Tênedos, ilha mui conhecida
por fama, em tropas rica, enquanto durava o reino Priameu,

agora só uma angra e pouso mal confiável às quilhas;
aí velejando, em costa deserta se amoitam,
crendo nós que se foram, seguiram com o vento a Micenas.   25
Logo, inteira, se livrou Troia de longa dor;
abrem-se portas, folga andar e os Dóricos arraiais
e as praças-fortes ermas e a abandonada praia ver;
tropa Dólope aqui, ali acampava o férreo Aquiles;
cá, o ponto da frota, lá costumavam guerrear em linha.   30
Pasmam-se alguns ao dom fatal da não casada Palas,
e admiram a massa equina, e, primeiro, Timetes
a levá-la entre os muros induz e pôr no forte,
ou por ardil, ou os fados de Troia assim impunham.
Mas Cápis e os cuja opinião melhor é para o juízo   35
instam que joguem no mar as tramas, ou seja, os presentes
suspeitos dos Dânaos e queimá-los com fogo embaixo,
ou perfurar, ou sondar os recantos ocos do bojo.
Racha-se dúbio em vontades opostas o povaréu.
À frente aí de todos, a segui-lo um grande grupo,   40
do alto do fortim desce fogoso Laocoonte
e, de longe: "Infelizes cidadãos, que loucura tal?
Credes partido o inimigo ou julgais um regalo
de Dânaos carecer de ardis? assim Ulisses é tido?
Ou nesse lenho Aquivos retidos se escondem   45
ou esse engenho foi feito contra nossos muros,
para espionar casas e cair sobre esta cidade,
ou se esconde algum logro; no lenho não confieis, Teucros,
o que for isso, em Aquivos não fio, inda ofertas dando".
Tais falando, com vigor violento imensa lança   50
contra o flanco ou o ventre curvo de armações da fera
desferiu: parou ele a tremer e no ventre virado
estrondearam e deram gemido as cavidades profundas.
E não fosse o fado divo, não contrária, a mente,

impeliria a mutilar com o ferro a toca Argiva, 55
e hoje de pé, Troia, e o excelso forte Priameu, ficaras.
Entretanto, eis que a um jovem pelas mãos atado nas costas
pastores Dardânios ao rei, com fortes gritos,
traziam; ele por si se dava como estranho aos que vêm,
para isso mesmo tramar e abrir Troia aos Acaios, 60
confiante de ânimo e pronto para uma ou outra coisa,
ou manobrar trapaça ou arrostar morte certa.
De toda parte, no prazer de olhar, os jovens Troicos
saem, rodeando, e lutam por insultar o preso.
Ouve agora as manhas dos Dânaos e, do crime de um, todos
    conhece. 65
Tão logo em meio de olhares, turbado, sem armas,
se estacou e, em volta olhando, viu o batalhão de Frígios,
"Ai! que terra agora", diz, "que mares me podem
acolher? Ou já o que em minha desventura me resta, 70
pra quem, nem entre os Dânaos, há algum lugar, e,
    além disso, hostes,
os Dardânidas, com sangue, exigem minha pessoa?".
Com o que se mudaram os ânimos e abafou-se todo
o furor; o exortamos a falar, de que origem,
ou que conte o que o traz, que confiança haja dele, preso. 75
Então, retirado o receio por fim, profere:
"Toda verdade, rei, haja o que houver, bem te confessarei",
diz, "e ser eu do Argólico povo não te negarei.
O principal: se a sorte a Sinão um desgraçado
forjou, não o forjará fútil e, até mendaz, a cruel. 80
Por falar, se acaso a teu ouvido algum nome chegou
do Belida Palamedes, e do propalado seu
renome, ele a quem por falsa traição os Pelasgos,
mesmo inocente, por cruel delação, por vetar guerras,
entregaram à morte e ora sem vida o deploram. 85

Junto a ele, como seguidor e afim, meu pobre pai,
desde os primeiros anos, me mandou aqui, às armas.
Enquanto estava firme em reinar e tinha valor
na reunião dos reis, sim, algum nome e até mesmo honra
mantive. Após quê, por inveja do pérfido Ulisses        90
(digo coisas sabidas), se foi da plaga superior,
na aflição, a vida arrastava em trevas e em pranto,
e me irava a sós do fim do inocente amigo.
E insano, não me calei, e a mim — se a sorte guiasse,
se vencedor voltasse algum dia à minha Argos natal —,    95
propus seu vingador, e ódio forte, com o falar, movi.
Daí do mal a marca inicial, daí sempre Ulisses
com novo achaque me aterrar, daí espalhar palavras
dúbias ao vulgo e procurar, culposo, armas contra mim.—
Aliás, não parou, até que com a ajuda de Calcante...    100
Mas por que tais coisas molestas à toa remexo?
ou vos prendo se os Gregos todos tendes em classe igual?
E ouvir isso satisfaz? Aplicai logo as penas.
Tal o Ítaco queria, e Atridas pagariam bem".
Então ansiamos rogar e buscar motivos,                   105
sem saber tão graves crimes e a manha Pelasga.
Prossegue tremulante e com peito fingido fala:
"Quiseram os Dânaos muita vez a fuga, deixada Troia,
tramar e ir embora, exaustos da guerra longa:
e oxalá o fizessem! Muita vez árdua borrasca            110
de mar os barrou e o Austro os aterrou ao viajarem.
Máxime, ao se pôr em pé, feito de vigas de bordo,
este cavalo, nuvens pluviais no éter todo troaram.
Ansiosos, Eurípilo a sondar Febeus oragos,
mandamos; e do santuário estes ditos funestos volta:    115
'Com sangue e virgem imolada aplacastes os ventos,
ao chegardes, Dânaos, primeira vez, às costas de Ílio;

com sangue é mister buscar a volta e imolar com uma vida
Grega'. Assim que tal voz veio aos ouvidos do povo,
chocaram-se as almas, e um enregelador tremor percorreu
ossos por dentro: a quem dão morte, a quem Apolo exige?
Então o Ítaco ao vate Calcas, com forte grito,
trouxe à frente da turba; quais sejam os desígnios dos deuses,
exige; e já muitos me prediziam a terrível
maldade do manhoso e viam, calados, meu futuro.
Duas vezes cinco dias cala e, com disfarce, nega
com a própria voz denunciar e pôr à morte qual que for.
Mal enfim, por altos gritos do Ítaco impelido,
solta a voz, em concordância, e me destina às aras.
Concordam todos, e o que cada qual teme por si
põem voltado para a perdição de um único infeliz:
e já o maldito dia vinha: os ritos se aprontam pra mim,
e o trigo salgado e as fitas em torno à testa.
Livrei, confesso, da morte a mim, e as cadeias quebrei;
e em charco lodoso, pela noite, obscuro na alga,
me escondi até que zarpassem, se acaso zarpassem.
Para mim esperança alguma de ver velha pátria,
nem doces filhos, ou meu pai mui desejado,
por quem talvez pedirão castigo por minha
fuga, e os farão com a morte expiar tal culpa de infelizes.
Assim, pelos Grãos deuses e numes, cientes do certo,
te imploro (se uma há que inda a mortais algures resta)
não-maculada confiança, tem piedade de tamanhas
desgraças, tem piedade da alma que sofre o indevido".
Por tais lágrimas, lhe concedemos vida e, o que
    é mais, perdão.
Príamo mesmo ordena tirar as algemas do homem
e as cerradas cadeias, e assim diz amigas palavras:
"Sejas quem for, desde já esquece os Graios perdidos,

de nós serás; mas me explica bem, que te rogo a verdade:
por que erigiram tal massa equina enorme? que inventor?  150
e o que querem? que objeto sacro? aparelho de guerra?".
Dissera. Aquele, dotado de embustes e arte Pelasga,
ergueu, sacadas das cadeias, aos astros as mãos:
"A vós, fogo sem fim, ao nume vosso inviolável
dou testemunho", diz, "vós, aras e espadas ímpias,  155
de que fugi e, fitas sacras, que, vítima, portei;
é-me permitido romper leis sagradas dos Graios,
permitido odiar seus soldados e pôr tudo aos ventos,
se encobrir podem, nem por lei pátria alguma sou retido.
Mantém somente as promessas e, por mim salva, Troia,  160
guarda a palavra: assim digo a verdade, assim bem pago.
Toda espera Grega e a fé na guerra começada
sempre subsistiram na ajuda de Palas, mas desde que
o ímpio Tidides e Ulisses, esse inventor do crime,
vindo arrancar do sagrado templo o Paládio  165
profético, morta a guarda da torre suprema,
arrebatam a estátua sagrada e com mãos sanguinosas
ousaram tocar as fitas virginais da deusa;
desde então a esperança dos Dânaos flui e volta
a esvair, vigor roto, avesso o querer da deusa.  170
Estas provas não deu Tritônia com prodígios ambíguos:
mal porta a efígie no acampamento, faiscantes chamas
luziram dos olhos suspensos, corre nos membros
um suor de sal, e três vezes do chão (dizer de admirar!)
ela pulou, movendo o escudo e a tremulante lança.  175
Calcas prediz já dever tentar-se o mar pela fuga
e Troia não poder se fender com dardos Dânaos,
se não se buscar agouro de Argos e a deusa trazer,
a qual levaram consigo em mar e em curvas quilhas.
E se já ao vento se vão à Micenas natal, é que  180

aprestam armas e deuses amigos, e, reavaliado o mar,
imprevistos, aparecerão: tudo assim dispõe Calcas.
Tal imagem, em paga do Paládio, da ofensa à deusa,
suspenderam, advertidos, para expiar o agourento crime.
Mas erguer essa massa imensa, armada em carvalho, 185
e estendê-la até os céus mandou Calcas para que não
pudesse conter-se em porta e inserir-se em muralhas,
nem manter sob uma antiga superstição o povo,
pois se vossas mãos violassem os dons de Minerva,
então grande ruína (agouro que os deuses sobre o mesmo 190
convertam) haver de vir ao reino de Príamo e aos Frígios,
se ela subisse à vossa cidade por vossas mãos,
por si própria a Ásia, em grande guerra, às muralhas de Pélops
haver de chegar, e tal sorte aguardar nossos netos".
Por tais artimanhas e esperteza de Sínon falso, 195
creu-se no fato, e presos por farsas e forçado choro
foram os que nem Tidides, nem Aquiles Larisseu,
nem dez anos, nem embarcações, em mil, subjugaram.
Então algo mais grave aos desgraçados, e bem terrível,
se opõe, a mais, e agita os corações surpreendidos. 200
Laocoonte, sorteado como sacerdote,
na ara ritual grande touro sagra a Netuno.
Mas eis gêmeas, de Tênedos, pelo alto-mar tranquilo
(arrepio ao contar), serpentes de anéis colossais,
deitam-se ao pego e a um só tempo ao litoral se dirigem; 205
seus peitos erguidos entre ondas e suas crinas
sangrentas superam as vagas; a outra parte ao mar
aflora por trás; e elas, no giro, arqueiam dorso enorme.
Fez-se um som, 'spumando-se o sal; já o terreno ganhavam;
e tintas, nos olhos faiscantes de fogo e sangue, 210
a vibrar línguas lambiam a siflante bocarra.
Palor da visão, debandamos; em linha firme,

a Laocoonte vão; e, primeiro, aos corpos miúdos
dos dois filhos uma e outra se abraçando, enroscam-
se, e com mordidas retalham os malditosos membros. 215
Depois, a ele, que vai em socorro e brande um dardo,
apanham com os anéis gigantes, e na cintura já
laçando-o em dobro, e ao pescoço, em dobro, o escamoso
dorso dando, alteiam-se pela cabeça e o alto cachaço.
Ora com as mãos empenha-se em separar com força os nós, 220
com as fitas banhado em baba e num veneno escuro,
ora gritos horrendos levanta até os astros,
mugidos quais o touro, ao ser ferido, foge
do altar, e da nuca sacode o machado bambo.
E as duas cobras, deslizando, para o alto do templo 225
fogem e buscam o baluarte da cruel Minerva
e sob os pés da deusa e a rodela do escudo se protegem.
Mas então novo pavor nos corações abalados
se introduz em todos, e dizem que Laocoonte pagou
o crime que mereceu, pois com dardo o cavalo sacro 230
ofendeu e no tronco bateu a maldita lança.
Gritam que é mister levar a estátua ao nicho e implorar
o poder da deusa.
Rompemos os muros, isto é, muralhas da urbe abrimos.
Todos se ligam à obra e põem objetos deslizantes 235
na base das rodas e cordas de estopa ao pescoço
estendem. Fatal, por muros, entra a máquina,
farta de armas; meninos e donzelas entoam
hinos sacros em volta e gostam de tocar as cordas.
Entra e desliza para o centro da urbe, ameaçadora. 240
Ó pátria, ó mansão de deuses, Ílio, e ó muralhas na guerra
famosas dos Dardânidas! Quatro vezes no umbral mesmo
da entrada parou, quatro vezes, no bojo, armas ressoaram.
Mas deslembrados seguimos e cegos em delírio

e o monstro infausto pomos na acrópole santa. 245
E Cassandra mesma sobre os futuros fados abre
a boca, à ordem do deus, por Teucros jamais crida.
Pela cidade, os templos divos, pobres, pra quem aquele
seria o último dia, ornamos com ramos gaios.
Revirou-se, entretanto, o céu e do oceano a noite sai 250
numa larga sombra circundando a terra e o céu,
e os ardis dos Mirmidões; lá e cá, entre os muros, Teucros
se calaram: o sono envolve os membros fatigados.
E o Argivo exército, formadas as naus, já partia
de Tênedos, pelo propício silêncio da lua muda, 255
indo à sabida praia, depois de tocha a nave real
levantar; e, guardado por fados parciais dos deuses,
aos Dânaos presos no bojo e a pínea tranca às ocultas
Sínon solta; escancarado, o cavalo torna a pô-los
ao vento, e, contentes, do oco do cavalo se lançam, 260
por corda descida, a deslizar, Tessandro e Estênelo,
capitães, o duro Ulisses, e Acamante e Toas,
o Pelida Neoptólemo e Macáon, importante,
e Menelau e o próprio edificador daquele embuste, Epeu.
Invadem a cidade imersa em sono e vinho; 265
trucidam-se os guardas e, abertas as portas, acolhem
os companheiros e agregam as mancomunadas tropas.
Tempo era em que o primeiro sono para os tristes mortais
surge, e sutil, docíssimo vem por dom dos deuses.
Eis que, em sonhos, aos olhos, tristíssimo pareceu 270
chegar-se a mim Heitor e despejar choro copioso,
rojado por bigas, como antes, e escuro em pó
de sangue, e pelos pés inchados das rédeas varado.
Ai de mim, como estava! como mudado daquele
Heitor que retorna investido de uns despojos de Aquiles 275
ou que lançou tochas Frígias sobre os navios dos Dânaos,

espetada barba e, em sangue, duro o cabelo,
e trazendo as feridas, aos mil, que em torno às muralhas
pátrias ganhou. De mais, parecia eu mesmo, a chorar,
arguir o guerreiro e extravasar palavras tristes: 280
"Ó luz de Dardânia, ó mais firme esperança Teucra,
que tão grande estorvo te deteve? de que rincões tu vens,
ó esperado Heitor? como a ti, após tantas perdas
dos teus, após transes vários de pessoas ou do Estado,
exaustos, vemos! Que horrível doença o rosto calmo 285
desfigurou? ou por que vejo essas feridas?".
Ele, nada, e não me retém, que rogo coisas vãs;
mas muito mal a tirar do peito fundo um gemido:
"Ai, foge, filho de deusa, e dessas chamas", diz, "te arranca, 290
toma os muros o inimigo, alui Troia do alto topo.
Basta o dado à pátria e a Príamo. Se Ílio pudesse por mão
ser defendida, ainda por esta mão seria.
Troia te entrega seus sacros objetos e Penates,
toma-os por consortes do fado e lhes busca as muralhas 295
soberbas que erguerás enfim após vagar todo o mar".
Assim diz e, nas mãos, as fitas e a potente Vesta
e chama eterna traz do recôndito santuário.
E já o baluarte com mais prantos se remexe;
e cada vez mais (mesmo afastada e por arvoredos 300
protegida, a casa de meu pai Anquises se isole),
sons se aclaram, e o pavor das armas nos assalta.
Do sono sou arrancado, e do mais alto do lar,
subindo, passo em cima e, ouvido atento, me estaco,
qual quando a chama na seara, com ensandecidos Austros, 305
se lança, ou a corrente voraz, do rio do monte,
abate campo, abate seara opima e os trabalhos dos bois,
arrasta matos precipitados; alheio, se pasma,
ouvindo o ruído, da alta ponta do rochedo, o pastor.

Aí é que se aclara a credibilidade e as ciladas 310
dos Gregos se mostram. Já de Deífobo a vasta mansão
se arruinou, dominando-a o fogo; já arde, o mais perto,
Ucálegon, o amplo estreito de Sigeu fulge ao fogo.
Rompe o grito de soldados e o estridor de trombetas.
Pego as armas louco: nem há bastante razão de armas; 315
mas por engrossar pelotões na guerra e o baluarte
atacar com meus iguais o ânimo se alça, e à mente ira e ardor
impulsam: morrer em luta me ocorre ser sublime!
Mas eis que Panto, escapado aos dardos de Aquiles,
Panto Otríades, do forte e Febo sacerdote, 320
na mão coisas sacras, deuses vencidos e o netinho
traz ele mesmo, e a correr, louco, à minha casa vem.
"Panto, onde mais se luta? algum baluarte ocupamos?"
Mal isso eu dissera, responde, gemendo, nestes termos:
"Veio o último dia, e a hora, com que lutar não há, 325
da Dardânia; Troianos, morremos, morreu Ílio e a grande
glória Teucra: o insensível Júpiter, a tudo, para Argos
transferiu; na cidade incendiada os Dânaos dominam.
Em meio às muralhas, altivo, em pé, o cavalo armados
homens despeja, e Sínon, vitorioso, espalha incêndios, 330
a insultar. Uns vêm às portas abertas dos dois lados,
aos mil, quantos um dia vieram da grã Micenas,
bloqueiam outros com dardos as estreitas ruas,
de frente; a espada férrea desembainhada, de ponta
lúzia, em pé, mortipronta; os primeiros guardas das portas 335
mal tentam combater e em cega luta resistem".
A tais palavras de Otríades, e à força dos deuses,
me jogo às chamas e às armas, e aonde Erínia irada,
aonde chama o ruído e o alarido subido aos ares.
Somam-se em companheiros Rifeu e, insigne em armas, 340
Épito, expostos através da lua, e Hípanes, Dimas,

e ao nosso lado se ajuntam, e o jovem Corebo, filho
de Mígdon; naqueles dias, por acaso, viera
a Troia, aceso em desvairado amor a Cassandra,
e, como genro, a Príamo, e aos Frígios auxílio levava; 345
infeliz, pois os avisos da esposa em transe
não ouvira.
Mal os vi adensados, ardendo por combate,
começo por estas: "Jovens, em vão valorosíssimos
corações, se há em vós gana certa em seguir-me, que ouso 350
o extremo, vedes qual seja a sorte em tal instância:
foram-se todos, deixados os santuários e aras,
os deuses por quem esse reino existiu; à cidade ajudais
que se incendiou: morramos e em meio às armas sucumbamos:
só se salva o vencido, em não esperar salvação!". 355
Ao ânimo dos jovens se ajuntou ardor. Então os lobos quais
vorazes em névoa escura, os quais ávido furor
do ventre atiçou às cegas, e os filhotes deixados
aguardam de boca seca, por lanças, por hoste
vamos contra a morte certa e mantemos caminho ao meio 360
da urbe: atra noite em volta voa com sombra vaga.
Quem de tal noite a perda, quem, falando, as mortes
exporá? ou pode com lágrimas igualar desgraças?
Rui, por muitos anos dominada, a cidade antiga;
inúmeros por ruas juncam-se aqui e ali, imóveis, 365
cadáveres, e por casas e por moradas dos deuses,
sagradas. Nem sós, pagam penas em sangue os Teucros,
às vezes torna o valor aos corações dos vencidos;
mesmo vencendo, Dânaos tombam; por toda parte, cruel
pranto e horror por toda parte e, múltiplo, o rosto da morte. 370
Seguindo-o turma enorme de Dânaos, primeiro, Andrógeo
se achega a nós, nos crendo, sem saber, tropa aliada,
e com palavras amigáveis se dirige a nós:

"Apressai-vos, soldados, que tão lenta indolência
vos retarda? Os outros saqueiam e mantêm incendiada 375
a Pérgamo; agora só, vindes de altos navios?".
Disse e em breve (já que não se davam respostas firmes
o bastante), descaindo, se viu entre inimigos.
Espantou-se e, para trás, refreou os pés junto com a voz.
Tal quem, em pontuda silva, a inesperada cobra, 380
ao se apoiar, pisou e trêmulo de repente a evitou,
que ergueu sua ira e inchou o pescoço azul escuro:
não de outro modo ia-se Andrógeo posto a tremer, com a visão.
Rompemos e nos cercamos de densidão de armas;
ignorantes do sítio e tomados de pavor, 385
cá e lá matamos: sopra a sorte ao primeiro esforço.
E então, com o sucesso, alegre e animoso, Corebo:
"Sócios", diz, "por onde já o caminho da salvação
a sorte mostra, e a si mesma propícia, sigamos.
Troquemos de escudo e em nós as marcas Gregas ponhamos: 390
dolo ou valor, isso quem no inimigo exigiria?
dar-nos-ão suas armas". Dizendo assim, logo do elmo
empenachado de Andrógeo e da bela estampa do escudo
se reveste, e a espada Argiva acomoda do seu lado.
Tal Rifeu, tal Dimas mesmo e toda a turma jovem 395
alegre faz: de recentes despojos cada qual se arma.
Vamos mesclados aos Dânaos, sem nossa divindade,
e, reunidos, muitos combates por negra noite
travamos e, abaixo, ao Orco, mandamos Dânaos muitos.
Outros, dispersos, fogem para as naus e a correr buscam 400
a praia segura; uns, de medo infame, o cavalo
gigante reescalam e no ventre noto se velam.
Ai! estando os deuses contra, em nada se pode fiar.
Eis puxada a virgem Priameia Cassandra, revoltos
os cabelos, do templo ou do santuário de Minerva, 405

aos céus estendendo em vão os reluzentes olhos,
os olhos, pois cadeias retinham as delicadas mãos;
não aturou essa visão Corebo, a mente exaltada,
e, disposto a morrer, em pleno pelotão se enfiou.
Todos o seguimos, corremos, de armas compactas.           410
Logo, da alta ponta do templo, pelos dardos
dos nossos nos cobrimos: surge tristíssima matança,
pelo ar das armas e engano dos penachos Graios;
e os Dânaos, com urro e de ira pela virgem roubada,
investem juntos de toda parte: Ájax, terrível,           415
os dois Atridas e, dos Dólopes, todo o batalhão.
Qual tufão roto, às vezes os ventos adversos
se chocam, Zéfiro e Noto e Euro, alegre com Eoos
cavalos; sifla a floresta, e com o tridente e a espuma
Nereu raiveja e das bases fundas disturba o mar.           420
De novo, os que na escuridão da noite por sombras,
com manha enxotamos por toda a urbe perseguimos,
se mostram: os da frente escudos e armas fingidas
reconhecem e veem, ao sotaque, o falar diverso.
Logo oprimidos pelo número, e primeiro, Corebo,           425
por mão de Penéleo na ara da forte deusa em armas
se prostrou, e cai Rifeu, que entre os Teucros o primeiro
dos mais justos foi, e do bem o mais observador:
de outra forma os deuses viram! Perecem Hípanis, Dimas,
varados por sócios; e nem tua máxima piedade,           430
Panto, ao caíres, tua faixa sacra de Apolo te guardou.
Ó Ílias chamas e ó última chama dos meus,
vos testemunho, em vossa queda, não ter fugido
de armas nem de quaisquer reveses e, se os fados fossem
de eu tombar, que o mereci por luta. Então nos apartamos, 435
comigo Ífito e Pélias; deles, pela idade, Ífito,
já algo pesado, e Pélias lento com a ferida de Ulisses.

Fomos chamados logo ao solar de Príamo, aos gritos;
cá vimos luta imensa mesmo, qual se guerras
em parte alguma houvesse e na urbe ninguém morresse:  440
tal, Marte infreável e sobre a casa se abatendo os Dânaos
e a soleira sitiada com a carapaça feita.
Escadas pregam-se em muros, sob a porta mesma
pisam em seus degraus, e cobertos, com a esquerda, oferecem
escudos aos dardos, com a destra agarram-se ao cimo.  445
Já os Dardânidas torres e cumeeiras do paço
rompem; com essas como armas, vendo o instante final,
procuram, já em apuro mortal, se defender,
e as traves douradas, nobre enfeite de antigos patriarcas,
jogam de cima; com espadas tiradas outros  450
ocupam partes de baixo, em densa fila as guardam.
Renova-se o vigor de acudir reais aposentos,
e com a ajuda aliviar heróis e a vencidos dar força.
Havia uma entrada, ou porta oculta, e ligação viável
entre si de alcovas de Príamo e, por trás, porta  455
largada; por lá a mísera, enquanto houve o reino,
Andrômaca, frequente, costumava ir sem séquito,
até seus sogros, e levava ao avô o mesmo Astíanax.
Dali me vou ao ponto mais elevado; de onde
os desditados Teucros lançavam dardos inúteis.  460
A uma torre erguida a prumo e do mais alto teto
posta aos astros, de onde se via Troia inteira,
e as costumeiras naus dos Dânaos e o acampamento Acaio,
salteando-a a ferro em volta, onde os mais altos forros
mostravam junções quase a cair, arrancamos do alto  465
fundamento e a empurramos; ela, solta, de repente rui
com um estrondo e sobre as fileiras dos Dânaos em grande extensão
se abate. Mas outros vão em apoio, e nem pedras, nem um
qualquer tipo de arremessos cessa.

Diante do próprio vestíbulo e em plena soleira 470
Pirro se agita, em armas e brônzeo brilho luzente:
como, quando à luz, a cobra, após tomar ervas daninhas,
à qual, grossa, sob a terra o frio inverno encobria,
agora, tirada a pele, renovada e a brilhar de vigor,
alteando o peito, mexe o escorregadio dorso, 475
altiva ao sol, e vibra na boca a língua três-fendas.
Juntos, Périfas, grande, e o guia dos cavalos de Aquiles,
o escudeiro Autómedon, juntos, todo o vigor Círio,
se avizinham do paço e ao teto jogam chamas,
o próprio, entre os da frente, pega uma bipene, 480
rompe o duro portão e arranca os brônzeos batentes
do gonzo, e cortando-se a viga, os robustos robles
cava e produz um furo enorme de extensa abertura.
Surge por dentro o solar e mostram-se espaçosos átrios,
surgem as áreas interiores de Príamo e dos velhos reis, 485
veem soldados postados logo ao limiar.
E por dentro o paço com gemidos e tristes alvoroços
se remexe e os vãos da morada bem fundo retumbam
com o choro feminil: ferem seus gritos os astros dourados.
Então por amplos quartos mães medrosas vagueiam 490
e abraçando agarram umbrais e lhes cravam beijos.
Busca-as Pirro ao ardor do pai, nem trancas, nem mesmo
guardas podem contê-lo; ao frequente aríete a porta
vacila e, do gonzo arrancados, tombam os umbrais.
Faz-se fenda à força; rompem entradas, e trucida 495
aos da frente o Grego entrado e enche de armados o local.
Tanto, assim, um rio espumoso, rompido o dique,
não transborda e vence com o vórtice massas contrárias,
vai raivoso contra as roças no auge, e por todas as veigas
arrasta gado com currais. Vi eu mesmo, em delírio 500
com a matança, Neoptólemo e os Atridas no limiar;

vi Hécuba e as cem noras e Príamo a violar com sangue
em aras o sangue que ele próprio tinha sagrado;
cinquenta tálamos, larga esperança de netos;
magníficos umbrais, de ouro e despojos dos bárbaros      505
desabaram: se apossam Dânaos de quanto deixa o fogo.
E talvez, qual seja de Príamo o destino, me rogues.
Mal viu o revés da cidade tomada e arrancada
a soleira do palácio e em pleno recinto inimigo,
o velho as armas, há muito sem uso, passa em vão aos ombros   510
que estremecem pela idade, e da espada ineficaz se
cinge e se lança ao monte de inimigos, pronto a morrer.
No centro do edifício e por baixo do eixo aberto aos céus,
era enorme altar e, perto, anosíssimo loureiro,
a dar sobre o altar, envolvendo em sombra os Penates.    515
Aí Hécuba e as filhas vãmente em torno do altar
quais pombas que mergulham em sombria borrasca,
juntas, e cercando a imagem dos deuses, pousavam.
Mal viu Príamo em armas de juventude tomadas:
"Que atroz intenção, esposo infelicíssimo", diz,          520
"obrigou-te a cingir tais armas, e aonde corres?
De tal ajuda ou de tais defesas não carece
a hora; nem se já meu próprio Heitor comparecesse;
     assim, vem aqui: esta ara vai cobrir a todos
ou, juntos, morrerás". Assim se expressando, a si o juntou   525
e no sagrado pouso colocou o ancião.
E eis, livre da matança de Pirro, Polites,
de Príamo um dos filhos, por dardos, inimigos
foge pelos longos pórticos e anda os átrios vazios,
ferido. Pirro, no ardor da ferida ruinosa,                530
o persegue, e já já o segura e o comprime com a lança.
Logo que, enfim, se chegou à vista e presença dos pais,
prostrou-se e com sangue abundante expirou a vida.

Príamo, então, embora já tomado em meio à morte,
porém não se conteve, nem poupou fala nem ira:   535
"Ó de ti, pelo crime", exclama, "e por tais ousadias,
os deuses (se há em céus piedade a olhar por tais fatos)
tenham digna satisfação e deem o prêmio
devido, tu que a mim de filho a morte às claras ver
fizeste e com tal morte manchaste o olhar paterno.   540
E aquele Aquiles, de quem mentes ser filho, assim não
foi inimigo para Príamo, mas ao direito e à fé
de um suplicante corou, e entregou à sepultura,
sem vida, o corpo de Heitor e me restituiu ao reino".
Assim disse o velho, e um débil dardo sem propulsão   545
rojou, que, reenviado foi logo por surdo bronze
e debalde pendeu do alto da bossa do escudo.
Pirro a ele: "Isso, pois, dirás e como arauto irás
a meu pai Pelida; a ele meus lamentáveis feitos
e que Neoptólemo nega a razão, lembra-te de contar;   550
agora, morre". Isso dizendo, ao mesmo altar o arrastou,
tremendo e resvalando em basto sangue do filho,
e, com a esquerda, enlaçou os cabelos, com a destra, a espada
rutilante retirou e na ilharga até o cabo a aprofundou.
Tal o fim do destino de Príamo, tal termo   555
em sorte o levou, vendo Troia em fogo e tombada
Pérgamo, de Ásia o imperador de outrora, em terra e gente
assoberbado. Jaz na praia um tronco agigantado
e dos ombros cortada uma cabeça e sem nome um corpo.
E a mim, primeiro, um pavor rodeou, implacável,   560
petrifiquei-me. Ocorreu-me a figura do pai precioso,
quando o rei de idade igual, de cruel ferida, vi
vida exalar, ocorreu-me Creúsa largada,
e o paço saqueado e a sorte do petiz Iúlo.
Olho para trás e busco que tropas me cercam.   565

Foram-se todos, sem força, e a seus corpos, num salto,
no chão jogaram ou ao fogo, infelizes, deram.
E já, pois, só, sobrevivia, quando, a soleira vestal
a guardar, e oculta em silêncio em sítio afastado,
diviso a Tindáride; o clarão do incêndio me dá luz, 570
que andejo e aqui e ali lanço meus olhos por tudo.
Temendo já os Teucros, contrários, pela arrasada
Ílio, e as punições dos Dânaos e as iras do esposo
abandonado, Erínia, comum a Troia e à sua pátria,
se ocultara e, sem ser vista, na ara se sentava. 575
No ânimo fogos se atearam; e adentra a ira em vingar
a pátria morrente e exigir castigo desse crime.
É claro, ela, intocada, verá Esparta e Micenas pátria
e como rainha marchará com o triunfo ganho,
e seu cônjuge e a família e seus pais e seus filhos verá, 580
seguida do grupo de Ilíadas e de escravas Frígias.
Terá ido a ferro Príamo e em fogo Troia ardido?
Molhado tanta vez de sangue o litoral Dardânio?
Não assim, pois se não há renome algum, de se lembrar,
no castigo de mulher, nem louvor tem tal vitória, 585
mas terei louvor de ter findado um mal e as devidas
penas cobrado, e aprazerá ter saciado o impulso
da chama da vingança e compensado as cinzas dos meus:
isso remoía, e de intenção raivosa me arrastava,
quando se me deu, digna de ver, tão límpida ante o olhar, 590
e pela noite em pura claridade refulgiu
a mãe boa, aclarando-se deusa e qual e quão bela
sói aos Celestes parecer, e, com sua mão tomado,
me conteve, e acrescentou da boca em rosa estas palavras:
"Filho, qual dor tamanha promove iras incontroláveis? 595
Por que dela ferves e de ti foi-se o cuidado por mim?
Antes não olharás onde, alquebrado de idade, Anquises,

teu pai, deixaste? e se a esposa Creúsa sobrevive,
e o menino Ascânio? em volta dos quais por toda parte
a tropa Graia anda, e, se não se opõe meu desvelo, 600
já os teria tomado fogo ou espada hostil varado!
Não foi-te odiosa a lindeza da Tintáride Lacena,
nem Páris, réu: a inclemência dos deuses, dos deuses
subverteu este poder e prostrou do alto a Troia;
olha, pois toda a névoa que em toda parte embota 605
a ti a visão de mortal e, vaporosa, em volta
te entenebra, arredarei; quanto a ti, nenhum mando
temas do pai, nem deixes de acatar seus avisos.
Aqui, onde construções desfeitas e de rochas vês
rocha arrancada e fumo ondeante misto à poeira, 610
Netuno as muralhas e as bases removidas
com o longo tridente abala e da planta a cidade
toda rui; aqui Juno, perversíssima e, primeira,
detém as Portas Ceias, e em fúria, à tropa antiga, às naves,
cingida a espada, atrai. 615
Já o topo do forte observa a Tritônia Palas,
cerca, a fulgir em nimbo, e com a Górgona, horrenda.
Até meu pai aos Dânaos coragem e apetrechos propícios
cede, ele mesmo move os deuses contra Dárdanas tropas.
Livra-te, filho, à fuga e põe um fim aos infortúnios. 620
Nenhures estarei longe e pôr-te-ei livre em pétrea sé".
Dissera, e em sombras espessas de escuro se escondeu.
Surgem feições hediondas e o poder grande dos deuses
inimigos de Troia.
Foi quando em fogo toda consistir me pareceu 625
Ílio, e do fundo Netúnia Troia revirar-se.
E, qual, quando no cimo do monte, velho freixo
cortado a ferro, ou seja, com bipenes frequentes,
camponeses tentam, em briga, arrancar, ele sempre

ameaça e, tremendo com o topo bambo, a copa agita 630
até, vencido aos poucos por golpes, derradeiro
gemer e, dos picos cortado, se abater em queda,
desço e, me levando a deidade, safo entre fogo
e inimigo: dardos dão espaço, e as chamas recuam.
E mal chegado fui aos umbrais da pátria morada, 635
ou ao antigo lar, meu pai, que sobre o alto dos montes
queria eu primeiro alçar, primeiro buscava,
nega-se, assolada Troia, a continuar a vida
e o exílio sofrer. "Ó vós a quem na inteireza dos anos!",
disse, "o sangue e as forças são estáveis no vigor propício; 640
vós, apressai a fuga.
Se os Celícolas quisessem que eu prolongasse a vida,
me guardariam esta morada. Assaz, e mais, vimos só
este desastre e à cidade tomada sobrevivemos.
Sim, ó sim, bendizendo meu corpo morto, ide-vos. 645
Com a mão, eu mesmo acharei a morte, o inimigo se doerá
e pedirá os despojos, fácil é livrar-se do enterro.
Já há muito aos deuses odioso, e inútil, retardo
os anos desde que o Pai dos deuses e, dos homens, rei
me aflorou com o vento do raio e tocou com o fogo." 650
Tais coisas falando, insistia e ficava imutável.
Já nós em pranto molhados, e a esposa Creúsa
e Ascânio e toda a casa; para que o pai não quisesse
com ele afastar tudo e forçar o fado instante.
Recusa, e se mantém no intento e nos mesmos lugares. 655
Às armas vou de novo e eu, o mais infeliz, quero a morte,
pois que prudência ou que sorte se oferecia?
Então, pai, deixado tu, que pudesse eu arredar pé,
esperaste? e o indizível sai assim da boca de um pai?
Se aos De-Cima apraz nada sobrar de tão magna cidade, 660
e se isto em tua mente se fixa, e à perecedora Troia

agrada ajuntar-te e os teus, a tal ruína abre-se a porta,
e já virá, com sangue grosso de Príamo Pirro,
que o filho aos olhos do pai e ao pai degola no altar.
Para tal, ó mãe bondosa, a mim, por dardos, por fogo, 665
era que raptas, para o inimigo em plenos Penates, e
tanto Ascânio quanto o pai e, juntamente, Creúsa,
eu contemplar, imolados, um sobre o sangue do outro?
Homens, trazei armas; dia final chama os vencidos.
Devolvei-me aos Dânaos, permiti que eu retome os combates 670
que encetei: sem vingar, hoje jamais morreremos todos.
Recinjo o ferro e, ajustando, no escudo enfiava
a esquerda, e fora do paço me transportava.
Mas eis, me enlaçando os pés ante a soleira, a esposa
se fincava e estendia ao pai o pequeno Iúlo: 675
"Se a morrer fores, contigo a qualquer parte então nos pega,
mas, se, experiente, esperança pões no tomar armas,
primeiro guarda este lar, a quem Iúlo pequeno,
teu pai e eu, chamada tua esposa um dia, sou deixada?".
Isso gritando, com gemidos enchia a casa inteira, 680
quando um pronto prodígio, e incrível de dizer, ocorre:
ora, entre abraços e beijos dos pais sem consolo,
eis fina crista se viu do alto da cabeça de Iúlo
soltar clarão e, inócua, uma chama com leve toque
lamber-lhe a cabeleira e, em volta às têmporas, nutrir-se. 685
Com temor, de temor tremendo, a cabeleira a abrasar-se
abanamos e à água apagamos o fogo sacro.
Mas o patriarca Anquises aos astros, alegre, elevou
os olhos e, junto com a voz, ao céu estendeu as mãos:
"Onipotente Júpiter, se a alguma prece te acalmas, 690
nos olha, apenas isso, e se em piedade somos dignos,
dá, Pai, então os auxílios e confirma este agouro".
Mal dissera o velho essas palavras e com súbito estrondo

trovejou à esquerda, e do céu, descendo, por sombras
correu estrela, dando facho, com forte clarão.   695
A ela, a escorrer por sobre o alto da morada,
vemos sumir com claridade no bosque do Ida;
e a marcar o trajeto; agora, uma longa linha de luz
dá seu traço e, ao longe, em volta, o chão fumega enxofre.
Então, convencido, meu pai se levanta aos ares   700
e aos deuses se dirige e adora a estrela sagrada.
"Não, não há tentar: vou e por onde me levais estou.
Deuses pátrios, salvai esta casa, salvai o neto,
este é o vosso presságio e em vosso poder Troia está;
quanto a mim, cedo e não me recuso, filho, de ir contigo!"   705
Dissera, e através das muralhas ouve-se mais claro
o fogo e mais perto os incêndios trazem seu ardor.
"Sus, pois, caro pai, trata de subir ao meu pescoço;
ponho eu abaixo os ombros e tal esforço não me pesará.
Aonde as coisas derem, um e comum perigo,   710
um só seguro haverá pra ambos, o pequeno Iúlo
nos siga e, de longe, a esposa nos mantenha os passos.
Vós, servos, atentai em vossa mente ao que vos disser.
Pra quem sai da cidade, há um túmulo e um velho templo
de Ceres, relegada, e, perto, antigo cipreste,   715
por crença dos ancestrais mantido por muitos anos:
de pontos diversos chegaremos a um só posto;
tu, meu pai, leva em mão as coisas sacras e os pátrios Penates,
de tamanha guerra e matança recém-vindo,
é nefasto tocar-me até, em água corrente,   720
eu me banhar."
Dito isso, os largos ombros e o pescoço abaixando,
cubro-me com uma veste e a pele de fulvo leão
e me abaixo à carga; o pequeno Iúlo se agarrou
a minha destra e acompanha o pai com passadas desiguais;   725

atrás segue a esposa. Andamos pelo escuro das passagens;
e a mim que há pouco não afetavam os dardos
lançados nem Graios reunidos em fileira à frente,
ora, inquieto, assusta cada aragem, cada ruído
me perturba, pois de igual temo por companhia e carga.  730
E já aos portões me achegava e escapo parecia
a todo trajeto, quando de repente pareceu
vir ao ouvido um ressoar frequente de pés, e o pai por sombras
olhando ao longe: "Filho", grita, "foge, filho, chegam".
Percebo escudos faiscantes e bronzes que rebrilham.  735
Não sei que deus, nada amigo, levou de mim, inquieto, o pensar
concentrado; pois, desgarrada da via, enquanto
sigo e ando fora da linha sabida do trajeto,
ai! a esposa Creúsa a mim tirada, ou por fado
parou, ou errou de caminho, ou cansada se sentou,  740
não sei, nem depois nos foi dada aos olhos de novo.
Não a vi atrás, perdida, ou lhe voltei a atenção antes
que ao túmulo da antiga Ceres e ao seu pouso sacro
chegássemos; por fim, então, reunidos todos,
faltou, e não foi vista dos companhas, filho e esposo.  745
Demente, qual dos deuses ou dos homens não acuso ou, na cidade destruída, que vi de mais cruel?
Ascânio e o pai Anquises e os Penates Teucros fio
aos companheiros e os guardo na curva do vale.
Já eu torno à cidade e cinjo armas fulgurantes.  750
Tenho certo os reveses todos rever, e a Troia
voltar, toda, e outra vez dar a cabeça aos perigos.
De início, às muralhas e aos umbrais sombrios da porta
por onde pusera os pés fora, volto e sigo os passos
que para trás notei à noite, e os clareio à tocha.  755
Por toda parte o arrepio e o silêncio assustam a mente, de igual.
Logo à casa, se acaso talvez os pés aí levou,

volto: os Dânaos invadiram e o paço todo tomavam.
Em breve, um fogo voraz pelo vento é revolvido
até o cume; sobre ele sobe a chama, chia o ardor ao ar.   760
Prossigo e o paço e a cidadela Priameus revejo.
E já nos pórticos vazios no asilo de Juno,
escolhidos guardas, Fênix e o cruel Ulisses
vigiavam butins de todo canto, o Ílio tesouro
de ateados santuários raptado e manjar dos deuses   765
e crateras maciças de ouro e vestes de presos
se amontoam; crianças, mães, medrosas, em longa fila estão
em volta.
Ousando até mesmo lançar a voz pelas sombras,
enchi ruas com grito e, desolado, Creúsa,   770
amiudando o nome, em vão vozeei outra vez, outra vez.
Eu que a busco e avanço por casas sem fim da urbe,
um triste fantasma, ou a sombra da própria Creúsa,
aos meus olhos se viu, mas o espectro maior que a comum.
Estarreci, e eriça o cabelo e a voz na goela agarra.   775
Ela, de assim falar, de aflições tirar, com tais:
"O que adianta te entregar a uma dor tão atroz,
ó doce esposo? Isso, sem a vontade dos deuses,
não sucede, nem de acompanhante levar Creúsa
não te é dado, ou permite o reinador do excelso Olimpo.   780
A ti, longo exílio, e de arar a planície imensa do mar.
E à terra Hespéria irás, onde o Lídio Tibre, em manso fluir,
rola em meio às férteis lavouras dos colonizadores.
Ali prósperos bens, e um reino, e a esposa real
ganhos por ti: afasta os choros por Creúsa amada.   785
De Mirmidões ou Dólopes as magníficas moradas
não verei, nem servirei mães Graias, Dardânida eu
e também nora da divina Vênus:
pois nessas orlas me detém a grande Mãe dos deuses.

E adeus já, e guarda o amor de nosso filho comum". 790
Tão logo disse isso, a mim que chorava e queria muitas
coisas dizer deixou e escapuliu na leveza das brisas.
Três vezes tentei pôr-lhe os braços em volta ao pescoço,
três vezes, em vão presa, a sombra das mãos escapou,
par do leve vento e tão similar ao sonho esvoaçante! 795
Assim, enfim, finda a noite, revejo meus pares.
Descubro, surpreso, ter grande monta de novos
sócios acorrido a nós, mães, varões e a juventude
recolhida para o exílio, uma gente deplorável.
De todo canto se ajuntam, prontos, de alma e de recursos, 800
a qualquer país, aonde, por mar, queira levá-los.
Já dos picos do alto Ida Lúcifer surgia
e trazia o dia; e os Dânaos têm as bocas dos portões
sitiadas, e nenhuma esperança de ajuda se dá.
Pus-me a andar e, com o pai posto ao ombro, aos montes
   me fui. 805

# Livro Terceiro

Depois que aos reis de Ásia e ao povo Priameu, não merecido,
houve por bem aos Superiores arrasar, e Ílio altiva
ruiu e toda Netúnia Troia solta fumos do chão,
a buscar vários refúgios e terras distantes
somos, por sinais dos deuses, propulsos, e uma frota       5
na própria Antandro e aos montes do Ida Frígio construímos;
sem saber aonde o fado leva, onde morar se dê,
ajuntamos homens. Mal começara a primavera,
o pai Anquises ordenava dar velas à sorte.
Então, chorando, abandono as orlas pátrias e o porto,       10
e os campos onde houve Troia; exilado, parto ao mar alto,
junto à companha, e o filho, os Penates e os grandes deuses.
Longe, a terra de Marte, de extensos campos, se habita:
aram-na Trácios, já reinada por Licurgo hostil,
velha pousada de Troia e Penates associados,       15
enquanto houve a sorte. Aí me vou e em angra as primeiras
muralhas assento, impelido por fados adversos,
e formo como Enéadas seu nome, de meu nome.
Fazia um culto a minha mãe Dioneia e aos deuses
propícios à obra iniciada, e ao rei maior dos Celestes       20
sacrificava na praia um touro luzidio;
perto, outeiro ao acaso e em cima ramas de pilrito

houve e mirto encrespado de galhos adensados.
Cheguei e, tentando tirar do chão um verde galho,
a fim de cobrir as aras com frondosos ramos, 25
vejo prodígio horrendo e admirável de se contar:
pois a primeira vergôntea que do chão se puxa,
rota a raiz, dela escorrem gotas de atro sangue
e mancham a terra de pus; um frio calafrio
me agita os membros e meu sangue gelado coagula; 30
e de novo a haste flexível de outro mirto procuro
arrancar e sondar fundo uma explicação oculta;
e da casca desse outro escorre um escurecido sangue.
No ânimo movendo muitas coisas, suplicava às ninfas
do bosque e ao Pai Gradivo, que guarda os campos dos Getas, 35
para sacralizar a visão e o agouro afastar.
Mas após um terceiro ramo, com mais esforço,
me atacar e nos joelhos lutar contra o terreno,
devo dizer ou calar-me? um gemido choroso do fundo
do monturo se ouve e a voz proferida aos ouvidos vem: 40
"Por que, Eneias, lanhas um infeliz? Poupa o enterrado,
poupa manchar tuas mãos virtuosas; Troia não me gerou
como estranho a ti, e não de um tronco escorre este sangue.
Ai! foge destas terras cruéis, foge esta ávida praia!
Ora, sou Polidoro; aqui varado, férrea chusma 45
de dardos me cobriu e se atufa de agudos rojões".
Então de horror de incerteza esmagado na mente,
estarreci, e eriça o cabelo e a voz na goela agarra.
A Polidoro um dia um grande peso em ouro,
Príamo infeliz mandara, às ocultas, ao Trácio 50
rei para ser educado, por já desconfiar
de armas Dardânias, e sua cidade ver sitiada;
este, por abatido o poder Teucro e afastada
nossa sorte, ao tomar bens e armas triunfantes de Agamêmnon,

desfez tudo que é justo e degola a Polidoro e o 55
ouro toma à força. A que não sujeitas peitos mortais,
ímpia fome de ouro! Após deixar-me os ossos o pavor,
ante os nobres seletos do povo e a meu pai, primeiro
conto os prodígios dos deuses e lhes peço o parecer.
A todos o mesmo sentir: sair da terra funesta, 60
deixar-se o poluído abrigo e dar aos Austros as naus.
Fazemos o funeral a Polidoro e, muita,
se ajunta a terra na tumba, as aras se armam com os Manes,
tristes com fitas de atro azul e escuro cipreste;
em volta, Ilíadas, cabelos soltos ao rito. 65
Pomos taças espumantes em leite morno e páteras
do sangue sacrificial; e sua alma num sepulcro
encerramos e a alta voz gritamos: adeus final!
E mal confiança dada ao pego e ventos dão águas calmas,
e o Austro suave chiando a nos chamar ao alto-mar, 70
as naus a companha deborda e abarrota a praia;
do porto vamos fora: atrás, terras e cidades.
Em pleno mar se honra terra sacra, a mais querida da Mãe
das Nereidas, bem que a Netuno do Mar Egeu.
A ela a vagar em volta de orlas e litorais 75
o pio Traz-o-arco prendeu à alta Mícono e a Giaro,
e fixando-a, a fez povoar e os ventos arrostar.
Levo-me aí; cansados, calmíssima nos acolhe
em porto firme; fora, cultuamos a urbe de Apolo.
O rei Ânio, de igual rei de gente e ministro Febeu, 80
de fita e do sacro loureiro à testa cingido,
nos acorre, e o velho amigo Anquises reconhece.
Por hospedagem, damos as mãos e entramos no paço.
Honrava o templo do deus, erguido em rochedo antigo:
"Dá-nos, Timbreu, morada própria; a extenuados, muralhas, 85
raça, cidade estável; conserva outra Pérgamo

de Troia, sobejos dos Dânaos e do feroz Aquiles.
A quem seguir? ou aonde nos mandas? onde pôr sede?
Dá-nos, Pai, um augúrio e em nossos espíritos adentra".
Mal isso dissera, se viu tudo de repente estremecer, 90
os portais, o loureiro do deus, todo monte em volta
mexer e o tripé estrondar, expondo-se o templo.
Caindo, demos no chão, e aos ouvidos dá-se a voz:
"Duros Dardânidas, a terra que a vós primeira
tirou da extirpe de vossos pais, com seu seio fértil, 95
acolherá de volta: procurai a mãe primeira;
aí a casa de Eneias se imporá às regiões todas,
e os filhos dos filhos e os que desses nascerem".
Isso, Febo. E com o tumulto júbilo grande
misto surgiu; quais muralhas sejam, todos indagam, 100
aonde Febo chame os que vagam e os mande voltar.
Então meu pai, arrolando registros de antigos heróis:
"Chefes", falou, "ouvi e sabei qual é vossa esperança.
A ilha Creta do grande Jove jaz em pleno oceano,
aí, o monte do Ida e o berço da gente nossa; 105
habitam em grandes cidades, mui férteis reinos,
daí o mais velho avoengo, se o que ouvi lembro ao certo,
Teucro chegou por primeiro às bordas do Riteu
e o local para reino escolheu; nem Ílio e os fortes
de Pérgamo se erguiam; moravam em fundo de vales. 110
Daí, a mãe cultora de Cibele e o Coribâncio
bronze, e o bosque Ideu; daí, o fiel silêncio nos cultos,
e por que os leões, em par, a suster o carro da deusa.
Sus, e por onde ordens dos deuses levam, sigamos;
aplaquemos ventos e o Gnósio reino busquemos; 115
nem distam por longo trato, e se a favor é Jove,
ao terceiro dia porá a frota em cháos de Creta".
Assim falando, imolou na ara digna oferenda:

um touro a Netuno, um touro a ti, Apolo belo,
uma negra rês ao Mau Tempo e uma branca aos Zéfiros bons. 120
Rumor há que, expulso do pátrio reino, se afasta
o chefe Idomeneu, que se esvazia a praia de Creta,
deixa as casas o inimigo e os locais estão sem gente.
Deixamos o porto de Ortígia e pelo oceano voamos
à Naxos que orgia em seus montes, e à verde Donusa, 125
Oléaro e à nivosa Paros, e às Cícladas esparsas
pelo áqueo plano, e os estreitos semeados de tantas terras
costeamos. Grito brota do nauta entre o variado empenho;
companheiros se animam: a Creta e aos Antigos vamos!
Um vento vindo da popa avança os navegantes, 130
e abordamos enfim velha costa Curécia.
Com ardor, pois, faço os muros da sonhada cidade,
e Pergameia a chamo, e ao povo feliz com seu nome
incito a amar seu lar e erguer um forte para a sede.
Já os navios ao seco tinham sido empurrados; 135
os jovens se empenham em casamentos e em novos campos.
Lei e casa lhes dava quando de repente aos corpos vem,
pelo espaço corrupto do ar, mortal, deplorável,
a plantas e searas uma peste e colheita arruinada.
Deixam a doce vida e arrastam corpos doentios. 140
Sírio, então, de crestar as plantações estéreis, e as plantas
ressecam, e o cereal doente nega o alimento.
De novo ir ao orago de Ortígia e, retomado o mar,
a Febo, e a lhe rogar favor meu pai conclama, para ele
que termo pôr à empresa fatigante, e que exorte 145
a de onde buscar ajuda à labuta, aonde dar velas.
Era noite, e na terra o sono prendia os seres vivos;
as imagens sacras dos deuses e os Penates Frígios,
que comigo de Troia, e mais, do pleno incêndio seu,
trouxera, aos meus olhos, eu deitado, pareceram estar, 150

em sonho, com forte luz explícitos, por onde a
lua cheia se esparge por frestas entremeadas.
E falam, e aflição tiram com estes ditos:
"O que Apolo diria se a Ortígia te voltasses
ora prediz e envia-nos de bom grado à tua casa.　　　　155
Nós que, a Dardânia em fogo, a ti e a tuas armas seguimos,
que, sob ti, a túmida planura atravessamos
com a frota, alçaremos aos céus teus netos vindouros;
daremos à cidade um império; tu para grandes
põe grandes muros, sem deixar o longo esforço da fuga;　160
é pra mudar a sede; tais praias não te incutiu
o Délio, onde assentar em Creta Apolo te disse.
Há um lugar – os Graios o designam com o nome Hespéria –,
terra antiga, em armas forte e em fecundez do solo;
Enótrios a habitaram; hoje, diz-se, os ascendentes　　　　165
chamaram-na Itálica gente, do nome do guia;
nossa própria morada é aí; Dárdano, daí
e o Patriarca Iásio, de quais fontes vem a nossa estirpe.
Sus, levanta e alegre tais predições ao idoso
pai, indubitáveis, conta: Córito e as terras Ausônias　　　170
ele busque, pois Júpiter te nega os campos do Dicta".
Com tais visões aterrado e a voz dos deuses (não era
sonho aquilo, e eu parecia reconhecer, de frente,
suas faces, cabelos velados, nítidos seus traços:
então, do corpo todo escorria um suor gelado),　　　　　175
do leito arranco o corpo e, voltadas para cima,
estendo aos céus com a voz as mãos, e dons ilibados
no fogo sacro entorno; alegre da oferenda feita,
informo a Anquises e, em sucessão, exponho os fatos.
Reconhece nossa origem dupla e os dois ascendentes　　180
e a si caído em novo logro das velhas origens.
Então diz: "filho, jogueteado por destinos de Ílion,

somente Cassandra me predizia tais fatos;
lembro-a agora a anunciar isso destinado à nossa raça
e clamar amiúde: 'Hespéria' e 'Ítalo reino' amiúde.     185
Mas quem haver de virem Teucros às praias da Hespéria
creria? Ou a quem tocaria a vate Cassandra?
Ceda-se a Febo e melhor sorte, avisados, sigamos".
Assim diz, e ao dito acatamos todos, triunfantes.
Abandonamos também tal sede e, poucos deixados,     190
zarpamos e o vasto plano andamos em côncavo lenho.
Depois de o alto-mar ganharem as naus e não mais qualquer
terra aparecer, e por toda parte é céu e água,
então sobre minha cabeça parou nuvem escura,
trazendo noite e borrasca, e a onda encrespou-se sob as trevas;     195
ventos logo remexem o mar, e sobem vagalhões;
dispersos, vamos pra lá e pra cá no abismo vasto.
Nimbos tapam o dia e escuridão úmida os céus
nos rouba, raios rasgando as nuvens se avolumam.
Tirados do rumo, em ondas vagamos mal vistas.     200
Até Palinuro diz não diferenciar pelo céu
a noite e o dia, nem se lembrar, em meio às ondas, da rota.
Vagamos, pois, três dias incertos pelo pego
em névoa negrejante e, igualmente, noites sem estrelas.
No quarto dia enfim, logo se vê terra a surgir,     205
ao longe, a descobrir montes e remexer fumaça.
Caem velas, crescemos sobre o remo e, já firmados,
nautas dobram ondas e cortam a azulidão.
Salvo das ondas, as praias das Estrófades primeiro
me acolhem. As ilhas Estrófades, ditas em grego,     210
apontam no Mar Jônico, nas quais cruel Celeno
e outras Harpias moram, depois que a casa de Fineu
lhes foi fechada, e antes deixaram por medo suas mesas.
Monstro algum mais sinistro e mais desumana peste,

ou a ira dos deuses, se tirou das águas Estígias:  215
vultos de ave de virgem, uma dejeção do ventre,
a mais repelente, mãos em garra e pálido em fome
sempre o rosto.
Logo que aí, desviados, entramos no porto, eis
aqui e ali, nos campos, vemos nédio gado de bois,  220
e pelo capim, sem vigia, um rebanho de cabras.
Com o ferro avançamos e os deuses e o próprio Jove
invocamos à sua parte e presa; na enseada
armamos tablados e banqueteamos fartas iguarias.
Mas súbitas surgem, em pavorosa queda dos montes,  225
Harpias, e mexem asas com enorme alarido;
aqui e ali pegam comida e sujam tudo em imundo
contato, voz horrenda então e cheiro infecto.
Num longo abrigo, sob vão de rocha, cercados
de mata e sombra medonha em volta, novamente  230
dispomos mesas e repomos fogo pelas aras.
Outra vez, do oposto do céu, de antros não vistos,
o bando atroante em volta da caça, pés curvos, voa,
polui com a boca o manjar. Tome armas, à companha, aos gritos,
digo: é para guerrear com o horrípilo bando.  235
Mandados, o fazem, e lá e cá no mato as espadas
põem, cobrindo-as, bem como os escudos velados.
Assim, tão logo, abaixando-se, fizeram ruído
pela curva da orla, Miseno, do alto da tocaia,
dá sinal com o bronze oco; avançam os meus, luta
    estranha provam:  240
com o ferro ferir essas aves funestas do mar.
Mas não tomam batida contra as penas ou golpes
nas costas e, escapas, em fuga veloz rumo às estrelas,
largam mal-comida a presa e traços de sujeira.
Só, em rochedo altíssimo pousou Celeno,  245

soturna adivinha, arranca do peito esta voz:
"Uma guerra por bois mortos e vacas abatidas,
Laomedontíadas, preparais dar uma guerra
e expulsar Harpias sem culpas do reino pátrio?
Tomai, pois, e fixai no espírito estas minhas predições: 250
o que a Febo o Pai de-todo-o-poder e a mim Febo Apolo
profetizou, eu, a mais velha das Fúrias, explico;
viajando, a Itália buscais e, pelos rogados ventos,
à Itália ireis e vos será dado entrar em seus portos,
mas a cidade dada não sitiareis antes 255
que atroz fome e desagravo por nossa matança
os forcem a comer, depois de roídas, as mesas".
Disse e, por penas levada, à mata se refugiou.
Nos companheiros, gélido, o sangue por súbito pavor
parou, o ânimo cai e não mais por armas pedem 260
conseguir a paz, porém com votos e preces, sejam
elas deusas, ou aves ferinas e sinistras.
E o Pai Anquises, palmas estendidas, da praia
roga aos deuses superiores e dons dignos prescreve:
"Deuses, afastai ameaças, deuses, tal mal desviai 265
e, benignos, salvai os piedosos!". E amarras manda
tirar da praia e, sacudindo-os, afrouxar os cabos.
Notos enchem velas, sobre ondas de espumas saímos
por onde vento e piloto clamavam por rota.
Já em meio às águas, cheia de bosques surge Zacinto 270
e Dulíquio e Same e Nérito elevada em seus rochedos.
Fugimos dos recifes de Ítaca, reino de Laerte,
e execramos a terra nutriz de Ulisses cruel.
Logo as cimeiras nevoentas do monte Leucates
e o Apolo temido por nautas se desvendam. 275
Lá exaustos vamos e entramos na urbe pequena.
Joga-se âncora da proa, alçam-se popas na praia.

Tomando enfim posse da terra inesperada,
limpos para Jove, acendemos aras com votos;
e com jogos de Ílion as praias de Ácio comemoramos.   280
Nus, óleo a escorrer, os companheiros praticam lutas
de seu país: agrada de tantas Argólicas cidades
ter escapado e ter obtido fuga em meio aos inimigos.
Entanto, em volta do longo círculo o sol vira
e o glacial inverno com os Aquilões encrespa as ondas.   285
O escudo de bronze côncavo, porte do grande Abas,
cravo nos portais da frente e narro o feito em verso:
ENEIAS ESTAS ARMAS DE DÂNAOS VENCEDORES.
Mando então que o porto abandonem e em bancos se assentem.
Em disputa, os meus ferem o mar e o calmo plano raspam.   290
Fazemos já sumir os fortes alçados dos Feácios,
costeamos do Epiro o litoral e entramos no porto
Caônio; e abordamos a alta urbe dos Butrócios.
Lá um boato incrível de fatos ocupa os ouvidos:
que Heleno Priamídeo governa as cidades Graias,   295
lançando mãos à esposa e ao reino do Eácida Pirro
e que Andrômaca outra vez se foi para um marido natal.
Pasmei e o peito se ateou de curioso anseio
de abordar o herói e saber fatos tão marcantes.
Parto do porto, abandonando a frota e a ribeira;   300
por acaso, comidas rituais e dons de exéquias,
em bosque sacro ante a urbe, às águas do falso Símois,
Andrômaca libava ao morto e os Manes invocava,
à tumba de Heitor, em verde relva, vazia embora:
e duas aras, causa de lágrimas, consagrara.   305
Ao me ver chegando e armas Troicas ao redor, fora
de si, aterrada por tais grandes prodígios,
enrijou-se em plena visão, o calor sumiu dos ossos;
desfalece e só após longo tempo fala por fim:

"Como visão real, como mensagem real te trazes, 310
deanato, estás vivo ou foi-se a luz que dá vida?
Heitor, onde está?". Disse e lágrimas jorrou, e o lugar
com grito encheu; mal lhe lanço poucas, já enraivada,
e inquieto gaguejo com palavras espaçadas:
"Por certo estou vivo e levo a vida por todo apuro; 315
não duvides, pois vês o real.
Oh que azar, despossada de um belo marido,
te apanhou? ou que sorte tão digna te revisitou?
Andrômaca, de Heitor ou de Pirro guardas o enlace?".
Abaixou o rosto e com voz sumida falou: 320
"Ó virgem, filha de Príamo, feliz entre as demais,
num túmulo hostil, sob os altos muros de Troia
obrigada a morrer, não sofreu partilha alguma
ou, escrava, o leito do senhor vitorioso tocou;
nós, incendiada a pátria, por mares vários levadas, 325
toleramos o desdém da gente Aquílea, dando à luz
em servidão, e o altivo jovem que a Hermíone
de Leda e os esponsais em Esparta depois seguindo, a mim
deu como escrava para ser tida por Héleno, escravo;
mas Oreste, aceso em grande amor pela esposa 330
roubada e turbado pelas Fúrias dos crimes, pega àquele
desprevenido e em frente às aras pátrias o degola.
Com a morte de Neoptólemo, uma parte do reino
vai dado a Héleno, que campos de Cáones chamou
e a toda Caônia, do nome de Cáon Troico, 335
e a Pérgamo, essa fortaleza de Ílion pôs sobre montes.
Mas que ventos, que destinos deram-te essa viagem?
E que deus, sem saberes, te trouxe às nossas praias?
Que faz o menino Ascânio, sobrevive, de ar se nutre?
A quem já Troia te... 340
Criança embora, tem da perdida mãe preocupação?

Acaso ao antigo valor e viris sentimentos
tanto seu pai Eneias quanto o tio Heitor o estimulam?".
Tais extravasava chorando e longas queixas em vão
proferia, quando o herói Héleno Priameio 345
se mostra vindo das muralhas com grande comitiva,
e reconhece alegre os seus e os conduz à mansão,
e entre cada palavra derrama muito pranto.
Vou-me e uma pequena Troia, Pérgamo copiada
da grande, e um rio ressecado de nome Xanto 350
revejo e me abraço aos umbrais da Porta Ceia.
E ao mesmo tempo gozam da antiga cidade os Teucros;
a eles o rei, em vastos pórticos, recebia;
no meio do pátio provavam copos de Baco;
postos sobre o ouro os manjares, páteras seguravam. 355
E veio um dia e outro dia mais, e as aragens chamam
às velas, e o linho se incha com o Austro que intumesce.
Ao vate com estas me viro e peço estas coisas:
"Filho de Troia, língua dos deuses, que as vontades
de Febo, as tripeças, louros de Clário, os astros captas, 360
e a voz das aves e os agouros das rápidas penas,
dize, vamos (pois orago propício me predisse
toda a rota, e os deuses todos me suadiram a buscar
a Itália e explorar terras distantes; somente a harpia
Celeno canta outro prodígio (horrível de falar-se) 365
e me prenuncia cóleras funestas, bem como
uma fome horrenda), que perigos primeiro evito?
Ou como, em curso, posso abater labores tamanhos?".
Héleno, primeiro bezerros, de praxe, mortos,
suplica a paz dos deuses e desprende as fitas 370
da sacra cabeça, e Febo a mim, inquieto com a forte
divindade, ele mesmo me dirige pela mão
e estas, depois, ministro, canta da boca sacra:

"Deanato, se é clara a prova de andares pelo mar
por sinais superiores, assim é que o dos deuses rei
dispõe e mexe as sortes, e se fixa tal ordem.
Poucas das muitas predições, para que mares que abrigam
andes mais salvo e possas te deter em porto Ausônio,
explicarei, que as Parcas Héleno barram de saber
as demais, e de contar, Juno Satúrnia proíbe.
Primeiro, a Itália, que pensas já perto, sem saberes,
e os portos vizinhos que para adentrar te dispões,
longa, ínvia via divide longe de longínquas terras,
e deverás tardar o reino nas Trinácrias ondas;
tem de ser por naus andado o liso do Ausônio mar
e o lago do Averno e a ilha de Circe Eeia,
antes que possas pôr cidade em terra firme.
Dar-te-ei sinais, mantém-nos em segredo em tua mente:
quando, em teu buscar, junto às águas de um rio distante,
grande porca encontrada, litorais azinheiras sob
se deitar, que pariu trinta cabeças de cria,
alva, posta ao chão, em torno às tetas alvas filhotes,
esse será o lugar da cidade, o fixado fim das lides;
não temas as mordidas, que haverá, nas mesas.
Os destinos acharão um meio e Apolo, invocado, virá.
Mas dessas terras, dessa plaga da Ítala costa,
que perto se banhará na maré do nosso oceano,
foge: os muros todos são habitados por Graio astuto.
Aqui Locros de Narícia ergueram baluartes, cerca
as planícies Salentinas com soldadesca
Idomeneu de Lictos; lá Petília de Filotectes,
chefe Melibeu, pequena, foi por muros firmada.
E mais, mal tua frota, atravessando os mares, parar
e os votos pagares em aras postas na praia,
recobre-te bem os cabelos com um véu purpurino,

para não surgir entre as chamas sacras na oblação
aos deuses um espectro hostil e violar os presságios.
Guardem os teus tal uso cultural, e tu também,
e que teus netos fiquem fiéis a esse ritual.
Mas, logo que, afastado, à orla Sícula te levar         410
o vento e a barreira do estreito Peloro rarear,
terra à esquerda e mar à esquerda, num longo circuito,
sejam por ti procurados, foge de orla e água à direita.
Outrora essas terras, mexidas por forte abalo
(tanto pode mudar o curso longo do tempo!),            415
se diz, se apartaram, mesmo se desde então ambas fossem
uma só, com violência ao centro rompe o mar e a costa
da Hespéria, com águas, costa da Sicília, e campo e cidade
separados por orlas, banha com fino estreito.
Destro, Cila se põe, sestro, implacável, Caribdes      420
e do fundo turbilhão três vezes no abismo engole
ondas enormes, e outra vez no ar as levanta,
ora uma, ora outra, e de água chicoteia os astros.
Mas grota de locas não vistas retém Cila,
que boca frequente expõe e dá às rochas as naus.       425
É de homem o aspecto em cima, e moça, de belo busto,
até o púbis; no fim, baleia de massa enorme,
ligando cauda de delfim a ventre de lobo.
Melhor é, tardando, andar o cabo do Paquino
Trinácrio e em círculo traçar um longo curso,          430
que ver, uma só vez, Cila disforme na imensa
caverna e os rochedos ressoantes com cachorros azuis.
Além do mais, se há em Héleno prudência e, nele, crença
no adivinho, se Apolo enche sua alma de certezas,
isso só, filho de deusa, e só isso sobre tudo          435
predir-te-ei e avisarei, iterando outra vez e outra vez:
primeiro adora em prece o nume da grande Juno,

de bom grado a Juno entoa votos, vence a poderosa
rainha com súplices dons; assim vencedor, enfim,
deixada a Trinácria, levar-te-ás aos Ítalos confins.  440
Logo que aí levado, te achegares a Cumas,
dos lagos sagrados e do Averno que em bosques retumba,
verás a vate em delírio, que, sob um rochedo,
destinos prediz e registra em folhas letras e nomes.
Quaisquer presságios que a donzela escreveu em folhas  445
em ordem os dispõe e os deixa guardados na gruta;
aí intocados permanecem e não saem da ordem.
Mas aos mesmos, se leve brisa, ao se virar o gonzo,
agitar e a porta as tenras folhagens desarranjar,
nunca depois cuida em prender, esvoaçantes, naquele vão  450
da rocha, nem de a ordem refazer ou juntar os carmes:
vai-se o sem-consulta e odeia o teto da Sibila.
Que não te ocorra qualquer perda de tempo, tão precioso,
mesmo que os companheiros censurem e a viagem ao mar
chame as velas com vigor e as possas, propícias, encher;  455
sim, procura a vate e seus oráculos pede em preces,
que ela cante e solte a voz, as palavras, de bom grado,
sobre os povos de Itália e sobre as guerras que acontecerão;
e de que modo cada obstáculo evites e suportes,
te explicará. Cultuada, te dará rotas propícias;  460
isso é o que é dado a saberes por nossas palavras.
Avante e aos astros eleva Troia grande em façanhas".
Falado isso, com semblante amigo o adivinho
ordena que às naus tragam presentes pesados de ouro
e marfim talhado e as abarrote de utensílios  465
enormes de prata e bacias de Dodona;
couraça fiada em malhas e de três fios de ouro,
cimeiras de vistosos elmos e cristas plúmeas,
armas de Neoptólemo. Há também presentes para meu pai.

Dá cavalos, dá guias também. 470
De remadores nos supre e armas; de igual, os companheiros.
Mas já equipar a frota de velas Anquises
manda, para que atraso algum tenha o vento que empurra.
Diz-lhe o intérprete de Febo com muita estima:
"Anquises, honrado pelo excelso himeneu de Vênus, 475
zelo dos deuses, duas vezes livre da queda de Ílion,
é para ti a terra Ausônia, conquista-a com velas,
e pelo mar, porém, é necessário costeá-la:
a parte da Ausônia que Apolo te mostra está longe.
Vai", diz, "feliz pela piedade do filho; por que mais 480
me alongo, falando, e retardo os Austros que se erguem?".
Triste, Andrômaca, com a partida final, não menos, dá
vestimentas bordadas com garnição de ouro
e uma clâmide Frígia a Ascânio, sem perder em distinção,
e o cumula com presentes em tecidos, e isto diz: 485
"Estas coisas também toma, a lembrança sejam de minhas mãos,
e, menino, comprovem de Andrômaca o amor enorme,
esposa de Heitor. Recebe os últimos presentes dos teus,
ó imagem única, aliás, para mim de meu Astíanax!
Assim também os olhos, assim as mãos, assim o rosto 490
e ora seria púbere, igual, em ano, a ti".
Falei-lhes eu, me afastando, com lágrimas que rompiam:
"Vivei felizes, vós a quem sua sorte consumada
foi: nós somos chamados, de uns afãs em outros, aos fados.
Ganha é vossa paz. Liso algum de mares deveis sulcar 495
nem os campos da Ausônia, sempre a recuar, devereis
buscar; a imagem do Xanto contemplais e a Troia
que construíram vossas mãos, ela, espero, sob melhores
augúrios estará e que seja menos exposta aos Graios.
Se entrar no Tibre e nos vizinhos campos do Tibre, 500
e as muralhas a meu povo destinadas divisar,

das urbes um dia unidas e os povos vizinhos,
o Epiro, a Hespéria, de que Dárdano é o mesmo fundador
e os mesmos reveses; de uma e outra uma só Troia
faremos com corações; tal zelo alcança nossos netos". 505
Prosseguimos pelo mar, perto dos vizinhos Ceráunios,
de onde a rota, a viagem à Itália é brevíssima por água.
Cai o sol, porém, os nemorosos montes se assombram.
À margem, deitamos no seio da terra sonhada.
Sorteando os remos, e aqui e ali na orla seca 510
tratamos do corpo, o sono empapa prostrados membros.
Não toca a Noite, por Horas impulsa, a volta central.
Do leito, lesto, sai Palinuro e sonda todos
os ventos, e com seus ouvidos ao ar atende;
no céu silente nota todos os astros deslizando, 515
Arcturo e a Híadas chuvosas, bem como as Duas Ursas,
também a Órion, armado de ouro, examina;
após ver que tudo se compõe em céu sereno,
da popa dá sinal por som, levamos pouso,
tentamos caminho e abrimos as asas das velas. 520
E já Aurora, tangendo estrelas, se enrubescia,
quando ao longe avistamos pardas colinas e, abaixo,
a Itália. "Itália" é Acates o primeiro que brada;
"Itália", em alegre clamor, saúdam os parceiros.
Pai Anquises então coroa em grande cratera 525
e a encheu com puro vinho e os deuses invocou, de pé
no alto da popa:
"Deuses, dominadores do mar, terra e borrascas,
dai um caminho livre aos ventos e propícios soprai".
Amiúdam-se queridas auras e abre-se o porto 530
já mais perto e num monte surge o templo de Minerva.
Os meus colhem velas e dirigem proas à praia.
Da angra oriental, o porto curva-se em forma de arco;

rochas de ponta espumam com borrifo de sal;
ele se esconde, braços descem, qual muralha dupla,  535
penhas em forma de torre, e o templo some da praia.
Quatro cavalos, primeiro indício, na grama ao longe
a tosar o campo vi, de brilho de neve.
E o pai Anquises: "Guerra, hospedeira terra, trazes:
corcéis armam-se à guerra, essas reses guerra ameaçam,  540
mas às vezes os quadrúpedes soem ao carro
se abaixar e carregar freios de acordo com a canga:
paz e esperança", diz. O poder sacro então pedimos
de Palas som-de-armas, que é a primeira a nos aceitar
vibrantes, e a cabeça em véu Frígio ante o altar cobrimos,  545
e às ordens de Héleno, as mais sérias nos dera, em ritual
à Juno Argiva, ofertas, como instruídas, queimamos.
E, já, findo o culto de acordo com o rito de sempre,
reviramos as pontas das antenas das velas,
e casas, campos suspeitos dos Graiúgenas deixamos.  550
Daí se vê, se o que se diz é certo, o golfo da Hercúlea
Taranto; alteia-se, defronte, a divina Lacínia,
fortalezas de Cáulon e o rompe-naves Cileu;
à distância vê-se o Etna Trinácrio saindo da água
e som surdo forte do mar e rochedos golpeados  555
ao longe ouvimos e ruídos fracos na praia.
Alteiam-se os baixéis e areias mesclam-se à maré.
E o pai Anquises: "Bem essa é rocha de Caribdes,
estas as penhas, rochas cruéis que Héleno predizia.
Tirai-vos delas, parceiros, de igual, dobrai-vos aos remos";  560
Não fazem menos, mandados, e Palinuro a proa
rangente logo virou para as águas da esquerda,
à esquerda o grupo todo, com remo e vento, buscou.
Em curvo abismo alçamo-nos ao céu; de igual, damos,
rebaixadas as ondas, nos mais fundos Manes.  565

Três vezes, nos vãos das pedras recifes estrondearam,
três vezes, rota espuma e úmidos os astros vimos!
E alquebrados, o vento, junto com o sol, nos deixou,
e ignaros da rota, abeiramos Ciclópea praia.
O porto, em si, não se abala do ataque dos ventos, 570
e é vasta, mas perto o Etna atroa com dejetos medonhos,
e ora jorra nos ares uma escura nuvem
que fumega em turbilhão de pez e lava abrasada,
e levanta rolos de chamas e lambe os astros;
ora ergue calhais e entranhas roubadas do monte, 575
vomitando, e pedras liquefeitas contra o ar, gemendo,
enovela e lá na sua parte mais funda referve.
De Encélado o corpo chamuscado por raio, se diz,
sob tal massa se esmagou e o grande Etna solta
chamas por cima, por suas fornalhas estouradas, 580
e, sempre que muda o lado cansado, treme toda
a Trinácria a som surdo e o céu se tampa de fumaça.
Nesta noite, em brenha salvos, o atroz prodígio
aturamos, sem perceber a razão do ruído;
pois luz de estrelas não havia, nem no éter astral, 585
claridade, mas sim tempo nublado em céu escuro
e noite avançada mantinha a lua em halo.
E já o dia seguinte saía, bem cedo, da alva,
E Aurora, do céu, tirara a sombra de umidade,
quando, eis que, do mato, de magreza extrema ralado, 590
vulto estranho e, no trato, de dar dó, de um desconhecido
se adiantou e, suplicante, estende as mãos para a praia.
Miramos: uma horrenda sujeira, e a barba pendente,
roupa de espinhos trançada; quanto ao mais, Grego,
e a Troia enviado um dia com armas da pátria. 595
E ele, logo que viu trajes Dardânios e armas Troianas
de longe, hesitou, um pouco assustado com a visão

e conteve os passos; já, já, precipitado, à praia
com choro e súplicas se deu: "Pelos astros atesto,
pelos De-Cima e esta luz respirável do espaço, 600
tomai-me, Teucros! para qualquer terra me levai;
isto será bastante. Sei que sou um da frota Dânaa,
e confesso que, em guerra, ataquei Ilíacos Penates,
pelo que, se tamanha é a afronta de meu crime,
jogai-me às ondas e me afogai no mar imenso; 605
se perecer, será grato por mãos de homens ter perecido".
Disse, e abraçando joelhos e por joelhos mexendo,
os prende. A falar quem é, filho de que raça,
instigamos e, mais, que sorte o impele, a confessar.
Pai Anquises mesmo, a destra, sem muito delongar, 610
ao jovem dá e com prova do instante o ânimo alenta.
Abandonando por fim o medo, estas profere:
"Sou da terra de Ítaca, do infeliz Ulisses consorte,
nome, Aquemênides, a Troia, por meu pai Adamasto,
pobre (que dera me ficasse sua sorte) tendo ido. 615
A mim aqui, enquanto largam tremendo em casa cruel,
sem notar, no antro imenso do ciclope, os companheiros
deixaram. A morada, com sangue podre e nacos sangrentos,
dentro, é escura, enorme. Ele é elevado e esbarra nos altos
astros (deuses, afastai da terra esse flagelo!), 620
duro de ver, e intratável de falar, para alguém.
De entranhas e de sangue escuro de infelizes se nutre.
Vi, eu mesmo, quando ele, a dois homens de nosso grupo,
presos na mão enorme, em pleno antro deitado de costas,
quebrou contra a pedra e de sangue regada se inundou 625
a gruta; vi, quando os membros manando em sangue escuro,
os comeu, e suas juntas tremeram quentes sob os dentes.
Não fica isso impune ao certo, nem Ulisses aturou
ou de si se esqueceu o Ítaco em risco tamanho:

pois, mal saciado do comer e afundado no vinho, 630
encostou a nuca dobrada e se estirou na cova,
imenso, arrotando sangue podre e nacos mistos
de vinho sangrento, nós, chamando as grandes
deidades e sorteando as vezes, o rodeamos juntos
de toda parte, varamos com aguda estaca o enorme 635
olho, que, só, na testa horrenda se escondia,
à feição do escudo de Argos ou do clarão de Febo,
e, enfim, vingamos, contentes, as almas dos nossos.
Mas fugi, ó infelizes, fugi e cortai a amarra
da praia, 640
pois, tal e quão grande, na gruta funda Polifemo
guarda as reses porta-lãs e comprime suas tetas,
pois outros cem ciclopes medonhos nas curvas praias
moram por toda parte e vagam no alto dos montes.
Já as pontas da lua três vezes de luz se completam 645
que arrasto a vida nos matos entre as desertas
tocas e casas de feras, e de um rochedo avisto
os ciclopes grandes e estremeço ao som dos pés e da voz.
Reles comer, bagas e pétreos pilritos dão-me
ramos, nutrem-me ervas com raiz arrancada. 650
Perscrutando tudo, divisei logo essa frota
a chegar à praia e, fosse qual fosse, me entreguei
a ela: é bastante ter fugido à gente horrenda,
antes tomai esta vida com qualquer outra morte".
Mal isso dissera, quando, do alto do monte, o próprio 655
pastor Polifemo vemos entre reses a andar
seu amplo volume e à praia habitual se dirigir,
monstro feio, informe, imenso, de luz roubada;
desgalhado pinho lhe guia a mão e firma os passos.
Ovelhas lanzudas acompanham-no: seu único prazer 660
e alívio à desgraça.

Depois de vir até o mar e tocar águas profundas,
lavou então o escorrido sangue de seu olho vasado,
rangendo os dentes com gemido e em onda de altura média
anda e nem assim a água molhou seu flanco elevado.  665
Tremendo, apressamos, longe daí, a fuga, recebido o
suplicante, assim digno, e em silêncio cortamos o cabo;
e, inclinados, remos em disputa, batemos o mar.
Percebeu e os passos tornou para o som do ruído.
Mas, pois não se dá poder algum de nos pegar com as mãos  670
nem é capaz de igualar-se a nós, seguindo águas Jônias,
ergueu clamor imenso, com que o mar, as ondas
todas se abalaram e a terra da Itália assustou-se
a fundo e o Etna deu mugidos no fundo de seus vãos.
E a raça dos ciclopes, do mato e de altos montes  675
excitada, despenca até o porto e enche as praias.
Vemos parados de olhar horrendo inutilmente
seus irmãos do Etna, alçando ao céu altas cabeças,
reunião terrível, quais quando, com a ponta a prumo,
elevados carvalhos ou coníferos ciprestes  680
se postam, altiva mata de Jove ou bosque de Diana.
Vivo pavor nos leva, às pressas, a lançar as amarras
a qualquer ponto e esticar velas com vento propício.
Mas os ditos de Héleno nos lembram Cila e Caribdes,
entre um caminho e outro, a pouca distância da morte,  685
se não se contém o curso: voltar vela é decisão.
Mas eis que Bóreas, solto do estreito de Piloro,
para nós chega: passo além da foz, em rocha viva,
do Pantágia e a enseada de Mégara e planície do Tapso.
Tais costas, onde vagou, a percorrê-las de novo,  690
nos mostra Aquemênides, consorte do infeliz Ulisses.
Estendendo-se no golfo Sicânio está a ilha em frente
ao Plemírio aquoso; os antigos deram-lhe o nome

de Ortígia. Diz-se que o Alfeu, rio da Élida, aí,
abriu sob o mar um caminho secreto, que, já, 695
em tua foz, Aretusa, confundiu-se em águas Sicanas.
Instruídos, honramos os deuses locais, e daí
passo o fertilíssimo solo do estagnado Heloro.
Então raspamos os altos penedos, salientes
rochas do Paquino. Longe surge Camarina, 700
por oráculos sempre imóvel, e as várzeas do Gela,
e o Gela, enorme, chamado pelo nome do rio;
depois, Acragas, íngreme, ao longe exibe as soberbas
muralhas, outrora criadora de nobres cavalos;
Deixo-te, dado o vento, Selino das palmeiras, 705
e corro os duros parcéis, de pedra oculta, de Lilibeu;
então o porto de Drépano, com sua orla tristonha,
me acolhe. Aqui, por tanta borrasca de mar levado,
ai! Anquises, meu pai, conforto de toda aflição,
e revés, perdi. Me deixas aqui, ótimo pai, 710
exausto. Oh em vão de provas tamanhas tirado!
O vate Héleno, ao cantar tantas coisas terríveis,
não me predisse este pesar, ou a cruel Celeno.
Esta é a agrura final, este o fim das longas viagens.
Partindo eu daí, um deus me trouxe às tuas orlas." 715
Assim o Patriarca Eneias, com todos atentos,
só, os fados divos recontava e as viagens falava.
Calou-se, enfim, e aqui pondo um termo, se aquietam.

# Livro Quarto

E a rainha, há muito ferida de grave coita,
fomenta a ferida em veias e rói-se em cego ardor.
Do herói o grão valor e a glória grande de sua raça
voltam-lhe na alma: em peito grava-se firme o rosto
e o falar; não dá a coita aos membros calmante repouso.   5
Radiava as terras com a luz Febeia a, do outro dia,
Aurora e, do céu, tirara a sombra da umidade,
quando, tresloucada, fala assim à sua irmã solidária:
"Ana irmã, que sonhos ansiosa me aterram!
Que hóspede extraordinário entrou em nossa casa!   10
Tal no aspecto se dá qual em coragem, nas armas!
Creio-o bem (não é vã minha crença) da raça dos deuses.
O medo expõe espíritos ignóbeis. Oh! por qual destino
foi atirado, que guerras extremas narra!
Se no ânimo não fosse certo e imutável não querer   15
ligar alguém a mim pelo liame conjugal,
com o primeiro amor pondo-me iludida, por morte,
se muito não me desgostasse de leito e bodas,
talvez pudesse sucumbir só a esta falha.
Ana, confessarei, depois da morte do infeliz Siqueu   20
esposo, e, por fratricídio, tintos os Penates,
só este dobrou meu querer e à mente vacilante

provocou. Reconheço os vestígios da chama antiga,
quero antes, porém, que o fundo do chão se fenda ou que a mim
o Pai que-tudo-pode atire às chamas com um raio, 25
sim, às chamas foscas do Érebo ou à noite profunda,
antes, Pudor, que eu te profane ou que anule as tuas leis.
Aquele que primeiro a si me uniu levou fora os seus
amores; ele os tenha consigo e os guarde na tumba!".
Assim dito, encheu o peito com lágrimas brotadas. 30
Ana responde: "ó tu que és mais cara que a luz para a irmã,
só, te privarás, na aflição, da juventude inteira?
Não conhecerás doce prole ou frutos de Vênus?
Crês que disso cuidam mortos, teus Manes sepultos?
Que seja: antes marido algum dobrou-se à aflição 35
tua, os da Líbia e, antes, os de Tiro ou Jarbas repulso
e os outros chefes que a terra Africana rica em triunfos
nutre: te oporás então a um amor que é de teu agrado?
Não te vem em mente em terras de quem te fixaste?
De um lado, as urbes Getulas, raça invencível na guerra, 40
cercam-te e os Númidas sem freios e a inóspita Sirtes;
de outro, a terra vaga pela seca e os Barceias feros,
em larga extensão. Por que direi das guerras Tírias
e ameaças do irmão teu?
Creio que ao certo, graças dos deuses e o favor de Juno, 45
as naus de Ílio até aqui mantiveram suas viagens.
De qual cidade, irmã, que reino erguer-se verás
com bodas tais? Com a ajuda de armas Teucras de quão grandes
empresas se elevará o triunfo de Cartago?
Roga só aos deuses a graça e, feitas as oferendas, 50
faze-te hospitaleira e tece causas de atraso
enquanto no pego a tormenta se atiça e o aquoso Oríon,
enquanto as naus ficam destroçadas e o céu, feroz".
Com tais, ditas, ateou o ânimo aceso de amor

e esperança deu à mente incerta e afrouxou o pudor.  55
Aos templos vão logo e através dos altares rogam paz,
imolam duas ovelhas seletas de praxe
para a legisladora Ceres, para Apolo e o Pai Lieu,
a Juno, mais que todos, guarda dos nós conjugais.
Mui bela, Dido mesma, tendo a pátera com a destra,  60
a verte entre os cornos de vaca branca luzente
e ante a face dos deuses vaga entre aras sanguinosas,
e abre o dia com ofertas e nos peitos à mostra
de reses observa, em suspiro, as entranhas palpitantes.
Ai! ignaras mentes dos vates! Que adiantam votos,  65
templos, a quem delira? Mansa chama as medulas
já agora consome, e no peito vive chaga oculta.
Arde a pobre Dido e em delírio pela cidade
toda zanza: qual cerva que, com a seta lançada,
espeta entre os bosques de Creta, negligente, ao longe,  70
o pastor com dardo, enxotando, e deixa o ferro voador,
sem ver; em fuga ela atravessa matas e pastagens
do Dicta: pega-se nela ao lado o caniço mortal.
Ora consigo leva Eneias entre as muralhas
e mostra o poder de Sídon e a cidade provida.  75
Começa a falar, mas em plena fala se interrompe,
Ora, ao cair do dia, deseja os mesmos banquetes
e outra vez, fora de si, ouvir do desastre de Ílio
exige e pende outra vez dos lábios do que narra.
E, disjuntos, já a lua escura ora sim, ora não,  80
tapa sua luz, e estrelas que tombam convencem ao sono.
Só, na vaga mansão se abate e em deixadas cobertas
tomba. Ausente embora, a ele ausente tanto ouve e vê,
ou, no colo, a Ascânio, seduzida pela visão de seu pai,
retém, qual se pudesse burlar um amor que excede.  85
Não sobem torres iniciadas; de armas, jovens

não pegam; nem o porto ou o seguro baluarte
aptam à guerra, obras paradas pendem, e as enormes
ameias dos muros e engenhos se igualando ao céu.
Logo que a viu por tal praga tomada e a não opor 90
a fama ao furor, de Júpiter a cara esposa
Saturnídea se dirige a Vênus com estas palavras:
"Glória brilhante de fato e amplo triunfo retirais,
tu e esse teu menino, grande poder e digno de falar:
vencida uma só mulher pela manha de dois deuses! 95
Nem tanto me escapa temeres que nossas muralhas
tiveram moradas suspeitas da altiva Cartago.
Mas qual limite mesmo e até onde tamanhas rixas?
Por que antes paz perene e casamento pactuado
não criamos? Tens o que aspiraste com todo o peito. 100
Dido arde ao amar e contrai nos ossos amor fúria.
A este povo em comum, pois, rejamos e com iguais
direitos de agouro, e lhe seja dado servir ao Frígio
marido e passar às tuas mãos os Tírios como dote".
A ela (pois notou que com intenção fingida falou 105
pra afastar das costas Líbicas o reino da Itália),
por sua vez, começou Vênus: "Quem isso, demente,
negará ou mais quererá, em guerras, te arrostar,
desde que, ao que comentas, boa sorte seguisse;
mas vou incerta dos fados: se uma só cidade 110
queira Júpiter para os Tírios e os vindos de Troia
ou se aprove que povos se mesclem ou se façam pactos.
Tu, a esposa, e a ti se dá tentar com preces o seu querer;
à frente: seguir-te-ei!". Toma a voz Juno real, assim:
"Tal afazer será meu. Já o que urge, de que maneira 115
possa se fazer, atenta! explicarei com poucas.
Eneias e a tão pobre Dido, juntos, se aprontam
para ir ao bosque caçar, logo que o Titã de amanhã

expuser seu nascer e recobrir de raios o globo.
Neles, névoa de escurecer, junto com saraiva,
ao mexer de alas e ao cercar-se o bosque de redes,
do alto espalharei e com trovões todo o céu moverei.
Debandará a escolta e se tapará de espesso escuro.
À mesma caverna Dido e o chefe Troiano
chegarão; lá estarei e, se me for seguro o teu desejo,
com firme laço unirei e a consagrarei como dele.
Ali estará Himeneu". Não se opondo a quem pedia,
concordou e até riu Citereia da achada artimanha.
Entrementes, Aurora, surgindo, deixa Oceano.
Nascida a luz, pelas portas saem jovens de escol:
redes rareadas, laços, dardos férreos folhas-largas,
corre o montador Massileu e porção de cães faro-bom.
À rainha, tarda no leito, à soleira, aguardam
os chefes Penos, de púrpura e ouro vistoso,
se apruma o pés-de-som e o espúmeo freio, rebelde, rói.
Ao fim, vai-se à frente, seguindo-a séquito enorme,
cingida por Sidônia clâmide de orla bordada;
sua aljava é de ouro, os cabelos presos por nó de ouro;
sua veste de púrpura um broche segura por baixo.
Também a Frígia comitiva como o alegre Iúlo
avançam. Eneias mesmo, o mais belo entre todos
os demais, se põe de acompanhante e aduna as alas.
Qual, ao deixar a Lícia invernal e o caudal do Xanto,
e quando visita a Delos de sua mãe, Apolo,
e abre as danças; e, misturados em volta do altar,
Cretenses, Dríopes, pintados Agatirsos bradam,
vai ele por picos do Cinto e a esvoaçante madeixa,
fixa, aperta com haste flexível e ata em ouro;
aos ombros soam setas; não menos lépido que ele
ia Eneias: tanta graça brilha em seu rosto nobre.

Chegados ao cimo do morro e aos ínvios bosques,
eis, abatidas do alto da penha, cabras bravas
despencam das serras; de outro ponto, atravessam cervos
a galope a várzea aberta e, na fuga, embolam
os esquadrões empoeirados e abandonam os montes.   155
Já o menino Ascânio em pleno vale com corcel fogoso
folga; e já esses, já aqueles, no galope passa
e faz votos que se mostre, entre o gado manso, um javali
a babar ou do monte desça amarelado leão.
Entanto, com murmúrio imenso, começa o céu a   160
se mexer; segue-se névoa junto com saraiva,
e o cortejo Tírio e os jovens Troianos e o Dardânio
neto de Vênus voam em tropel, com pavor, aos abrigos
pelo campo espalhados: dos montes despencam-se rios.
À mesma caverna Dido e o chefe Troiano   165
chegam, e, primeiras, Télus e Juno das-bodas
dão sinal; fulgem raios e o éter, comparsa
do casamento, e no cimo do monte Ninfas hurram.
Aquele primeiro dia, de morte e primeiro
dos males, foi causa; não lhe importa a aparência ou a fama,   170
já não pensa Dido mais num amor furtivo,
chama-o de conúbio, e sob esse nome encobre a culpa.
Já, pelas cidades grandes da Líbia vai Fama,
a fama, mais veloz do que a qual não existe outro mal;
do próprio mover se vigora e ganha força andando;   175
primeiro, pequena, de medo, e já se alça aos ares,
anda pela terra, mas enterra nas nuvens o topo.
A Terra Mãe, enraivada com a ira dos deuses,
como última, como se diz, de Céu e Encélado irmã,
a gerou rápida por seus pés e de incansáveis asas;   180
horrendo monstro imenso: quantas penas lhe estão
no corpo, tantos olhos por baixo a vigiar (incrível),

tantas línguas, bocas soam, tantas orelhas ergue.
Voa à noite entre céu e terra, a chiar pelo escuro,
sem abaixar os olhos para o doce sono.   185
Guardião, senta-se ao dia, ou no topo das moradas
ou no alto das torres e assusta as grandes urbes,
núncia firme do falso, do mal, qual da verdade.
Com gosto, enchia então os povos com ditos variados
da mesma forma que propalava o feito e o não-feito:   190
que viera Eneias, filho do sangue Troiano,
varão a quem aceitou se unir a bela Dido;
que ao frio, por mais longo, se afagam na moleza,
ignorando os reinos e presos de torpe volúpia.
Isso, aqui, ali, a feia deusa espalha em boca humana;   195
de imediato vira a direção para o rei Jarbas
e o ânimo com falas lhe acende e iras ajunta.
Gerado de Ámon, raptada a Garamântica ninfa,
este, a Jove, cem grandes templos em vasto reino,
cem aras construiu, tendo consagrado o fogo-vigia,   200
guarda sem fim dos deuses, e o solo fértil com o sangue
de reses, e soleiras florindo com festões multicores.
E ele, enlouquecido, e irado com o rumor desgostoso,
diz-se, diante do altar, em meio à potência dos deuses,
súplice, muito pediu a Jove, as mãos para cima:   205
"Onipotente Jove, a que a gente Moura, em pintados
sofás se banqueteando, agora faz um culto, à Lineu.
Vedes isso? ou em vão, Pai, a jogar raio, arrepiados,
te tememos? E fachos mortais nas nuvens
nos assombram as almas e causam ruídos sem sentido?   210
A mulher que, perdida em nossas raias, cidade
pequena a dinheiro fundou, cuja praia deve-se arar,
a quem demos as leis do terreno, ela a nossa união
rejeitou e a Eneias aceitou no reino por senhor.

E ora aquele Páris, com cortejo de efeminados,
altivo com a Meônia mitra, queixo e cabelos
perfumados, da presa se apossa: enquanto aos templos
nós te trazemos dons e fomentamos vossa glória vã."
Ao que com tais palavras pede e as aras segura
ouviu o Onipotente, tornou os olhos às muralhas
reais, e aos amantes olvidados de glória mais nobre.
Fala assim a Mercúrio e lhe ordena estas coisas:
"Eia, filho, anda, chama os Zéfiros, desce com tuas penas
e ao chefe Dardânio, que agora na Tíria Cartago se
detém, não olha por urbes dadas pelos fados,
fala, e minhas palavras lhe conta pelas brisas ágeis;
tal não foi quem nos prometeu sua belíssima mãe,
pois assim o livra duas vezes de armas dos Graios,
mas aquele que à Itália, cheia de mandos e, com guerras,
a gritar, regeria, e estenderia a raça do nobre
sangue de Teucro, e poria sob leis o orbe inteiro.
Se não o inflama a glória de tão nobres feitos
e se ele não move o próprio esforço em prol de seu louvor,
acaso, pai, recusa a Ascânio os baluartes Romanos?
Que quer? com que esperança se retarda num povo hostil?
nem olha por Ausônia prole e o campos de Lavínia?
Que navegue, eis em suma, seja a minha mensagem".
Dissera. Aquele se aprestava em atender do grande
Pai a ordem; e logo aos pés prende as asas talares
de ouro, que ao ar o levam com penas ou sobre o mar
ou sobre a terra, em igualdade com ventos velozes.
Toma da vara então, com que chama as pálidas almas
do Orco, outras envia sob os Tártaros sombrios,
produz e tira o sono e, da morte, desvela os olhos;
nela firmado, impele os ventos, e as nuvens turvas
vara. E, já voando, divisa a ponta e os flancos escarpados

do Atlas duro, que sobre a nuca os céus sustenta,
do Atlas, cujo cimo pinhoso é envolto amiúde
de escuras nuvens e batido pelo vento e a chuva:
neve fundida cobre os ombros e rios desabam 250
do queixo do velho, e a barba eriçada endurece com o gelo.
Aí, firmado em par de asas, primeiro, Cilênio
parou, daí se lançou com o corpo todo às ondas
precípite, igual à ave que em torno à praia, em torno
de piscosos rochedos, voeja baixa rente às águas: 255
não de outra forma, entre terra e céu para o arenoso
litoral da Líbia voava e os ventos recortava,
vindo de seu avô materno, o filho de Cilene.
Tão logo tocou as choupanas com os alados pés,
vê Eneias fundando baluartes e erguendo 260
habitações; dele, luzente em jaspe amarelo,
era a espada, e de púrpura Tíria fulgia um manto
caindo dos ombros, presentes que Dido rica
lhe dera e realçara com camada fina de ouro a lã.
De pronto se introduz: "Ora, da altiva Cartago 265
pões as fundações, e linda cidade, esponsório,
constróis, oh esquecido do reino e tua empresa.
O próprio rei dos deuses manda-me a ti, do brilhante
Olimpo, que rege céus e terra com poder;
ele manda esta ordem trazer pelas lestas brisas: 270
'Que queres? Com que esperança, em solo Tírio gastas tempo?
Se não te comove a glória de tamanhos feitos,
[se tu mesmo não moves esforço em prol de teu louvor]
a Ascânio que cresce, isto é, encara as esperanças
de Iúlo herdeiro, a que o reino da Itália e a Romana terra 275
são devidos'". Falando Cilênio com tal forma,
no meio da fala abandona seus traços mortais
e desapareceu longe dos olhos na aragem sutil.

Mas Eneias, pasmo com a visão, silenciou-se,
de horror alça-se o cabelo e a voz na goela agarra.   280
Anseia bater-se em fuga e deixar as terras queridas,
aturdido com tão sério aviso e com ordem dos deuses.
O que fazer? Ousar à rainha furiosa enlear
com que fala? Tomar que introdução de palavras?
E o ânimo em pressa ora para aqui, ora para ali   285
divide e em lados vários leva e revira por tudo.
Pareceu-lhe, hesitante, melhor esta decisão:
convocar Mnesteu e Sergesto e o valoroso Seresto,
prover, calados, a frota, reunir na praia os sócios,
dispor armas e o porquê de dever mudar coisas   290
disfarçar; ele, porém, pois a magnânima Dido
não sabe ou espera se romper amor tão forte,
há de tentar meios e o ensejo mais delicado
de falar, que hábil jeito para o assunto. Todos presto,
alegremente, ouvem o mando e cumprem a ordem.   295
Mas a rainha o ardil (quem pode enganar a quem ama?)
pressentiu e concebeu já a ida futura,
tudo a temer, embora tranquila; a mesma Fama cruel contou
à furiosa: a frota armar-se e aprestar-se a viagem.
Da razão, falta, enraiva e, ardente, por toda a cidade   300
debaca qual Tíade, movida por delirante
culto, a que excitam, ouvido o nome de Baco, as trienais
orgias, e o Citéron noturno chama com gritos.
Por fim, sem mais, interpela a Eneias, com estas:
"Desleal, esperaste então que poderias fingir   305
tamanho delito e escapar de minha terra em silêncio?
A ti, nem nosso amor, nem a destra um dia ofertada,
nem Dido disposta a morrer de um fim atroz te detém?
E, ainda, na fria estação preparamos a frota,
e te apressas em correr alto-mar em meio aos Aquilões?   310

Cruel, por quê? Se não procurasses campo alheio,
casas ignotas e se restasse Troia antiga,
buscar-se-ia Troia por frota, por ondeantes águas?
Foges de mim? Por estas lágrimas e tua destra, a ti
(já que nada mais eu mesma deixei para mim, desditosa),   315
por nosso casamento, por conjunções começadas,
se com algum bem te obsequiei, se algo meu foi para ti
agradável, tem dó desta casa em ruína, e esse intento,
tira, se ainda algum lugar há para preces, suplico.
Por ti os povos da Líbia e os monarcas dos Nômades   320
me odeiam; Tírios, hostis; por causa de ti mesmo
se foi meu pudor e a fama de antes, só pela qual
ia aos astros; por quem, hóspede, me deixas a morrer?
porque só este nome me resta de um marido.
Por que me detenho? Até que o irmão Pigmalião destrua   325
os muros, ou Jarbas, Getulo, me leve presa?
Se ao menos de ti houvesse havido para mim um fruto,
antes de ires, se um Eneiasinho brincasse para mim
na corte, que, porém, nas feições te trouxesse outra vez,
não pareceria toda desiludida e só".   330
Dissera. Ele os olhos fixos, por aviso de Júpiter,
mantinha e a custo sufocava a aflição no peito.
Responde enfim poucas: "Teu favor, rainha, jamais vou
negar, tu que, falando, em grande quantidade podes
enumerá-los, nem me pejarei com lembrar Elisa,   335
enquanto souber de mim e o sopro estes membros governar.
Por fatos, direi pouco: não pensei tal fuga esconder,
não o imagines, e nunca pretendi as tochas
conjugais nem eu vim para estas alianças.
Se os fados permitissem levar minha vida por meus   340
desejos e à minha vontade ordenar meus cuidados,
primeiro a Troica cidade, e dos meus, relíquias

doces amaria, os altos paços Priameus ficariam
e com a mão faria Pérgamo renascente aos vencidos.
Mas ora à insigne Itália Apolo Grineu me mandou, 345
mandaram oráculos Lícios querer tomar a Itália:
ela é meu amor, minha pátria! Se, Fenícia, os fortes
de Cartago e a visão da urbe Líbia te atraem,
que inveja enfim é tua de em terra Ausônia os Teucros
se fixarem? E a nós é dado buscar reinos de fora. 350
Sempre que a noite envolve a terra em úmida sombra, a mim,
sempre que astros de fogo surgem, a visão de meu pai
em sonhos adverte-me e, perturbado, me amedronta,
a mim, o menino Ascânio e a ofensa à sua cara pessoa,
que privo do reino da Hespéria e os campos dos fados. 355
Já agora o porta-voz dos deuses, por Júpiter mesmo
enviado (um e outro atesto), a ordem pelas brisas ligeiras
trouxe do alto. Eu mesmo vi o deus, em um nítido clarão,
entrar nos muros, e traguei com este ouvido a voz.
Pára de inflamar com tuas queixas tanto a mim quanto a ti: 360
não busco a Itália por vontade".
A ele que isso diz observa, há muito tempo hostil,
aqui e ali mexendo os olhos, todo o percorre
com a luz de mudo olhar, e assim inflamada, prorrompe:
"Nem tua mãe divina, ou Dárdano, fundador de tua raça, 365
traidor, mas, áspero, o Cáucaso em seus rochedos duros
gerou-te, e tigresa Hircana te achegou as mamas.
Pois, por que fugir e me guardar maior desdita?
Chorou acaso ao nosso pranto? Assim deitou-me o olhar?
Vencido, lacrimou acaso ou se condoeu da amante? 370
O que prefiro a quê? Nem já a potentíssima Juno
nem o Pai, filho de Saturno, isso vê de olhos imparciais;
nenhures certa é a fé. Jogado à pátria, sem nada,
o acolhi e louca o pus em parte do reino;

frota perdida, companheiros tirei da morte.                          375
Ai! fervente, à fúria me dou. Ora o adivinho Apolo,
ora o Lício orago, ora, vindo até do próprio Jove,
o intérprete dos deuses traz dura ordem pelo ar.
É bem esse o labor dos Supremos, tal cuidado importuna
sua calma. E não te retenho nem rejeito tuas palavras.               380
Vai, vai-te à Itália com os ventos, busca seu reino por ondas.
Espero, se algo podem deidades clementes, ganhares
tormentos em meio de escolhos, e a Dido, por nome,
chamares amiúde; ausente, a ti irei com negra tocha,
e, quando a fria morte a alma separar dos membros meus,              385
em toda parte serei sombra; pagarás, ímpio, tuas penas!
Saberei, isto é, tal nova me virá aos fundos Manes".
Com tal dizer, rompeu no meio a fala, e dos ares
fugiu desgostosa e se arreda e esquiva dos olhares,
deixando-o a muito hesitar de medo e a tentar muito                  390
dizer. Tomam-na as criadas e levam o corpo a cambalear
para o marmóreo aposento e sobre o seu leito a colocam.
Mas o justo Eneias, embora aliviá-la a doer-se
queira, consolando, e tirar cuidados, falando,
muito lamentando e abalado na alma por um forte amor,                395
cumpre, porém, a voz dos deuses e revê a frota.
Teucros inclinam-se à obra e baixam as altas
naus de toda a praia; a quilha, besuntada, boia,
da mata aportam remos com folhas e carvalhos
brutos, pela ânsia da partida.                                       400
Ver-se-iam indo e saindo da urbe toda.
E, tais, quando devastam grande montão de trigo,
as formigas ficam lembradas do inverno e à toca o levam;
negro esquadrão campeia, e a presa em senda estreita
carreiam entre ervas: umas empurram no ombro                         405
à força torrões de trigo, outras impelem as alas

e zurzem as morosas; na obra toda a via vibra.
Qual então teu sentimento, Dido, ao ver tais coisas?
ou que gemidos davas quando a praia ao longo fervilhar
de cima olhavas, do forte, ou vias todo o oceano 410
remexer-se com tamanhos gritos lá defronte?
Ávido amor, a que não sujeitas os peitos mortais!
De novo a dar-se às lágrimas, de novo a tentar com o choro
se obriga e, implorando, a sujeitar o espírito ao amor,
para nada não provado deixar, já a morrer em vão. 415
"Ana, vês gente apressar-se de toda a praia, em volta, e
vieram de todo canto: o linho convida as aragens,
e alegres os navegantes põem coroas nas popas.
Se é que pude eu esperar esta dor tamanha, também
poderei, irmã, suportá-la. Isso, para mim, infeliz, 420
procura, Ana, que aquele infiel bem tratava a ti só,
a ti também confiava seus secretos sentimentos;
só tu souberas de acessos fáceis do homem, e ocasiões;
vá, irmã, e súplice fala ao altivo estrangeiro:
não jurei extinguir em Áulis o povo Troiano 425
junto com os Dânaos e a Pérgamo remeti frota,
nem arrombar a cinza e os Manes de seu pai Anquises;
por que nega lançar meus ditos no ouvido insensível?
Aonde corre? à pobre amante dê um último favor:
que aguarde fácil fuga e ventos que levem à frente. 430
Já não lhe rogo o antigo casamento, que traiu,
nem que fique sem o Lácio formoso e perca o reino,
peço-lhe uma vã delonga, uma pausa, um vagar para o furor,
até que a sorte me ensine, em sendo vencida, a sofrer.
Este favor extremo te peço, condói-te da irmã, 435
ao qual, com a morte, ao concedê-lo, pagarei fartamente."
Com tais rogava, e a tristíssima irmã porta e reporta
esses lamentos, mas ele, com nenhuma lamúria,

se mexe ou, afável, dá ouvido a alguma fala.
Fados se opõem e um deus obstruiu o calmo ouvido do varão. 440
E qual a um roble robusto de tronco anoso os Bóreas
dos Alpes, ora de um lado, ora de outro, com sopros
lutam entre si por tirar, há um rangido, e do alto,
os ramos, aluído o tronco, juncam a terra;
aos rochedos se agarra, e quanto se espicha aos ares 445
do éter a copa, tanto aos Tártaros, pela raiz:
não de outra forma o herói, daqui e dali, de assíduas vozes
é batido e pressente aflições no nobre peito,
a razão fica imóvel, as lágrimas rolam em vão.
A pobre Dido então, assombrada com os fados, 450
pede a morte, arreliada de olhar os vãos do céu;
para inda mais realizar o intento e a luz vital deixar,
viu, ao pôr oferendas nas aras incensárias,
(espantoso de dizer) anegrar-se a água sacra,
e o vinho, espargido, em sangue funesto converter-se. 455
Não contou a ninguém, à própria irmã, a visão.
Além disso, havia no palácio tempolo marmóreo
de seu antigo esposo que cultuava com respeito,
cingido de tosões cor de neve e festivas ramas.
Daí ouvir voz e fala do esposo a chamar 460
pareceu-lhe, ao ocupar a terra negra noite,
e no teto um mocho sozinho com fúnebre canto
gemer amiúde e dar pios longos de choro.
Além disso, presságios vários de vates passados
com aviso horroroso a arrepiam. No seu furor, persegue-a 465
o próprio cruel Eneias em sonho, e sempre vê-se
deixada só, sempre, sem companhia, andar um longo
caminho e a procurar os Tírios em país deserto.
Assim, Penteu vê bando de Eumênides, alucinado,
a um duplo sol, e Tebas se mostrando duplicada; 470

ou a Agamemnônio Orestes sendo perseguido em palcos,
ao fugir de sua mãe armada de tocha e negras
cobras, e ao se porem às portas as Fúrias vingativas.
Logo, mal tomou suas raivas, por aflições vencida,
avaliou consigo mesma a ocasião e a forma, 475
e voltada com estas palavras à triste irmã,
na face esconde o intento e na fronte aplaca a expectação:
"Achei, irmã, a forma, felicita a tua irmã,
que o traga outra vez a mim, ou, de amante, a mim livre dele.
Junto ao fim do oceano e de onde o sol se abaixa, 480
há dos Etíopes o ponto extremo, em que Atlas, grandioso,
gira no ombro o polo fixo às estrelas fulgentes.
Mostrou-se-me a sacerdotisa do clã Massilo,
guardiã do templo das Hespérides e que alimento
dava ao dragão e na árvore guardava os ramos sacros, 485
espalhando o líquido mel e a papoula que-dá-sono.
Com seus encantos assegura dissolver mentes
que quiser, e em outras penosos cuidados inculcar,
parar água de rio e fazer astro girar para trás,
e excita Manes à noite, e sob os pés sentirás 490
o chão estrondear e freixos descerem dos montes.
Juro, cara irmã, por deuses, por ti, por tua doce
pessoa, que em mágica arte sem querer me envolvo.
Com segredo, ergue pira inteira do paço, ao ar,
e queiras pôr em cima as armas do homem cruel que as deixou 495
pregadas no aposento, e seus trajes todos e o leito
nupcial, em que me perdi; a sacerdotisa ordena,
e ensina como, apagar toda a lembrança do homem ruim".
Dito isso, se cala: a palidez logo assalta o rosto.
Ana, porém, não crê que a irmã disfarce o próprio funeral 500
em culto comum, nem entende tanto furor
em alma, ou teme algo mais grave do que a morte de Siqueu.

Logo, cumpre a ordem.
E a rainha, erguida pira enorme dentro do paço
no ar, com achas de pinho e azinheira cortada  505
e lauréis orna o lugar e coroa com ramas
fúnebres; por cima, as vestimentas e a espada deixada;
e põe sobre o leito a imagem, sabedora do futuro.
Aras em volta estão; cabelo solto, a bruxa
com a boca troa trezentos deuses, e o Érebo e o Caos,  510
bem como a Hécate trigêmea, a Diana das três faces.
Vertera também líquido imitador da fonte Avernal.
Buscam-se, ceifadas ao luar com foices de bronze,
plantas sedosas com seiva de atro veneno.
Busca-se o amor tirado à fronte de potro que nasce  515
e é subtraído à sua mãe.
Ela mesma, com farinha e gestos cultuais, perto do altar,
descalça de um pé sem laço e a veste desatada,
pronta a morrer, jura aos deuses e aos astros sabedores
de sua sorte; e, se um nume ajuda amantes de pactos  520
desiguais, roga-lhe que seja justo e rancoroso.
Noite era e os homens, cansados, colhiam a placidez
do sono na terra; florestas, bravios mares
calmaram-se, ao rolarem astros no meio do curso,
ao calar-se todo campo, rebanho, aves variegadas  525
que habitam longos lagos claros e campos crespados
de espinhais, postas em sono sob a noite calada:
[doçam aflições e peito esquecido das lides].
Mas Dido, infeliz de mente, jamais se liberta
para o sono, ou só com olhos e coração desfruta  530
da noite; a aflição se agrava, e se avivando de novo,
o amor se ensandece e flutua uma grande onda de iras.
Insiste assim, assim no coração consigo agita:
"Mas que faço? então, zombando, os antigos pretendentes

sofrerei? a união com Nômades súplice rogarei, 535
eles que desdenhei como maridos tantas vezes?
sigo, portanto, a Ília frota e as exigências finais
dos Teucros? é que lhes é bom terem sido antes socorridos
e o favor do feito antigo neles, lembrados, se mantém?
quem me permitirá, caso queira, e, odiada, em naus 540
belas me acolherá? não sabes, ai, inda não notas,
perdida, a perfídia da raça dos Laomedontes?
o quê? seguir, na minha fuga, nautas triunfantes?
ou com Tírios, seguida pela tropa inteira dos meus, 545
me avançar e os que fiz sair da cidade Sidônia
vou levar outra vez ao mar e ordenar dar vela aos ventos?
Antes, morre, qual mereceste, e afasta a dor com o ferro.
Tu, irmã, vencida por meu choro, me agravas a fúria,
primeiro com estas desditas, e ao inimigo me expões.
Foi-me dado, de bodas não provando, ao modo de fera 550
levar vida sem crime nem atingir tais castigos?
não mantida em mim a dada fé às cinzas de Siqueu?".
Fazia romper do peito tamanhos queixumes.
No alto da popa Eneias, já certo de partir,
pegava em sono, prontas já de praxe as coisas. 555
A imagem do deus que volta, de iguais traços, a ele
se ofereceu em sonho e outra vez pareceu advertir,
em tudo semelhante a Mercúrio, pela voz, pela cor e
em cabelo louro e em membros garbosos de jovem.
"Filho de deusa, podes em caso tal dar-te ao sono 560
e, mais, não vês os perigos que se erguem à volta?
louco, e nem ouves Zéfiros propícios soprando?
Ela no peito leva e traz as fraudes e o crime cruel,
decidida a morrer, e vaga em incerto ardor de iras.
Não já vais apressado quando apressar-te inda podes? 565
Já o mar toldar-se de traves e confulgir de tochas

terríveis verás, já fervilhar de flamas a praia,
se Aurora te alcançar a demorar nessas plagas.
Eia, já, corta as tardanças: a mulher é a incerteza,
o mudável." Assim dito, em negra noite se fundiu. 570
Aí Eneias, do súbito fantasma aterrado,
recolhe do sono o corpo e instiga os companheiros:
"Ficai logo alerta, homens, e vos assentai aos remos,
soltai as velas ligeiras; um deus, do éter supremo enviado,
a apressar a partida e os cabos lançados cortar 575
eis de novo me incita. Seguimos-te, nobre entre os deuses,
sejas quem for e, em regozijo, outra vez ouvimos.
Oh! chega-te e queiras com agrado ajudar e astros do céu
benignos dar". Disse e arranca da bainha espada
fulminante e com o ferro sacado corta as cordoalhas. 580
Todos, juntos, toma um mesmo ardor; apressam-se, lançam-se,
deixam a praia; sob a frota a planura se esconde;
tombados, espuma enrolam e zurzem o azul.
E já Aurora nova luz nas terras espalhava,
abandonando o leito açafroado de Titono: 585
mal a rainha do mirante alvejar-se o dia
viu, e a esquadra avançar, emparelhadas as velas,
percebeu vazia a praia e, sem remadores, os portos;
três, quatro vezes batendo o belo peito com a mão
e puxando os louros cabelos: "Pelos céus irá" 590
disse, "esse forasteiro e zombará de nosso reino?
Não tirarão arma e, da urbe toda, o seguirão?
Outros não porão fora do estaleiro os navios? Ide,
levai tochas à pressa, dai velas, agitai remos.
Que digo? E onde estou? Que desvario altera meu pensar? 595
Dido infeliz, ora cruéis fados te atingem!
Então foi mister: davas-lhe o reino. Olha que mão fiel,
quem, dizem, levou consigo os Penates paternos,

quem sobre os ombros pôs o pai consumido de idade?
Tomando seu corpo, não pude espedaçá-lo e em ondas 600
espalhar? Nem seus sócios? Nem destruir a ferro o próprio
Ascânio, e o pôr na mesa paterna para ser tragado?
Mas da luta seria incerta a sorte. Que fosse!
Já para morrer, quem temer? Poria tochas nos quartéis,
encheria o toldo com chama e destruiria 605
pai e filho e sua raça e, mais, ao fogo me daria.
Sol, que com a chama aclaras toda a obra do mundo,
e, Juno, voz e sabedora de tais penas,
e, Hécate, em noturnos cruzos uivada pelas cidades,
Fúrias vingativas e deuses de Elisa à morte, 610
ouvi estas palavras e tornai ao mal o justo poder
e atendei minha prece. Se ao porto chegar o homem
nefando e, nadando, for necessário até a terra,
e se o fado de Jove o exige, esse fim fixo está;
mas oprimido por guerra e armas de um povo audaz, 615
banido das fronteiras e do abraço de Iúlo,
socorro implore e veja as mortes vergonhosas dos seus
e, quando se submeter a leis de paz injusta,
que não goze do reino e de dias desejados,
mas sucumba antes do tempo e enterrado seja em plena areia. 620
Isso peço e esta voz final derramo com o sangue.
Então, Tírios, persegui com ódio essa raça e cada
geração que virá, e lançai sobre minhas cinzas
este favor: que entre os povos não haja amizade e aliança.
De nossos próprios ossos nasças, ó algum vingador, 625
que persigas a ferro e fogo os colonos da Dardânia
hoje, no porvir, em qualquer tempo que haja forças:
praias com praias, contrárias; com ondas, ondas, suplico,
armas com armas; lutem nossos com sua prole", isso diz e convulsiona o espírito por toda parte, 630

buscando romper o mais breve a vida odiosa.
Então, sóbria em dizer, fala a Barce, ama de Siqueu
(pois na pátria antiga negra cinza consumava a sua):
"Ama, cara a mim, faze vir até aqui Ana, a irmã.
Dize se apresse em banhar o corpo em água pluvial, 635
traga consigo reses e as expiações indicadas;
que assim venha, e cobre-te a ti mesma com a fita sagrada.
Culto a Jove Estígio iniciado, que em rito preparei,
é meu fito acabar, e colocar às penas um fim
e atirar às chamas a pira do indivíduo Dardânio". 640
Assim diz. Aquela apressava o passo senil com desvelo.
Inquieta e furiosa pelo intento selvagem, Dido,
volteando olhar de sangue, molhada em meio às faces
que com nódoas tremem, pálida com a morte que já vem,
transpõe os umbrais internos da mansão e sobre o alto 645
da pira sobe enfurecida e retira a Dardânia
espada, presente para esse uso não buscado.
Depois que os trajes de Ílio e o tão conhecido leito
avistou, retida um pouco por choro e imaginar,
inclinou-se no leito e disse estas últimas palavras: 650
"Doces despojos, enquanto o fado consentia e o deus,
acolhei este espírito e livrai-me destas penas.
Vivi, e o curso que a sorte me dera completei,
e ora irá terra abaixo minha grande lembrança.
Cidade célebre ergui, contemplei minhas muralhas, 655
do marido me vingando, puni meu irmão, hostil.
Feliz, ai, feliz demais eu, só se a nossa praia
nunca tivessem tocado as embarcações Dardânias!".
Disse e, apertando o rosto ao leito: "Morrerei, sem me vingar,
mas que eu morra", diz, "assim, assim me apraz descer
    às sombras. 660
Que o cruel Dárdano, do alto-mar, capte com os próprios olhos

o fogo e consigo leve agouros de minha morte".
Disse, e viram-na cair sobre o ferro em meio a essas
palavras as acompanhantes, e de sangue a espumar
a espada e tintas as mãos. Vai grito ao alto do átrio:  665
pela cidade em choque o boato corre em delírio;
com lamentos, com gemidos, uivada de mulheres,
atroam casas: com grandes ruídos o éter reboa;
tal como se, já entrado o inimigo, inteira, Cartago,
ou Tiro antiga, ruísse, ou se sanhosas chamas  670
no alto rolassem de casas de homens, casas de deuses.
Ouviu, extenuada e duma carreira inquieta assustada,
a irmã que fere a face com unhas, com o pulso, o peito,
se arroja pela gente e grita pelo nome à que morre:
"O de antes foi isto, irmã? Com manha me iludias?  675
Isto, essa pira, isto a ara acesa me preparavam?
Deixada, queixar-me mais de quê? A irmã consorte então
desprezaste, ao morreres? À morte igual me chamasses!
A ambas, com o ferro, dor igual, hora igual levassem!
E mais: com estas mãos a ergui, e os deuses pátrios invoquei  680
com voz forte, para, ao morreres, cruel, me ausentasse?
Deste cabo de ti, irmã, de mim, do povo e Sidônios
senadores, e tua cidade. Dai-me limpar com água
a ferida e, se a mais, um sopro final vagar, colha
eu, com a boca". Assim dizendo, ia ao topo dos degraus  685
e à irmã quase morta, a gemer, abraçando ao regaço,
aquecia e secava o sangue escuro com a veste.
Aquela, tentando erguer pesados olhos, outra vez
desmaia: dá chiado a chaga no peito cravada.
Três vezes se apoiando nos cúbitos, se elevou;  690
por três, no leito recaiu e, olhos vagos, no alto dos céus
buscou uma luz e, tendo-a encontrado, gemeu.
Aí Juno todo-poderosa, apiedando-se da dor,

longa, e morte penosa, fez descer Íris do Olimpo,
para que a alma em luta e os liames dos membros soltasse:   695
pois, por não ir-se de morte fatal ou merecida,
mas, infeliz, antes do tempo e acesa em súbito furor,
não lhe tirara ainda Prosérpina o cabelo
louro da cabeça nem a condenara ao Orco Estígio.
Íris, pois, por céus, rociada de açafroadas penas,   700
arrastando, contra o sol, cores mil variegadas,
desce voando, e lhe parou na cabeça. "Este dom sacro dou,
por mandada, a Plutão, e desse corpo te solto."
Assim diz, e corta a mecha com a destra, e todo o calor
junto escoou, e a vida se esvai para os ventos.   705

# Livro Quinto

Já nesse tempo Eneias faz com a frota plena viagem,
decidido, e sulcava ondas pelo Aquilão prateadas,
olhando para trás as muralhas que rebrilham ao incêndio
da triste Elisa. Por que acendeu fogueira assim,
não transparece, mas são duas causas por grande amor  5
violado, é notório o que pode a mulher em fúria,
o coração dos Teucros o deduz por triste agouro.
Depois que as naus ganharam o alto-mar e não mais qualquer
terra apareceu, e de todo lado é só mar e céu,
para ele, sobre a cabeça paira uma escura nuvem,  10
trazendo noite e borrasca, e a onda encrespou-se sob as trevas.
O próprio piloto Palinuro, do alto da popa:
"Olha! Por que nuvens tamanhas rodearam o céu?
Ou o que nos preparas, Pai Netuno?". Assim dizendo,
manda recolher armas e curvar-se aos sólidos remos,  15
e põe de lado ao vento as velas, e estas profere:
"Grande de alma, Eneias, inda que Júpiter por mestre
me prometa, não conto em chegar à Itália em tal tempo.
Mudados de través silvam e do poente escuro
se elevam ventos e se condensa em nuvens o ar.  20
Nem de a eles resistir nem de tanto ir à frente
somos capazes; já que a sorte é que manda, prossigamos

e, aonde chama, o rumo viremos; nem creio a praia
firme, de irmã, de Érice longe, e os portos Sicilianos,
se bem lembrado, meço mentalmente os astros que observei". 25
E o pio Eneias: "Há tempo vejo assim os ventos
provocando e em vão tu contra eles lutando.
Desvia às velas o curso. Ou me é mais amena terra,
e aonde queira mais depor as naves cansadas,
do que aquela a que me reserva o Acestes da Dardânia, 30
e que encerra em seu regaço os ossos do pai Anquises?".
Logo isso dito, aos portos vão-se, e zéfiros propícios
entesam velas: vai-se a frota lesta pelo pego
e enfim tocam a areia conhecida alegres.
Do alto cimo de um monte, ao longe olhando sua chegada, 35
ou seja, as naves amigas, vai ao encontro Acestes,
desalinhado, com dardos e uma pele de ursa Líbia;
mãe Troiana, que o concebendo do rio Criniso,
o gerou. Não deslembrados dos velhos antecessores,
saúda os que voltam e com riquezas campestres 40
os recebe e anima, cansados, com ajuda amical.
Após o claro dia seguinte fugar da ponta
do Oriente as estrelas, aos seus de toda a praia à reunião
chama Eneias e da elevação do terreno fala:
"Grandes Dardânios, divina raça de nobre origem, 45
faz-se a órbita do ano com a passagem dos meses
desde que os restos e ossos de meu divo pai Anquises
confiamos à terra e consagramos a ara funérea.
E já vem cá, se não me engano, o dia que sempre triste,
sempre glorificado (assim quisestes, deuses) terei. 50
Este honrarei, proscrito ainda em Sirtes Getulas
ou retido no mar de Argos e na cidade Micena;
ainda assim, votos anuais e rituais pompas solenes
cumpriria e elevaria altares com dons apropriados;

ora aqui estamos de bom grado ante a cinza e ossos do pai, 55
por certo, não sem os desígnios, creio, e a vontade dos deuses,
e, guiados, penetramos em portos amigos.
Eia, pois, rendamos todos honra de bom agouro;
peçamos vento e ele queira em todo ano faça
este culto, erguida a cidade, em templos a ele ofertados. 60
Duas cabeças de bois vos dá Acestes, filho de Troia,
e de mesmo número por nave, e fazei vir os Penates
pátrios, e os que recebe Acestes hospedeiro para o festim.
Ademais, se a nova aurora aos mortais apresentar luz
benfazeja e redescobrir com os seus raios o mundo, 65
darei aos Teucros, primeiro, a prova de nau veloz;
e quem excede em corrida e confiante em seu vigor;
ou se destacar no dardo e nas ligeiras flechas melhor;
ou se atrever travar combate com o cesto cru,
venham todos e aguardem prêmios de palma justa, 70
todos calem no rito e cinjam as fontes de ramos".
Tais dizendo, cobre as fontes com mátrio mirto.
Isso faz Hélimo, isso, Acestes, na idade maduro,
isso, o menino Ascânio, e o segue o resto da juventude.
Da reunião, vai ele com muitos soldados 75
ao túmulo, em meio a um cortejo longo de seguidores.
Lá libando, de praxe, dois vasos de vinho puro
derrama ao chão; de leite novo, dois; de sangue sagrado, dois;
e lança flores escarlates e diz tais palavras:
"Salve, pai santo, outra vez; salve, cinzas reavidas 80
vãmente por mim, e tu, ó alma e sombra de meu pai.
Não foi dado a borda Ítala e os campos do destino
nem, qual for, o Ausônio Tibre, procurar contigo".
Tais disse quando, do fundo do santuário, lisa cobra,
enorme em seus sete anéis, sete dobras arrasta, 85
cercando calma o túmulo e pelas aras roçando,

salpicada no dorso de manchas azuis e de ouro a luz,
esbraseava as escamas, qual nas nuvens o arco-
íris arrasta, contra o sol, cores mil variegadas.
Eneias pasmou-se com a visão. Ela, em longo curso, 90
serpeando enfim entre páteras e copos lustrosos,
lambeu as comidas e, outra vez, inofensiva,
desceu túmulo adentro e deixou o devorado altar.
Por isso, com mais razão, abre o culto iniciado ao pai,
incerto quanto a crer se é o gênio do lugar ou o servo 95
do pai; mata duas ovelhas de dois anos, rituais,
tantos porcos e, de igual, novilhos negros de dorso,
das páteras derrama vinho e invoca a alma do glorioso
pai Anquises e seus Manes vindos do Aqueronte.
Também seus sócios, qual seja sua posse, contentes, 100
trazem dons e enchem aras e sacrificam novilhos.
Outros, em ordem põem tachos de cobre e, aqui e ali esparsos,
sob espetos achegam brasas e tostam entranhas.
Chegava o dia esperado, e a nona aurora em luz calma
os cavalos de Faetonte já carregavam; 105
e a notícia e o nome do famoso Acestes excitam
os vizinhos: com grupo alegre lotaram as praias,
dispostos a ver os Enéadas e uns, a lutar.
De início, os prêmios se colocam à vista e no meio
do círculo: tripés sacros e coroas verdejantes. 110
Palmas, prêmio ao vencedor, armas, vestes de púrpura
salpicadas, e talento de ouro e prata.
Do meio do outeiro a tuba entoa os jogos começados.
Começam a disputa de abertura, remos pesados,
quatro navios iguais, de toda a frota eleitos; 115
com remeiro ardente, Mnesteu leva a veloz Prístis,
Mnesteu, logo Ítalo, de seu nome a raça de Memo;
Gias, conduz a enorme Quimera, a um grande esforço,

obra-cidade, que jovens Dárdanos, triplo renque,
propulsam: destacam-se em ordem de três remos;  120
Sergesto, de quem tira o nome a família de Sérgio,
deixa-se ir na gigante Centauro; e, na azulada
Cila, Cloanto, de quem, ó Romano Cluêncio, o teu povo.
Ao longe fica um rochedo no mar, contra a espumosa
praia, o qual, submerso às vezes, é batido por ondas  125
carregadas, quando invernais Coros tapam os astros:
quando da calma, se cala, e ergue-se da água quieta
um plaino e pouso gratíssimo a mergulhões soalheiros.
Aí o Pai Eneias, de frondosa azinheira, pôs
metal de cor verde como marco, de onde pudessem  130
retornar e dar voltas em longos movimentos.
Escolhem posições na sorte, e os capitães nas popas,
ornados de ouro e púrpura, ao longe rebrilham;
os outros jovens se cobrem com coroas de choupo
e com os ombros desnudos reluzem untados de óleo.  135
Sentam-se em bancos, seus braços retesos nos remos;
tensos, aguardam o sinal: temor de abalar
lhes sorve o peito arfante e a ânsia excitada de glória.
Então, assim que a tuba sonora soou, das raias todos já
saltaram à frente, um grito náutico bate o alto espaço;  140
ondas se espumam viradas por braços contraídos.
Cavam sulcos de igual, e se entreabre todo o plaino
de ondas, rasgado por remo e esporões de três pontas.
Não tão lestos rompem o campo em disputa de bigas
e se arrancam das barreiras tão rápidos os carros,  145
nem cocheiros, solta a trela, sacodem rédeas
flutuantes; dobrados, às chibatadas se inclinam;
do aplauso e o estrondo das pessoas e o ardor dos que incitam
ressoa toda a mata e o som a praia em volta atroa;
batidas pelo grito, as colinas repercutem.  150

Foge antes de todos e resvala em ondas da ponta,
entre o tumulto e o bruaá, Gias, a quem logo Cloanto,
melhor de remo, segue, mas pelo peso o navio,
lento, o atrasa; após os quais, em distância igual, Prístis
e Centauro se empenham em passar um posto à frente:  155
ora Prístis o tem, ora, vencida, a ultrapassa
Centauro enorme, ora, juntas, bicos parelhos,
à frente ambas vão e com as quilhas longas sulcam água e sal.
E já à pedra se avizinham e se detêm no marco
quando, o primeiro, e em meio mar vencedor, Gias chama  160
com grito a Menetes, piloto do navio:
"Aonde à direita, tanto me vais? Dá o curso pra cá,
vai mais pra beira e deixa a pá roçar pedras à esquerda:
outros peguem mar alto". Diz. Mas temendo Menetes
rochas não-visíveis, a proa vira para ondas fundas.  165
"Desvias-te aonde?", outra vez, "vai para as pedras, Menetes",
com um grito, Gias o chamava, e eis quando olhando atrás vê
a Cloanto ameaçando para trás mais perto se tendo.
Aquele, entre a nau de Gias e os rochedos que ecoam,
para mais dentro faz curso à esquerda, e súbito ao da frente  170
ultrapassa e, deixando a baliza, ocupa águas seguras.
Então ardeu no jovem forte indignação, nos ossos,
nem sem lágrima as faces ficam: ao moroso Menetes,
de sua honra esquecido e da salvação dos companheiros,
de cabeça abaixo arroja no mar, do alto da popa:  175
dá-se ao leme, como o próprio piloto, o condutor,
e conclama os homens e vira à beirada o timão.
Pesado, mal voltou por fim do fundo da onda,
mais para velho, e gotejante com sua veste ensopada,
vai à ponta do rochedo e se assenta em pedra seca.  180
Dele, a cair, dele, a nadar, riram os Teucros,
riem dele a vomitar, frequente, água salgada.

Aqui, aos dois, últimos, brilhou bela esperança,
a Sergesto e Mnesteu: ultrapassar Gias, que atrasa.
Sergesto pega a dianteira e se aproxima do rochedo: 185
mas não com a quilha toda passando à frente ele é primeiro,
em parte: parte, Prístis, rival, com o bico aperta.
Mas andando no meio da nau entre os próprios sócios,
anima-os Mnesteu: "Já, já, reagi com os remos,
companheiros de Heitor, que no último fado de Troia 190
escolhi por parceiros; mostrai ora a coragem,
aquele ardor de que usastes nas sirtes da Getúlia,
bem como no Mar Jônio e nas águas agitadas da Málea;
o lugar primeiro, eu, Mnesteu, não busco ou teimo em ganhar.
Mas se vencessem aqueles a quem tal deste, Netuno! 195
Que se vexem de últimos voltar: parceiros, provai-o
e impedi a injustiça". Eles, com seu maior empenho,
vergam-se à frente: a brônzea popa aos golpes fortes treme,
desaparece a tona; então arquejo frequente esfalfa
juntas e boca seca: o suor flui por todo canto, em caudais. 200
O próprio acaso aos homens trouxe o prêmio cobiçado:
pois Sergesto, alma em furor, enquanto força a proa às
rochas, mais para dentro acessa mais apertada trilha,
em rochedos que se projetam encalha o infeliz.
Chocam-se escolhos e os remos em agudo coral 205
firmados, estalam; com o choque a popa se suspende.
Num só, os nautas se erguem e a fortes gritos estacam
e aprestam os arpéus com ferrão e varas com pontas
agudas, e na voragem colhem remos partidos.
Mnesteu, contente e com o próprio efeito atiçado, 210
com o mover lesto dos remos e os ventos invocados,
busca as águas precípetes e desliza em mar aberto.
Qual a pomba, de repente excitada da toca,
que tem seu lar, isto é, doce ninho em pedra escondida,

ao campo a voar é levada e espantada do abrigo, dá  215
forte bater de asa; e já escorrendo por céu calmo
traça um límpido trajeto sem as asas velozes mexer:
assim, Mnesteu, assim Prístis em fuga corta as águas
que faltam; assim, seu próprio ardor a impulsa, voante.
E já deixa para trás, a braços com a alta rocha  220
e os baixios, Sergesto, ele que clama por socorro
vãmente e que aprende a vogar com remos quebrados;
depois, a Gias e à própria Quimera, uma massa,
alcança; ela cede porque privada está de condutor.
E já no final mesmo fica isolado Cloanto,  225
a quem vai e acossa, firmando-se em força extrema.
Aí dobram-se os gritos, e todos, que prossiga,
estimulam com ardor, e com o estrondo o alto ar retumba.
Desprezam uns o próprio brio e a glória já alcançada,
por não tê-la, querem pactuar, por um louvor, a vida;  230
sucesso anima a outros: podem, pois se veem poder.
E talvez, ponta igualada, o prêmio alcançassem,
se Cloanto, estendendo ambas as mãos sobre o mar,
não jorrasse prece ou chamasse às promessas os deuses:
"Deuses, cujo poder é sobre o mar, cujas águas vogo,  235
alegre, nesta praia, para vós um boi branco
porei ante as aras, sujeito por promessa, e na água
salgada as entranhas e diáfano vinho lançarei".
Disse, e sob ondas fundas o atendeu o coro inteiro
das Nereidas e de Forco e da virgem Panopeia,  240
e o próprio Pai Portuno, a ele, que navega, empurrou
com a mão enorme; ela, mais rápida que Noto e a seta alada,
corre para terra e se meteu em fundo porto.
O Pai Eneias, chamados todos, conforme o uso,
em alta voz, a Cloanto como vencedor  245
declara e lhe encobre as têmporas com verde louro,

e dons, de escolher por cada nau três novilhos, dá,
e vinho, e de levar grande talento de prata.
Aos próprios capitães concede, além, prêmios especiais:
ao vencedor, áurea clâmide, em volta da qual vai            250
púrpura Melibeia o mais possível, com duplo Meandro;
aí tecido, o menino real, no Ida ramoso,
com dardo e na corrida persegue lestos cervos
fogoso, como a ofegar, a quem, precípite do Ida,
o escudeiro de Jove raptou com pés curvos ao alto.          255
Idosos, em vão estendem mãos para os astros
seus guardiães, e enraiva o latir dos cães contra os ventos.
E o que a seguir, por valor, obteve o segundo lugar,
a tal herói, trifilar couraça urdida em malha
polida e em ouro, que ele mesmo a Demóleo tirou,            260
como vencedor, à beira do Símois sob Ílion altiva,
dá-lhe como recompensa, honra e defesa nos combates.
Multitramada, os criados Fegeu e Ságaris no ombro,
mal a sustinham com esforço; mas, vestindo-a um dia,
Demóleo enxota os Troicos dispersos a correr.               265
Dá aos terceiros recompensas, duas bacias de bronze,
címbios de lavor em prata e palpáveis por talhos.
Tão agraciados todos e orgulhosos com os ricos dons,
já se iam, cingidos nas frontes de rubras fitas,
quando, arrancado à rocha atroz com grande destreza,        270
remos perdidos e em desvantagem de um só renque,
Sergesto, inglório, levava à frente a motejada nau;
qual cobra, muita vez, surpresa em monturos de estrada,
que uma brônzea roda transpôs de lado ou com forte golpe
deixou quase morta e rasgada por pedra,                     275
em vão fugindo, dá largos volteios com o corpo,
de um lado, brava, e a arder o olhar, e ergue alto o pescoço
que silva; de outro, contida pelo corte, se sustém

firmada em anéis e se dobrando sobre os membros:
com tal mexer de remo, a nau, morosa se move:  280
veleja, porém, e com as velas plenas adentra o porto.
O brinde prometido Eneias dá a Sergesto,
feliz com a nave salva e os companheiros de volta:
dá-se a ele a escrava, experiente em obras de Minerva,
Fóloe, cretense por pátria e seus gêmeos em aleitação.  285
Desfeita a peleja, o pio Eneias se dirige
a relvoso campo, de todos os lados cercado
de curvos morros; em meio ao vale um círculo houve
em forma de teatro, aonde o herói com milhares,
em plena sessão, se foi e num tablado se assentou.  290
Então, de quem acaso queira disputar corrida,
com prendas de valor o ânimo excita e expõe os prêmios.
De todo lado vêm Teucros, mesclados com Sicanos,
Euríalo e Niso, os primeiros.
Euríalo vistoso em beleza e juvenil vigor,  295
Niso de complacente afeição ao rapaz; aos quais seguiu,
da gloriosa linha de Príamo, o real Diores,
a quem, Sálio e Patrão, juntos, um dos quais da Acarnânia,
o outro da linhagem Arcádia, da família de Tégea;
então Hélimo e Pánopes, um par de jovens da Trinácria,  300
afeitos à mata, companhas de Acestes, mais velho;
muitos, além, há que o nome não-famoso encobre.
No meio dos quais, em seguida, Eneias assim falou:
"Acolhei na alma estas e voltai-lhes alegre atenção;
ninguém deste grupo sairá por mim não agraciado.  305
Darei duas lanças de Gnosso brilhantes pelo ferro
liso, e que levem bipenes lavradas em prata;
tal distinção será igual para todos. Os três primeiros
ganharão prêmios e cingir-se-ão de oliva dourada.
Leve o primeiro vencedor um corcel falerado;  310

o segundo, uma aljava Amazônica e cheia de setas
da Trácia, à qual rodeia um cinturão de ouro em longa
faixa, a que prende embaixo broche de gema torneada;
vá o terceiro, deste capacete Argólico, contente".
Logo dito isso, tomam posição e, súbito ouvido 315
o sinal, pegam a pista e abandonam a barreira
espalhados, quais nuvens de chuva, e a marca ao fim marcam.
Primeiro, e longe à frente do corpo de todos, Niso
salta, mais veloz que os ventos e as asas do raio.
Mais perto deste, mas mais perto em longo intervalo, 320
segue Sálio. Depois, deixando para trás um espaço,
Euríalo é o terceiro.
A Euríalo segue Hélimo e depois deste, que voa
e fricciona já calcanhar com calcanhar, Diores,
dobrando-se a seu ombro e, se mais espaço restasse, 325
escapo, passaria à frente e deixaria a incerteza.
E já quase no trecho final, cansados, ao próprio
fim chegavam, quando em sangue escorregadio
cai Niso infeliz: onde acaso, mortos novilhos,
o derrame umedecera o chão e a verde relva por cima. 330
O jovem, triunfante vencedor, não susteve os passos
titubeantes no solo pisado, mas, de frente, cai
mesmo na lama imunda e no sangue sacrificial;
porém de Euríalo, de seu amor não se esquecera,
pois se erguendo entre os lisos charcos se interpôs a Sálio; 335
esse, revirado, na areia compacta se estendeu.
Destaca-se Euríalo e, vencedor, por graça do amigo,
tem a dianteira e, com o aplauso e grito animador, voa.
Hélimo vem após e, agora, terceiro em tempo, Diores.
Sálio enche toda a plateia do imenso teatro, 340
e a fila da frente dos Patriarcas, com altos brados,
exige se lhe dê o prêmio a ele tirado de ardil.

Protege a Euríalo o favor geral, lágrimas finas,
e o valor mais apreciável que vem dum corpo belo.
Diores o apoia e clama em voz alta, ele que em vão 345
se cercaria da vitória e ao último prêmio
chegaria se a Sálio o primeiro posto se desse.
E o Patriarca Eneias: "vossos galardões", disse,
"vos aguarda, jovens, e ninguém muda a ordem dos prêmios;
dado me seja condoer-me do mal do amigo sem culpa". 350
Dito assim, o couro enorme de um leão Getulo
a Sálio dá, pesado dos pelos e garras de ouro.
Niso, então: "Se há assim louros", diz, "para vencidos
e te dóis de quem caiu, que dons dignos a Niso
tu darias, eu que fiz jus ao primeiro galardão? 355
Se sorte a mim, como a que a Niso, adversa não pilhasse?".
Junto com essas palavras mostra o corpo e os membros
de úmida lama imundos. Sorriu-lhe o bondosíssimo Pai
e mandou trazer o escudo, lavor de Didimáon,
do santo umbral Netúnio por Gregos despregado. 360
Com tal oferta distinta, ao jovem brilhante brinda.
E mal se findou a corrida, e encerrou os prêmios:
"Se ora valor e coragem no peito tem alguém,
que se apresente e erga os braços com suas mãos atadas".
Assim diz e propõe um prêmio duplo para a luta: 365
de ouro e fitas velado, novilho ao vencedor,
espada e elmo vistoso, consolos aos vencidos.
De pronto, logo apresenta-se, força descomunal,
em público Dares e se ergue sob forte sussurro,
ele que só, único, soeu se bater com Páris, 370
e o mesmo que, ante o túmulo onde se deita o herói Heitor,
a Butes de corpo enorme, triunfante, que se
exaltava por vir da família Bebrícia de Ámico,
abateu e, a morrer, o estendeu na areia dourada.

Tal, Dares alça o topo altivo pra luta primeira 375
e exibe os largos ombros e ora um, ora o outro braço,
entesando-os, lança e reverbera os ares com golpes.
Quer-se outro contra ele e ninguém, de tão seleta grei,
ousa encarar o guerreiro e revestir as mãos com o cesto.
Jovial, pois, e achando que todos fugiam do troféu, 380
ante os pés de Eneias parou e, sem mais se demorar,
agarra então um touro com a esquerda e fala assim:
"Filho de deusa, se ninguém ousa dar-se à luta
qual razão de aqui estar? Até quando convém ficar?
Manda os prêmios trazer". Os Dardânios, todos, a um
só tempo, 385
com ruído aclamam, pedem dar-se o prometido ao herói.
Aí Acestes, duro, fustiga a Entelo em palavra,
pois bem perto se assentou num monte verdinho de relva:
"Entelo, em vão o mais forte um dia dos heróis,
deixarás acaso prêmios tão bons serem levados 390
sem combate algum? Onde ora o dito deus Érix, teu mestre,
lembrado em vão, está? Onde tua fama em toda a Trinácria
e os teus famosos despojos pendurados de teus tetos?".
Ele, com estas: "Nem gana nem orgulho de louvor
sumiu por medo expulso. Mas frio embota, com a velhice 395
que alerda, o sangue, e, gastas, gelam no corpo as forças;
se tivesse aquele vigor que houve um dia, se agora...
vigor em que confiante se jacta esse arrogante,
atraído por prêmio ou belo novilho, bem certo
não viria, nem prêmios prezo". Após assim dizer, 400
arremessou entre eles um par de cestos de peso
colossal, com os quais o fogoso Érix costumou lançar
as mãos à luta e os braços esticar com rijo couro.
Pasmavam-se as mentes: de grandes bois sete grãos couros
numa costura de chumbo e ferro se eriçavam. 405

Mais que todos, pasma Dares mesmo e muito os recusa.
E o bom filho de Anquises aquele peso e os enormes
laços mesmos das correias joga de cá pra lá.
Então o mais velho tira do peito estas palavras:
"Que então se alguém, do próprio Hércules o cesto e
    as armas 410
visse e nesta mesma praia o infeliz combate?
Estas armas outrora trazia teu irmão Érix;
ainda as vês tintas de sangue e miolos semeados:
com que, ante o grande Alcides pôs-se, com que me habituei
enquanto melhor sangue dava a vida e inda nas fontes, 415
invejosa, aqui e ali, a velhice branquejava.
Mas se o Troiano Dares recusa estas nossas armas,
e isso ao bom Eneias convém e aprova Acestes que atiça,
igualemos a disputa: te entrego os cestos de Érix,
dissipa o medo, e tu, tu tira os cestos Troianos". 420
Ditas essas, arremessa dos ombros o seu manto,
e as grandes juntas dos membros, ossos, braços despe e, gigantesco, se paralisa em meio da arena.
Então o Patriarca, de Anquises filho, tomou cestos iguais
e as palmas dos dois prendeu com armas semelhantes. 425
Um e outro, já se alçando, ficam nas pontas dos dedos
e, destemidos, bem para cima no ar erguem os braços;
levam atrás, longe de um golpe, as cabeças eretas
e misturam mãos com mãos e provocam o combate:
aquele, melhor em mover pés e confiante em vigor, 430
este, em membro e massa, mas a tremer, tardos,
bambeiam-lhe os joelhos, árduo ofego esfalfa os amplos membros.
Muitos golpes à toa os heróis entre si lançam,
muitos se amiúdam no flanco vazio e nos grandes peitos
ressoam e, em volta do ouvido, das fontes as mãos, 435
frequentes, se perdem, queixos estalam aos fortes golpes.

Pesado, Entelo estaca e, num mesmo apoio imóvel,
apenas com seu corpo e os vigilantes olhos, foge aos golpes.
Aquele, qual quem bate com engenho alta cidade
ou de armas põe-se em torno de um forte na montanha,   440
ora este, ora aquele acesso e cada ponto corre
com burla e os pressiona sem efeito com assaltos vários.
Entelo ameaça a destra, se alçando e bem alto
a levantar; aquele a carga que do alto vem previu
veloz e, se desviando, com ágil corpo escapa.   445
Entelo as forças no vento esvazia e, mais, é,
sim, pesado, e pesadamente ao chão com o vasto peso
desabou, como, às vezes, no Erimanto um pinheiro oco,
ou do alto Ida desaba, das raízes rasgado.
Consurgem em emoção Teucros e jovens Trinácrios:   450
sobe grito ao céu e, primeiro, acorre Acestes
e o amigo de sua idade, com dó, toma do chão.
Porém, não detido ou assustado com a queda, o herói
volta à luta mais fogoso, e a raiva atiça a violência:
vergonha e valor autoconsciente acendem forças;   455
inflamado, acossa a Dares, a correr, por todo o plano,
golpes já com a destra, já com a esquerda reiterando,
não há pausa, não há pouso; qual o aguaceiro em tetos
estala com grossa saraiva, assim com bastos golpes,
frequente, o herói, ambas as mãos, soca e revira Dares.   460
Então o Patriarca Eneias seguir mais longe as iras
e agastar-se com mente cruel não deixou Entelo,
mas pôs termo à luta e livrou Dares exausto,
com palavras o acariciando, e estas profere:
"Infeliz, que insânia tamanha tomou-te o juízo?   465
Não percebes outra a tua força e as deidades contrárias?
Cede ao deus". Disse e com uma ordem dissolveu as lutas.
Fiéis amigos àquele que vai com dor nos joelhos

e agita a cabeça lado a lado e sangue espesso
põe pra fora e dentes com sangue misturados 470
levam às naus e, sendo chamados, o elmo e a espada
recebem e deixam a Entelo a palma e o touro.
Aí o vencedor, que ganha em valor, com o touro, ufano:
"Filho de deusa", disse, "e vós, Teucros, reconhecei
tanto as forças que no meu corpo juvenil estiveram 475
quanto a com que salvais Dares voltado da morte".
Disse e parou diante da cara do novilho em frente,
que estava de pé ali, prêmio à luta, e com a destra
recuada brandiu o rijo cesto em meio aos chifres,
erguido, e rachando-lhe os miolos, bateu sobre os ossos. 480
Abate-se e sem vida, a tremer, na terra, à frente, o boi cai.
A mais, estas palavras ele põe peito afora:
"Pago-te, Érix, completamente com esta vida a morte
de Dares; deixo aqui, vencedor, o cesto e a arte".
Eneias logo convida os que queiram por acaso 485
disputar com a seta veloz, e propõe os prêmios;
e com a mão enorme, da nau de Seresto apruma
um mastro, e uma ágil pomba numa corda atravessada,
em que mirem a flecha, suspensa lá do alto.
Juntam-se os heróis, e um elmo brônzeo pega a sorte 490
jogada do alto: o primeiro lugar, aclamado,
de Hipocoonte Hirtácida sai, na frente de todos,
a quem sucede Mnesteu, vencedor no combate
naval há pouco, Mnesteu, de verde oliva cingido;
o terceiro é Eritião, ó ilustríssimo Pândaro, irmão 495
teu, tu que, um dia, mandado a perturbar a aliança,
lançaste, o primeiro, um dardo no meio de Aquivos;
no fundo do elmo, por último, ficou Acestes,
que ousou, com as mãos, tentar também um trabalho de jovens.
Cada um por si, os heróis dobram com ampla força 500

os curvos arcos e as setas tiram das aljavas.
E a primeira seta, com a corda a ranger, do jovem
Hirtácida rasgara pelo céu os ventos alados,
e chega e se fixa na madeira do mastro frontal.
Estremece o mastro, e a ave espantada temeu por suas          505
penas, e o espaço todo retumbou com grande aplauso.
Logo o ativo Mnesteu, puxando o arco, se detém,
mirando no alto e ao mesmo tempo os olhos e o arco esticou;
mas, desgraçadamente, atingir com o ferro aquela ave
não conseguiu; cortou o nó e as ligações de linho              510
com as quais, presa nos pés, pendia do alto do mastro;
voando escapou para os Notos e as nuvens escuras.
Veloz, prendendo há muito a flecha retida no arco
armado, Euritião chama à sua promessa seu irmão,
já vendo-a de bom agouro, no vão do céu, batendo             515
asas, traspassou a pomba sob negra nuvem.
Inanimada, despencou e a vida deixou nos astros
do céu puro e, tombada, outra vez traz, fincada, a seta.
Perdida sua láurea, só Acestes restava;
ele, porém, arremessou o dardo às altas brisas                 520
exibindo como herói sua arte e arco que soa.
Então, aos olhos dá-se um súbito prodígio e que será
de valioso augúrio: grande fato, depois, o mostrou.
E os adivinhos contaram horríveis predições tardias:
pois, ao voar, a haste pegou fogo nas límpidas nuvens         525
e marcou uma rota com chama e, perdida, aos leves
ventos foi-se; qual, caindo do céu muita vez,
astros voantes o atravessam e arrastam cabeleira.
Espírito atordoado, detêm-se e aos Supremos rogam
heróis Trinácrios e Teucros, e o maior, Eneias, não           530
nega o agouro, mas abraçando Acestes alegre,
enche-o de soberbas recompensas e estas profere:

"Recebe, ó grande, porque quis o ilustre rei do Olimpo
a ti, sem sorte, dar prêmio através desses augúrios;
do próprio velho Anquises terás este presente:  535
a taça gravada de imagens que um dia deu
Cisseu, Trácio, ao pai Anquises como ilustre oferta
para trazer como uma lembrança e penhor de seu amor".
Dito isso, envolve as fontes com louro vicejante
e aclama Acestes primeiro vencedor aos mais,  540
sem que o bom Eritião inveje a honra arrebatada,
embora ele, só, derrubasse a ave do alto do céu;
o seguinte, o que rompeu a corda, ganha o seu prêmio;
por último, o que furou o mastro com o dardo alado.
E o Pai Eneias, não desfeitas ainda as lutas,  545
como guarda e acompanhante de Iúlo imberbe chama
Epítides a si, e assim, ao ouvido fiel, fala:
"Eia, vai e dize a Ascânio, se a ala de crianças armada
tem consigo e dispôs as corridas de cavalos,
de, pelo avô, trazer turmas e a si pôr-se em armas".  550
Disse e manda que todo o povo espalhado ao longo
do circo se afaste e desimpedidos deixe os campos.
Os meninos se adiantam e, em passo igual, diante dos pais
fulgem em corcéis com freio; admirando-os a marcharem,
toda a juventude Trinácria e Troiana murmura.  555
Todos, cabelo preso, à moda, em coroa cortada,
de pilrito levam haste dupla com férrea ponta;
uns, ao ombro aljava polida; cai do alto do colo,
pelo pescoço, anel flexível de ouro torcido.
Em coorte, três turmas de cavaleiros; três em três, vão  560
os seus guias; seguindo-os, doze em doze, os meninos
em fila dupla resplendem: tanto igual de escudeiros,
vem ala única de jovens a exultar, o pequeno
Príamo a conduz, repondo o nome do avô, tua nobre estirpe,

Polites, posta a crescer os Ítalos; leva-o Trácio 565
corcel de dupla cor com malhas brancas, a exibir brancas
marcas da ponta do pé e cara branca, empinado!
O segundo é Átis, de quem os Latinos Átios provêm,
pequeno Átis, querido menino ao menino Iúlo.
O último, Iúlo, mais que todos belo em forma, 570
se leva em Sidônio cavalo, que Dido bela deu
para lhe ser como uma lembrança e penhor de seu amor.
Os demais jovens em cavalos da Trinácria do Acestes
mais velho vão.
A eles receosos, no aplauso acolhem Dardânidas, 575
gostam de olhar, reveem as feições de velhos ancestrais.
Depois que alegres andaram a cavalo a plateia
toda e o olhar dos seus, deu-lhes, prontos, sinal com grito
Epítides de longe e com um chicote fez um ruído.
Correm por pares; três em três, dissolvem fileiras, 580
separados os grupos; novamente alertados,
reviram sua marcha e empunham lanças em ataque.
Depois tomam direção para um lado e voltam para o outro,
distanciados frente a frente, e dão voltas com voltas
alternadas; de armas, fazem imitação de lutas. 585
E ora as costas, em fuga, expõem, ora os dardos giram
para ataque ou se vão parelhamente, feita a paz.
Como antes na alta Creta, diz-se que o labirinto
tinha trilha fiada de muros sem saída e incerto
o ardil de sendas mil, por onde um erro insabido, e por qual 590
não se pode voltar, camuflaria os sinais de seguir.
Não com outras voltas os filhos dos Teucros trançam
seus passos e, com brinquedos, tramam fugas e lutas,
quais golfinhos que, pelos límpidos mares nadando,
cortam o mar Carpátio e o da Líbia e pelas ondas brincam. 595
Tal uso, tais passos, tais contendas, primeiro,

ao circundar Alba Longa de muros, Ascânio
trouxe e ensinou os antigos Latinos como celebrar
como ele mesmo, criança, com ele a puberdade Troica;
Albanos aos seus instruíram; daí em frente Roma            600
poderosa aceitou e guardou tal culto ancestral:
e hoje ele se diz Troia e os meninos, Troico pelotão.
Até aí se celebraram certames ao santo Pai.
Por vez primeira, Sorte, ao mudar, muda sua ajuda.
Enquanto ao túmulo oferecem ritos com vários jogos,      605
a Íris, do céu, enviou Satúrnia Juno
à Ília frota e sopra ventos a ela que vai
remoendo muito, inda não saciada do velho rancor.
Aquela virgem, apressando a viagem pelo arco mil-cores,
por ninguém vista, desce pela senda ligeira,               610
olha para a enorme reunião e percorre a praia,
vê desertos os portos e a frota abandonada.
Entretanto, as Tróades à parte em erma costa
deploram o perdido Anquises, e o mar alto
e em prantos todas contemplavam: "ai! nos resta           615
superar tantas águas!". Foi uma só voz em todas.
Pedem por cidade, enfada sofrer penas do mar;
lança-se, pois, em seu meio, sabedora do mal,
e põe de parte tanto a vista quanto o traje de deusa.
Faz-se Béroe, esposa idosa de Dóriclo de Tmaro,          620
porque teve um dia casta nobre, um nome e filhos;
e desta forma se introduz entre as mães dos Dardânios:
"Ó infelizes,", diz, "pois as tropas Gregas não vos levaram
para a guerra sob as muralhas da pátria, gente, ó,
infeliz, a que ruína Fortuna te reserva?                   625
Já o sétimo verão após Troia destruída passa
desde que mar, cada região, tantas rochas adversas
e intempéries andando nos vamos, por mares sem fim

buscamos a Itália que foge e em ondas vamos rodando.
Aqui os confins de Érix, irmão, e Acestes, anfitrião: 630
quem veta lançar muralhas e dar a cidadãos cidade?
Pátria, e em vão tomados Penates aos inimigos,
muralha alguma se dirá 'de Troia'? Em ponto algum
os rios de Heitor, o Xanto e o Simoente não verei?
Sus, por que não?, queimai comigo as infaustas naves; 635
pois se viu em sonho a imagem da vate Cassandra
dar-me tochas ardentes: 'Procurai, aqui, a Troia,
aqui', diz, 'é vosso lar'. Impõe o tempo ações, já,
sem atraso para tamanho prodígio. Eis quatro aras
para Netuno: o próprio deus vos dá tochas e coragem". 640
Dizendo essas, já agarra com vigor o fogo hostil,
e firmada na destra erguida, de longe o brande
e atira. As mentes atentam e os corações param, das
Ílias. Então, uma dentre muitas, a mais velha,
Pirgo, ama real dos tantos rebentos Priameus: 645
"Não é vossa Bóroe, mães, esta não é a esposa
Reteia de Dóriclo: os traços de diva graça
e os olhos resplendentes notai: que vivacidade,
que semblante e tom de voz, que andar, quando caminha!
Eu mesma, há pouco, ao sair, deixei Bóroe adoentada, 650
indignada porque ela só se privou de tal
festa pública e não deu a Anquises digna homenagem".
Essas falou.
Mas, de início hesitando as matronas, e, olhar maligno,
divididas, encaravam as naus, entre um infeliz amor 655
da terra natal e o reino a chamá-las pelos fados,
quando a deusa com par de asas pelos céus se suspendeu
e, na fuga, riscou sob as nuvens um arco imenso.
Aí, de espanto ante o prodígio e de furor levadas,
gritam juntas e roubam o fogo das lareiras sacras; 660

algumas desnudam aras, galhos, folhas, fachos
arremessam: Vulcano, a rédeas soltas, se enfurece
por bancos, remos, popas em abeto pintadas.
Arauto, à tumba de Anquises e às dobras do teatro, Eumelo
reporta o incêndio das naus, e os próprios Troianos 665
enxergam atrás voejar cinza escura sob nuvens.
E, já, Ascânio, quão jovial as corridas de cavalos
chefiava, tão fogoso no corcel foi-se ao campo
revolto, e os escudeiros, ofegantes, não o podem conter.
"Que é esse estranho poder?", diz, "aonde ora, ides aonde? 670
ai! pobres cidadãos: não o inimigo e arraiais hostis
de Argivos, queimais vossa esperança, eis-me aqui, vosso
Ascânio." Aos pés delas jogou o capacete vazio,
com que, armado em jogo, o teatro de guerra fazia.
Corre depressa Eneias, juntos também esquadrões Teucros, 675
mas de medo, em desordem, aqui e ali pela praia
fogem e à mata e locas de rochedos, caso as haja,
vão furtivas; se vexam do feito e da luz; mudadas,
reconhecem os seus, e do peito é Juno expulsa.
Mas nem por isso a chama, o incêndio perde as forças 680
indomáveis: sob o úmido lenho está viva a estopa
que expele uma fumaça lenta e, lento, os navios
corre o calor, e o estrago desce a toda a carcaça,
nem o esforço dos heróis nem jatos de água adiantam.
Rasgando, aí o bom Eneias tira do ombro a veste 685
e chama os deuses à ajuda e levanta as palmas: "Júpiter
onicapaz, se inda não odiando todos até um só, aos
Troianos, se em algo tua antiga compaixão olha
pelo humano sofrer, faze a frota a fogo escapar
já, Pai, e tira da ruína os minguados pertences Teucros, 690
ou, se é o que resta, atira-me à morte com o raio hostil,
se sou merecedor, ou com tua destra me esmaga".

Mal disse isso, e tenebrosa borrasca com nuvens
soltas, sem lei, se enfurece e com trovões retremem topos
das terras e os campos; do éter inteiro, turbulenta 695
com a chuva e muito escura com os Austros cheios, rui a bruma;
e até em cima enchem-se as popas; semiaceso, o madeiro
se ensopa, até que todo o calor se extinguiu, e todas
perdidas, quatro, as naves se salvam do estrago.
E o Pai Eneias, chocado do duro acidente, 700
ora a um lado, ora a um outro no peito os receios,
virando, movia: em Sículos campos ficaria,
predições esquecendo, Ítalas orlas tomaria?
Nautes, mais velho, a quem, único, Palas Tritônia
ensinou e fez notável com seu grande ardil, 705
dos deuses, dava-lhe a resposta ou o que anunciaria
a grande ira, ou o que a série dos fados exigisse.
E ele, animando Eneias, com estas começa:
"Divanado, aonde os fados levam ou trazem, sigamos,
haja o que houver, toda sorte é pra vencer, aguentando-a. 710
Tens o Dárdano Acestes de divina procedência;
tem-no como aliado a teus planos e a ti liga o seu querer.
Dá-lhe os que sobram, por perda das naus, e a quem pesa
teu grande intento e tuas façanhas militares;
aos de mais idade e às matronas cansadas do mar, 715
e o que há de fraco ou receoso de perigos, contigo
toma e deixa que, cansados, tenham muralhas nas terras;
cedido o nome, chamarão a urbe Acesta".
Inflamado com tais palavras do amigo mais velho,
em mente, então, se divide em múltiplas aflições. 720
Noite escura, por bigas elevada, ocupa o céu:
aí foi vista, baixada do céu, a face do pai
Anquises de repente dizer estas palavras:
"Filho a mim mais caro um dia que a vida, enquanto foi

a vida, ó filho acossado pelo destino de Ílion, 725
por mando de Júpiter venho aqui que o fogo da frota
afastou e que enfim do alto do céu se condoeu de ti.
Ouve os conselhos preciosos que ora te dá Nautes,
já algo velho: jovens de escol e os corações mais bravos
conduze à Itália. Aguerrido povo e rico em costumes, 730
terás que subjugar no Lácio. Antes, porém, de Dite
acessa a casa infernal e no profundo do Averno,
procura, filho, me ver, pois Tártaros cruéis não me têm
ou infelizes sombras, mas habito na assembleia
suave dos pios e no Elísio. Aqui a casta Sibila, 735
mediante sangue copioso de rês, te guiará.
Saberás de todo o teu povo e tuas muralhas dadas.
E ora, adeus, a noite úmida dobra sua marcha ao meio
e o cruel Oriente me assoprou com os cavalos arfantes."
Tinha dito, e em leves ventos, como a fumaça, sumiu. 740
Eneias: "aonde te lanças, te apressas?", falou.
"De quem foges ou quem te afasta de meus abraços?".
Isso dizendo, atiça a cinza e os fogos apagados.
E adora, curvado, o lar Pergameus e o sacrário da alva
Vesta com sacra farinha e caixa de incenso cheia. 745
Manda logo chamar os seus e, em primeiro, Acestes,
e da ordem Joviana, e dos avisos do caro pai
os instrui e da intenção que agora fica em mente.
Há pressa quanto aos avisos e Acestes acata as ordens.
Registram mães para a cidade e à gente que o queira 750
deixam ficar, almas sem grande glória de todo.
Eles mesmos refazem bancos, repõem o lenho
flamivorado às naves e aprontam remos e massame em pouca monta, porém na guerra é vivo seu valor.
No entanto, Eneias traça de arado a cidade, 755
e sorteia as sedes: seja Ílio aqui, tais pontos, Troia,

determina; ao Troiano Acestes apraz seu reino,
e fixa o fórum e dá leis aos senadores chamados.
Então, vizinha de astros, no alto do Érix se funda
sede para Vênus Itália e da tumba de Anquises põe- 760
se ao lado um sacerdote e um largo bosque sagrado.
E já nove dias toda a gente banqueteou-se e fez-se
culto em aras; ventos brandos alisam plaino aquoso;
e assíduo assoprando, Austro chama outra vez ao mar alto.
Brota um forte murmúrio pelas curvas da praia, 765
e por noites, dias, abraçando se demoram.
Já até as mães e aqueles a que antes o aspecto do mar
pareceu escabroso, como o seu nome, insuportável,
querem partir e suportar toda a pena da fuga.
Consola-os com ditos benignos o bom Eneias 770
e, chorando, os recomenda a Acestes, o seu parente;
três novilhos a Érix e uma ovelha às Tempestades
manda então matar e as amarras, em ordem, desprender.
Cabeça cingida de folhas de oliva aparada,
de pé, longe na proa, segura a pátera e as entranhas 775
na onda salgada atira e um vinho límpido derrama;
ao irem, um vento vindo da popa os acompanha; 778
porfiando, os companheiros ferem mar e varrem-lhe o liso. 777
Vênus, porém, de aflições atormentada, se dirige 779
a Netuno e estas queixas fora põe do coração: 780
"A cólera dura e o coração insaciável de Juno
obrigam-me a ir ao fundo de todas as preces;
nem o tempo extenso ou qualquer compaixão a amolece;
incansável ante o poder de Júpiter ou dos fados.
Com ódio ímpio, em plena raça Frígia ter destruído 785
a cidade não lhe basta, ou seus restos arrastados
por todo castigo: as cinzas e os ossos de Troia finda
persegue, ao certo ela sabe as razões de furor tanto.

Tu mesmo há pouco em água Líbia és testemunha de qual
súbita massa me levantou; o mar inteiro com o céu 790
confundiu, em vão confiada em Eólias tempestades,
e tal ousou em teus reinos!
Olha que também, coagidas as matronas Troianas,
por crime, ó vergonha, queimou as naus e obrigou,
perdida a frota, sócios deixar-se à terra estranha. 795
Pelo que resta, peço te comprazas de velas salvas
te dar por meio às águas, e o Tibre Laurêncio atingir;
se rogo o concedido, se as Parcas dão as muralhas!".
O Satúrnio domador do profundo mar estas falou:
"É teu direito todo, Citereia, em meu reino fiar, 800
de onde tiveste nascença, também te servi: muita vez
refreei o furor ou a sanha tamanha de céu e mar.
Em terra não menos (testemunham-me Xanto e Símois),
olhei teu Eneias, quando acossado. Aquiles forçou
Troianas esquadras esfalfadas contra as muralhas, 805
muitos milhares daria à morte, e, cheios, gemeriam
os rios, o Xanto não poderia achar seu curso
e ao mar rolar; do forte Pelida, a Eneias que
lutava sem deuses, sem forças igualadas,
raptei então com nuvem oca quando desejaria 810
do alto arrasar os muros da Ílio falsa, que fiz com as mãos.
Hoje ainda em mim resta igual vontade. Expulsa os receios,
chegará salvo ao porto do Averno, que almejas.
Um só haverá que, perdido, buscarás no pego;
por muitos se dará um homem só!". 815
Mal com essas acalmou da deusa o peito, alegrando-o,
com jugo de ouro ata o Pai os corcéis e espúmeos freios
botou nos bichos e com as mãos afrouxou plenas rédeas.
Leve ele voa à flor da água lisa no carro cor azul.
Baixam-se as ondas, ou o tumescente campo se nivela 820

em águas sob o carro atroador; do amplo éter fogem nimbos:
eis formas várias de séquito, os cetáceos gigantescos,
e o bando idoso de Glauco e Palémon filho de Ino,
os Tritões velozes e toda a tropa de Forco;
Tétis e Mélite e a virgem Panopeia ocupam-lhe a esquerda;   825
Niseu, e Espio, como Tália e Cimódoce também.
Brandos prazeres, um a um, comovem a inquieta
mente do Pai Eneias: manda içar rápido todos
os mastros e esticar sobre as antenas velas.
A um só tempo a escota manobram, bem como desprendem   830
velas já da esquerda, já da direita; a um só tempo
viram vergas à frente e atrás; a frota bons ventos levam.
Antes todos, líder, Palinuro guiava a grossa
fileira; os demais devem, por ele, manter a rota.
E já quase a úmida noite o marco médio do céu   835
alcançou; os membros calmos de paz, sob remos, soltam
os marinheiros, por duros bancos espalhados,
quando escorrendo dos astros do éter o sono suave
fendeu o espaço tenebroso e dispersou as sombras,
buscando a ti, Palinuro, e, sem o merecer, te trazendo   840
sinistros sonhos; no alto da popa o deus sentou-se,
semelhante a Forbas e emitiu estas palavras:
"Palinuro, Iáside, as próprias ondas a frota levam;
brisas sopram por igual, dá-se tempo ao repouso;
baixa a cabeça e rouba à fadiga os olhos cansados.   845
Eu mesmo assumirei um pouco por ti tua função".
Alçando mal os olhos, Palinuro lhe fala:
"Mandas-me ignorar o aspecto do mar calmo ou as vagas
serenas? Acaso a mim...confiar nessa estranheza?
Por que Eneias, pois, daria eu a vento enganoso?   850
pego, ora, tanta vez, pelo engodo de céu calmo?".
Tais palavras proferia e, pregado e fixo, o leme

por nada largava e os olhos detinha sobre os astros.
Eis que o deus um ramo, umedecido no líquido
Leteu e de dar sono, pelo poder Estígio, em ambas      855
as fontes mexe e apaga o olhar flutuante a ele que hesita.
Mal a inação súbita afrouxou a ponta dos membros
e, tombando sobre ele, o lançou cabeça abaixo,
com parte arrancada da popa e o leme, sobre as ondas
cristalinas e em vão a chamar várias vezes os seus;    860
por sua vez, ele ergueu-se qual ave para os ventos leves.
Anda a frota não menos segura a rota pelo mar,
e se vai sem temor, qual prometeu Pai Netuno.
E assim levada, avizinhava as rochas das Sereias,
muita vez difíceis e brancas de ossos de tantos        865
(rochas troantes por sempre mar murmuram de longe),
quando o Patriarca a nau vagando, perdido o piloto,
notou e ele mesmo dirigiu, nas águas noturnas,
muito a gemer e alma chocada com a perda do amigo:
"Ó Palinuro, fiado demais no céu e mar tranquilo,      870
a descoberto irás jazer sobre uma areia ignorada!".

# Livro Sexto

Assim fala, chorando, e solta rédeas à frota
e aporta por fim nas orlas Eubeias de Cumas.
Viram as proas ao mar, então com garra firme
a âncora fixa os navios, e as popas curvas
bordam a praia; um bando fogoso de jovens salta 5
sobre a costa da Hespéria, uns buscam as fontes da chama
oculta em filões de seixo, outros pilham as matas,
cerrado abrigo de fera, e mostram arroios que acharam.
Mas Eneias vai ao forte a que guarda o augusto Apolo,
e a um ponto, bem afastado, da terrível Sibila, 10
grota imensa, ela a quem um grande saber, bom senso
o vaticinador Apolo inspira e abre o futuro.
Penetram já no bosque da Trívia e em seu templo de ouro.
Dédalo, como contam, fugindo ao reino de Minos,
com asas velozes ousou confiar-se ao espaço, 15
por trilha inusitada às Ursas geladas voou
e finalmente pousou suave sobre o cimo de Cálcis.
Chegado primeiro a essas terras, sagrou-te, Febo,
o guia de suas asas e ergueu enorme templo a ti.
No portal, a morte de Androgeu; depois, pagar penas, 20
aos Cecrópidas (desgraça!) a exigência, a cada ano,
sete dos filhos: lá a urna das sortes tiradas.

Portal frontal: Gnóssia terra sobre o mar se casa;
o amor cruel de um touro aqui e, posta sob ele, a furto,
Pasifaé, e a raça mista, e o filho de duas formas      25
aí está, o Minotauro, prova de uma Vênus execrável;
aqui, a obra insigne de construção, desvios sem volta.
Mas compadecendo-se do grande amor da rainha,
Dédalo mesmo aclarou o logro e os rodeios da obra,
guiando às cegas os passos com um fio; também grande      30
parte, Ícaro, em tal feito terias se a dor permitisse.
Duas vezes tentara gravar no ouro o infortúnio,
duas vezes cederam suas mãos de pai. Em sequência, bem
captariam tudo olhando, se à frente enviado, Acates
não chegasse e, junto, a ministra de Febo e de Trívia,      35
a Deífoba de Glauco, que diz estas ao rei:
"O instante agora não permite maravilhas tais,
matar mais valeria agora sete novilhas
de intacta grei e ovelhas tantas por rito escolhidas".
Tais dizendo a Eneias (e os guerreiros não tardam      40
o culto exigido), ao ádito chama a vate os Teucros.
Grande encosta da rocha Eubeia abriu-se como gruta:
por onde cem largos ductos levam a cem portas,
de onde rompem vozes tanto iguais, Sibílias respostas.
Chegara-se ao umbral, e a virgem: "É tempo de pedir      45
os oráculos", diz, "o deus, é o deus!". Nela, a dizer essas
ante a entrada, súbito não ficou só um rosto, uma cor,
nem composto o cabelo, mas o peito ofegante
e o coração feroz se esfunam; parece aumentada e a dar
sons não de gente, pois é inspirada por deidade,      50
mais próxima do deus. "Tardas tuas promessas e preces,
Troiano", diz, "Eneias, tardas? Pois as grandes portas
do templo estonteante de antemão não se abrirão." E tais
ditas, se calou. Gelado, os ossos duros dos Teucros

correu o tremor, e o rei solta preces do fundo peito:  55
"Febo, a quem doem os males duros de Troia,
que dirigiste as armas e as mãos Dárdanas de Páris
ao corpo do Eácida; entrei, tu como guia, em tanto mar
que cerca grandes terras, e no povo Massilo longe
totalmente e nos campos que se estendem ante as Sirtes,  60
por fim já abraçamos costas da Itália que nos foge,
porque nos tem seguido até aqui a sorte Troiana.
É justo que vós poupeis também a Pérgama gente,
todos vós, deuses e deusas, a quem se opôs Ílio e a forte
Dárdana glória. E tu, ó tão sagrada profetisa,  65
presciente do futuro, concede (reino indigno
de meus fados não rogo) aos Teucros fixarem-se ao Lácio
e aos deuses errantes e às deidades jogadas de Troia.
Um templo de mármore maciço então a Febo e a Trívia
fixarei e dias festivos em nome de Febo;  70
esperam-te também em nosso reino belos santuários,
pois aqui porei teus oragos e velados fados
ditos à minha gente e, ó gentil, te consagrarei
homens de escol; só não dês às folhas tuas predições,
que aos ventos fáceis não voem quais joguetes dispersos:  75
canta tu mesma, peço". E na boca pôs termo à fala.
Mas, não resistindo ainda a Febo, se alucina
na grota a vate, horrenda, qual se pudesse ao deus
forte expelir do peito; mais flagela a boca em fúria
dela, domando o peito feroz e o adestra oprimindo.  80
E já as cem grandes portas da morada se escancararam
por si sós e levam pelo ar as respostas da vate:
"Ó tu, passado enfim por grandes perigos do mar,
mas te aguardam maiores, da terra. Ao reino Lavínio
virão Dardânidas; atira do peito essa aflição,  85
mas também quererão não ter vindo. Guerras, guerras

negras vejo e o Tibre a espumar em muito sangue.
Nem o Símois, nem o Xanto, nem os Dóricos quartéis
te hão de faltar: um outro Aquiles nascido para o Lácio,
também filho de deusa, ou Juno, dada contra os Teucros, 90
não faltará. Então, nas aflições, a suplicar,
que povo Ítalo ou quais cidades não rogarás?
Causa, outra vez, de mal tamanho, esposa ádvena aos Teucros,
de estrangeiras bodas, outra vez.
Não cedas tu ao mal, mas, por tua vez, vai mais audaz 95
que tua sorte consentir. A maior senda da salvação
(nada disso crês), abrir-se-á por cidade Graia".
Por tais palavras, do santuário, a Sibila de Cumas
prediz negras evasivas, na gruta retumba,
tapando verdades com treva: esse freio ao furor 100
dela põe Apolo e revira os ferrões no peito dela.
Tão logo a fúria cedeu e cessou o lábio raivoso,
começa o herói Eneias: "Das tribulações minhas,
a mim, virgem, nenhuma veio estranha ou inesperada;
a tudo antecipei e em minha mente, antes, percorri. 105
Só peço: se aqui, se diz, é a entrada do rei
do mundo-de-baixo e o charco escuro do Aqueronte entornado,
me caiba chegar à vista e à presença de meu pai
querido, e queiras dar-me a trilha e abrir a sacra porta.
Foi a ele que por chamas e mil dardos seguidos 110
salvei com meus ombros e retirei do meio inimigo,
foi ele que andou comigo minha viagem e os mares todos,
e até aturava cada ameaça de mar e céu,
enfermo, além da força e condições da velhice.
E o que mais, pedindo, deu-me a missão de procurar-te, 115
suplicar-te vir ao teu umbral. De filho e de pai,
rogo, benigna, te apieda, pois tudo podes, nem te
pôs Hécate em vão à frente do bosque do Averno.

Se pôde Orfeu ir buscar os Manes de sua esposa
confiado em sua cítara Trácia e suas cordas melodiosas,  120
se Pólux remiu o irmão, morto um, morto o outro,
e tantas vezes vai e volta, o que de Teseu e o grande
Alcides dizer? E a mim, o sangue do sumo Jove!".
Pedia com tais palavras e a ara segurava
quando assim começa a vate a falar: "Filho de deuses,  125
Troico Anquisíada, é fácil a descida ao Averno,
noite e dia está aberta a porta do sombrio Dite,
mas voltar os passos e sair de novo ao ar de cima
está é a questão, isto é que é duro. Os poucos que amou Jove
justo, ou que virtude brilhante elevou ao céu puro,  130
deonatos o puderam. Florestas tomam todo o seu meio,
e o Cocito, resvalando, o envolveu em dobra escura.
Se assim em teu coração tamanho é o desejo e o ardor
de o lago Estígio navegar duas vezes, duas vezes ver
o negro Tártaro e te apraz dar-te à insensata empresa,  135
ouve o que antes deves fazer. Esconde-se em árvore opaca
um ramo de ouro e com folhas e hastes flexíveis,
dito votado à Juno Inferior; guarda-o extenso
bosque sacro e sombras o encerram em vale escuro.
Mas não é dado entrar nas entranhas da terra antes que  140
alguém colha da árvore o seu fruto de crinas de ouro.
Dá-lo a si como oferta estabeleceu Prosérpina
bela. Ao primeiro ramo arrancado, outro não falta,
de ouro, e a verga refloresce com metal semelhante.
Busca, pois, no alto com os olhos e, achado, recolhe-o  145
com a mão, de praxe; pois espontâneo, fácil, por si sairá
se o fado te chamar; de outro modo, dominá-lo com
força alguma poderás, nem tirar com o duro ferro.
Ademais, jaz sem vida o corpo de teu amigo (ah! não sabes!),
e com seu cadáver desonra toda a frota,  150

enquanto pedes consulta e a esperas neste umbral.
Põe-no em pouso adequado e o deposita em sepulcro,
leva duas reses pretas, que sejam a primeira expiação.
Só assim os bosques do Estige e o aos vivos inviável
reino verás". Disse e, refreada a boca, se calou. 155
Eneias, ar triste, fixo o olhar para baixo,
se vai deixando a gruta, em mente volve consigo
os secretos fatos, e de companheiro lhe vai
o fiel Acates e de iguais aflições firma os passos.
Trançam entre si muito assunto em conversa variada: 160
que companheiro morto, que corpo a enterrar, a vate
diria? E a Miseno, na parte seca da praia,
mal chegaram, veem de bárbara morte abatido,
Miseno Eólida, a quem não foi outro superior
em convocar com o bronze e inflamar com o toque guerreiros; 165
companheiro fora do ilustre Heitor e ele, em torno
    de Heitor,
encarava lutas, notável por trombeta e lança.
Após Aquiles, vencendo, a vida àquele tirar,
esse valentíssimo herói ao Dardânio Eneias
por parceiro se ajuntou, não o seguindo com menos valor. 170
Mas, enquanto a esmo, fora de si, faz ressoar o mar
com a côncava concha e, ao toque, atrai à pugna os deuses,
arrebentando-o Tritão, seu rival, se é de se crer,
afundou o herói entre rochas, em onda espúmea.
Logo, à volta, a grandes gritos todos se agitam, 175
mormente o bom Eneias. Da Sibila as ordens então
já apressam, a chorar; à porfia empilham a ara
de funerais com troncos e a suspendem até o céu.
A um bosque antigo vão, abrigo profundo de feras;
adiante abetos tombam; de achas ferido, o azinho zoa; 180
toras de freixo e o carvalho, fácil de abrir, são fendidos

à cunha; enormes freixos fazem rolar do monte.
Não menos em tais obras Eneias é o primeiro
a animar os parceiros e pôr-se instrumentos iguais.
E isso ele próprio revolve no aflito coração, 185
olhando a massa imensa e suplica em voz alta:
"Quem dera, agora, da árvore aquele ramo de ouro
se nos mostre em bosque tamanho, ai, se tudo, a valer,
por demais falou de ti, Miseno, a profetisa!".
Mal isso dissera quando por acaso duas pombas, 190
voando vieram do céu sob o olhar mesmo do guerreiro
e pousaram sobre o solo verdejante. O ilustre herói
reconhece as aves maternas e alegre roga:
"Oh, sede-me guias e, se há um caminho, levai pelo ar
o voo ao bosque onde o ramo valioso dá sombra ao chão 195
fecundo. E tu, oh não me abandones nas incertezas,
divina mãe". Assim falando, estacou, notando
que sinais trazem, aonde prosseguem tendendo.
Tendo comido, vão à frente voando tanto
quanto com agudez os olhos dos que as seguem podem ver. 200
Mal chegadas ao estreito do malcheiroso Averno,
se alçam ligeiras e, descaindo pelos claros ares,
no desejado ponto sobre a árvore as duas pousam,
de onde luz fulgiu em matiz de ouro pelos ramos.
Qual nas brenhas costuma em frio de inverno o visgo 205
com nova rama florir, ao qual a haste mesma não produz,
com brotos de açafrão os troncos redondos rodear,
tal era a forma de ouro florescente no sombrio
azinho: assim, à branda brisa estala o ramo de ouro.
Rapta-o depressa Eneias e sofregamente o quebra 210
difícil, e o leva ao lar da vate Sibila.
Nesse ínterim, não menos Miseno, na praia, os Teucros
choravam e davam a honra extrema à cinza estéril.

Logo, cheia de achas de pinho e tocos de roble,
enorme pira armaram, cujas bordas com negros  215
ramos trançam e, na frente, fúnebres ciprestes
põem e ornamentam com armas refulgentes;
uns preparam água quente e caldeirões de bronze que fervem
com as chamas e lavam e untam o corpo que gela.
Dá-se um gemido: põem num leito os membros chorados,  220
por cima as vestes de púrpura, trajes costumeiros,
lhe jogam. Outros põem-se abaixo da enorme padiola,
doloroso mister, e sustêm a tocha subposta,
rostos virados, costume ancestral; queimam-se juntos
dons de incenso, iguarias, taças com óleo entornado.  225
Abaixadas as cinzas e aquietadas as chamas,
lavam os restos no vinho e a cinza quente sugadora.
Corineu fecha em urna de bronze os ossos recolhidos;
três vezes, dando volta, aos seus jogou água lustral,
rega de mole alecrim e ramo de oliva fértil:  230
limpou os guerreiros e disse os termos finais do ritual.
E o pio Eneias um sepulcro de peso enorme
pôs em cima, e as armas próprias do herói, o remo e a tuba
sob o alto monte que, agora, por causa dele, se diz
Miseno, e tem um nome duradouro pelos tempos;  235
feito isso, pronto ele segue as ordens da Sibila.
Houve uma gruta funda, e enorme seu vão aberto,
pedrenta, guardada por negro lago e o escuro da mata,
sobre a qual ave alguma podia sem riscos seguir
com asas seu curso: espalhando-se dos boqueirões  240
negros, cheiro tamanho se eleva ao côncavo do céu
[Por isso, os Graios, de Aornos, chamaram o lugar].
Quatro novilhos de dorso preto aí a vate
logo dispõe e lhes derrama vinho nas frontes;
e, arrancando os pelos mais altos em meio aos chifres,  245

deita-os no fogo sacro quais primeiras libações,
bradando a Hécate, no céu e no Érebo poderosa.
Outros enfiam facões por baixo e colhem sangue cru
morno em páteras. Eneias mesmo uma ovelha de lã
negra, para a mãe das Eumênides e a ilustre irmã,  250
fere com a espada, e para ti, Prosérpina, uma vaca estéril.
Então ergue para o rei do Estige aras noturnas
e joga às chamas vísceras inteiras de touros,
vertendo um óleo espesso sobre as entranhas ardentes.
Eis, porém, que, com raios primeiros do sol nascente,  255
sob os pés parece troar o chão e começar a mexer
o cimo das florestas e os cães uivar pelas sombras,
com a deusa a chegar. "Longe, oh longe ficai, ó profanos"
grita a vate, "e saí de todo o bosque sacro.
E tu põe-te a andar e arranca da bainha a espada,  260
é tempo de bravura, Eneias, tempo de um peito firme."
Mal fala e furiosa se introduz na gruta aberta;
ele, à guia que vai, iguala passos corajosos.
Deuses, que dominais as almas e as sombras silenciosas,
Caos e Flégeton, locais extensos de silêncio à noite,  265
dado me seja dizer o que ouvi, com o vosso assentir,
dado, revelar o imerso em chão profundo e negro.
Na noite só, por sombras, na escuridão iam,
por moradas vazias e reinos sem vida de Dite,
qual por uma lua vaga sob um brilho baço,  270
é a trilha na mata, onde, com sombras, os céus escondeu
Júpiter, e a noite negra tirou do mundo as cores.
Ante a entrada mesma e as bordas das gargantas do Orco,
o Luto e os Remorsos vingativos puseram seus leitos,
moram as pálidas Doenças e a triste Velhice,  275
o Medo, a Fome, má conselheira, e a Carência hedionda,
formas terríveis de ver; a Morte e o Sofrimento;

então o Sono, parente da Morte, e da mente os maus
Prazeres, e no umbral fronteiro a mortífera Guerra,
e os Eumenídeos férreos leitos, e a louca Discórdia, 280
como de cobras atada com fitas sangrentas.
No meio, sombrio, imenso, expande ramos e galhos
bem velhos um olmo que como morada, em geral
se diz, os Sonhos vãos têm, e sob todas suas folhas se grudam.
E, mais, muitas monstruosidades de bichos variados; 285
Centauros ficam em currais; há Cilas duas-formas,
e Briareu de cem braços, bem como a Fera de Lerna
a chiar feiamente, e a Quimera flamiarmada,
Górgonas, Harpias, Sombra em forma três-corpos.
Pega da espada, agitado, Eneias, de súbito terror 290
e opõe aos que vêm, desembainhada, a ponta dela:
e se a douta companheira não lhe avisa que são vidas
sem corpo que sob a aparência vazia de forma esvoaçam,
iria atacar e em vão com o ferro ferir sombras.
Daí a trilha que leva às águas do Tartáreo Aqueronte, 295
o rio turvo aí de lama e largo sorvedouro
ferve e vomita toda sua areia no Cocito.
Barqueiro horrendo, guarda Caronte essas águas, cursos,
de assustadora imundície, a quem alva barba tosca
descai pelo queixo; num chamejo os olhos se estacam; 300
maltrapilho, dos ombros lhe pende uma capa com um nó
só, empurra embaixo o barco com vara, e à vela o conduz,
e nessa canoa cor ferrugem leva sombras:
já velhusco, mas sua velhice é forte e verde para um deus.
Acorre aí toda uma turma solta à beira: 305
mães e esposos, e os espectros, que gozaram da vida,
dos nobres heróis, meninos e moças não-casadas,
e jovens sobrepostos em fogueiras ante o olhar dos pais,
qual muitas, na mata, ao primeiro frio outonal,

voando caem folhas, ou quantas aves do mar alto 310
aglomeram-se junto à terra, logo que a estação fria
as enxota além do oceano e manda a regiões com sol.
De pé, pedindo transpor, primeiro, a corrente,
e estendiam mãos na gana da margem do outro lado.
Mas o soturno barqueiro uns ora aceita, ora outros 315
e aos outros que afastou mantém distantes da praia.
Eneias (por se admirar e comover com o tropel):
"Dize, ó virgem", fala, "o que é essa reunião junto ao rio?
Ou o que as almas pedem? Por que razão umas se afastam
da beira, outras com remos roçam as águas negras?". 320
Assim lhe fala breve a sacerdotisa idosa:
"Gerado de Anquises, indiscutível filho dos deuses,
vês o fundo rio do Cocito e o charco do Estige
por cujo poder temem deuses jurar e violar.
Toda gente que vês está sem proteção e sepulcro. 325
Aquele barqueiro é Caronte; os que a água leva, enterrados;
não é dado transpor a beira horrenda e as ruidosas
correntes antes que os ossos descansem nas moradas;
por cem anos vagam e por essa praia esvoaçam;
admitidos, veem por fim o ansiado rio". 330
O filho de Anquises deixa de andar e estaca os passos,
muito pensando e no íntimo se doendo dessa má sorte.
Aí vê angustiados e de honra fúnebre faltos
Leucaspe e Oronte, o condutor da frota da Lícia,
aos quais o Austro cobriu mal vindos de Troia por ondas 335
ventosas, envolvendo na água o navio e os guerreiros.
Eis que o piloto Palinuro vinha caminhando,
que há pouco em viagem à Líbia, enquanto os astros olha,
tombara da popa, lançando-se ao meio das ondas.
Mal reconhecendo-o triste na espessa escuridão, 340
por primeiro lhe fala: "Qual dos deuses, ó Palinuro,

te raptou de nós e afundou na aquosa planície do mar?
Dize lá, pois antes, nunca a mim visto como falso,
só nesta predição à minha alma Apolo enganou,
que te pressagiava são e salvo no mar e chegar 345
às marcas da Ausônia: essa a prometida prova é?".
Mas ele: "Não te iludiu o oráculo de Febo,
guia, filho de Anquises, nem um deus me afundou no mar,
pois ao leme acaso arrancado com força enorme,
a que agarrei, posto de vigia, e dava o curso, 350
precípite comigo trouxe. Aos mares crespos juro
não ter tido por mim receio tanto quanto o
de tua nau, falha de aprestos, e ao léu do guia,
se acabasse em ondas volumosas que cresciam.
Três noites de borrasca em plaino aquoso sem fim, Noto 355
na água levou-me violento; a custo, ao quarto dia,
vi de longe a Itália, no alto, na crista das ondas;
lento nado à terra, um ponto firme teria
se gente má, pesado com a roupa encharcada, a mim
(e a pegar, mãos curvas, a ponta rugosa de rocha), 360
não viesse com ferro e, ínscia, achasse ser um butim.
Tem-me ora uma vaga e ventos viram-me na praia.
Peço, pois, pela luz feliz e ventos do céu,
por teu pai, pela esperança de Iúlo, que cresce,
ó invicto, livra-me desta desgraça ou sobre mim 365
joga terra, já que o podes, e busca o porto Velino,
ou, se há um caminho, se esse tua divina genitora
te mostrou (pois creio não te aprestar, sem a vontade
dos deuses, a navegar rio tão forte e o charco Estígio)
dá a mão a um infeliz, leva contigo pela água, 370
que em plácido sepulcro sossegue ao menos na morte!".
Tais disse, quando a profetisa começou estas tais:
"De onde um desejo tão desalmado, Palinuro, vem?

Não enterrado, tu as águas do Estige e o rio triste
das Eumênides verás ou, tão livre, às beiras virás?   375
Para de esperar se evite, orando, o fado dos deuses,
mas toma esta palavra, alívio em tua desdita cruel:
de fato, em larga extensão por cidades, os vizinhos,
tocados por divos prodígios, expiarão teus ossos
e erguerão um túmulo e no túmulo honrarias porão,   380
e o local terá, eterno, de Palinuro o nome".
Com tais, tirada a aflição e expulsa um pouco a dor
do triste peito, apraz-se da terra, quanto ao nome.
Dão, pois, à frente o curso iniciado e acercam-se do rio.
Logo que da água Estígia o navegador ao longe os vê   385
pela calada mata se indo e virando os pés às bordas,
dirige-lhes primeiro a palavra e os censura ao longe:
"Quem fores que vens armado à nossa correnteza,
vamos, fala a que vens, já daí, e detém teus passos;
este é o lugar da sombra, sono, e da noite faz-sono,   390
é-me vedado levar corpos vivos na barca Estígia;
de fato, nada me alegrei em, vindo Alcides,
tê-lo no lago recebido, e a Teseu e a Pirítoo,
mesmo gerados por deuses e em forças invictos:
aquele, à mão, lançou em grilhões o Tartáreo guarda,   395
e a ele a tremer arrastou do trono do próprio Rei;
estes tentaram arrancar sua rainha ao leito Díteo".
Contra o quê, brevemente fala a Anfrísia vate:
"Aqui não há tais ardis, para de exasperar-te;
nem trazem armas agressão; o enorme guarda, ladrando   400
para sempre em sua cova, assuste almas sem sangue;
e conserve a casta Prosérpina o solar do tio.
O Troico Eneias, famoso em filial amor e em armas,
para seu pai desce do Érebo a sombras mais profundas;
se ideia alguma não te move de tanto amor filial,   405

que este ramo (expõe um ramo oculto sob a veste)
reconheças". Seu ânimo cheio de iras abrandou-se:
não mais do que essas. Admirando o respeitável dom
do ramo dos fados, não visto há muito tempo,
vira a escurenta popa e da praia se aproxima. 410
As outras almas que pelos bancos longos se assentavam
enxota e alivia os assentos; e já ao imenso Eneias
recebe no barco. Ao peso gemeu a canoa
trançada e, frestada, absorveu muita água de charco.
Além do rio enfim põe sãos e salvos a vate e o herói 415
sobre um lodo horrível e um caniço esverdeado.
Tal região o grão Cérbero ao latir de três bocas
faz ressoar, deitado imenso na caverna de frente.
Vendo já o pescoço crespo de cobras, a vate
joga-lhe um soporífero naco de mel e cereais 420
batidos: com fome e fúria, ele três goelas arreganhando,
o agarra no ar e revira o dorso colossal, no chão
deitado, e se estira, gigante, por toda a cova.
Entorpecido o guardião, ocupa Eneias a entrada
e escapa lesto à borda da água de que não se volta. 425
Vozes logo são ouvidas e um forte vagido:
almas de crianças a chorar à borda da porta;
tiradas da doce vida e roubadas aos seios,
levou-as o negro dia e as mergulhou em luto amargo.
Junto às quais, por falso crime os dados à morte; 430
não foram atribuídos seus postos sem sorte e sem juiz:
o inquiridor Minos mexe a urna, ele convoca
a reunião dos calados, sabe de sua vida e crimes.
Tem o próximo ponto os tristonhos que, não por mal, a si
deram com a própria mão a morte e, odiando a claridade, 435
baniram sua alma. Como quereriam agora
no ar puro em cima passar pobreza e duras penas!

Justiça o impede, e os prende o charco odioso em água negra,
e os refreia o Estige escorrido em suas nove bocas.
Não longe, mostram-se aqui e ali, por toda a parte,  440
os Campos do Luto (são assim nomeados);
aqui, aos que duro amor com cruel definhamento roeu
remotas sendas tapam, e de mirto, ao redor,
cobrem moitas: nem na morte mesma os deixam coitas.
Nessas plagas Fedra, Prócris e a triste Erífila,  445
que mostra em si feridas do filho cruel, vê
e Evadne e Pasifaé, com elas Laodamia
vai como par; e antes rapaz, mulher agora, Ceneu,
e outra vez, pelo destino, à forma antiga recobrada.
Entre os quais, ferida há pouco, Dido da Fenícia  450
por grande bosque vagava; mal perto de quem
parou o herói Troiano, reconheceu-a entre
opaca sombra, que, qual no começo do mês
ou vê ou pensa ver entre nuvens surgir a lua,
soltou lágrimas e a ela falou com terno amor:  455
"Dido infeliz, então real chegou-me a notícia
que morreras e procuraras o fim com a espada?
Ai! Eu fui a razão de tua morte? Juro pelos astros,
pelos De-Cima e se no fundo da terra há alguma fé,
a contragosto, rainha, saí de tua praia.  460
E as ordens dos deuses que a andar me obrigam por locais
de aspecto péssimo nas sombras e em funda escuridão,
levaram-me à frente por seu poder, e crer não pude
te dar esta tamanha dor com minha partida.
Para de andar e de meus olhares não te esquives.  465
Foges de quem? Que te falo, é, por fado, última vez".
Com tais, Eneias o ânimo em brasa lhe abrandava,
a ela, que olhava turvo, e lágrimas lhe arrancava;
de costas, ela tinha no chão os olhos cravados,

sem se mexer o rosto à fala iniciada, mais 470
do que é imóvel duro seixo ou rocha de Marpesso.
Por fim, veloz recolheu-se e hostilmente refugiou-se
num bosque cheio de sombra, onde o antigo marido, Siqueu,
lhe satisfaz em cuidado e partilha seu amor.
Não menos Eneias, tocado do infortúnio cruel, 475
prossegue chorando de longe e doendo-se dela que vai.
Vão a custo o curso dado e ocupam o campo final
que, à parte, heróis famosos pela guerra povoam.
Aí lhe ocorre Tideu, aí, célebre por armas,
Partenopeu, e a imagem do pálido Adrasto, aí os mui 480
chorados pelos De-Cima, e tombados em guerra,
Dardânidas, que, vendo todos em longa fila,
deplorou: Glauco, Medonte, Tersíloco, bem de Antenor
os três filhos, e Polibetes, a Ceres consagrado,
e Ideu, que ainda segura o carro, ainda as armas. 485
Inúmeras, as almas cercam-no à destra e à esquerda;
e não basta vê-lo uma vez, tomar tempo lhes agrada,
dar passos junto com ele e saber a razão de vir.
Mas os principais dentre os Dânaos e as falanges
  de Agamêmnon
mal viram o herói e as armas rebrilhando nas sombras, 490
agitam-se com forte pavor; uns viram as costas
como antes correram às naus; outros soltam voz baixa:
o grito iniciado lhes tolhe as bocas abertas.
E então a Deífobo Priâmide retalhado
em todo o corpo vê, cruelmente cortado na boca, 495
boca e em ambas as mãos, e as frontes mutiladas, de orelhas
cortadas e o nariz truncado com ferida horrenda.
A custo o reconheceu tremendo e tapando as chagas
terríveis, e primeiro o chama em tom familiar:
"Deífobo, armiforte e filho da alta raça Teucra, 500

quem desejou aplicar-te penas tão cruéis?
A quem se permitiu tanto? Dito a mim foi, na noite
final, fatigado de matança de Pelasgos,
caíres sobre uma pilha de mortos misturados.
Eu mesmo ergui um túmulo vazio na Reteia          505
praia e chamei com voz alta os Manes por três vezes.
Teu nome, tuas armas guardam o local, mas não pude, amigo,
te ver e, ao voltar, colocar-te na terra paterna".
Ao que Priâmides: "Nada, amigo, esquecido foi por ti,
tudo pagaste a Deífobo e às sombras de seu corpo;   510
meu fado, porém, e o crime mortal da Lacedemônia
meteram-me neste mal, ele é que estas marcas deixou;
pois como em falsos prazeres a noite final
passamos, tu sabes: e é por demais preciso lembrá-lo?
Quando o cavalo fatal, subindo, veio à excelsa      515
Pérgamo e, pesado, trouxe o infante armado, no ventre,
ela, fingindo um coro, punha em círculo de orgia
Frígias bacantes; no meio, enorme tocha sustinha e
do topo da fortaleza convocava os Dânaos.
Então exausto de aflições, chumbado em sono,        520
o leito infeliz me susteve, e, deitado, abateu-me
doce e fundo descanso semelhante à mansidão da morte.
Mas a esposa singular retira do paço todas
as armas e do alto pegou minha fiel espada,
adentro à casa chama a Menelau e lhe abre as portas, 525
esperando isto, ao certo, ser grande bem para o amante
e poder apagar de antigas faltas a fama.
Que mais digo? Assaltam o quarto e o instigador de crimes, filho
de Éolo, vai junto, de sócio; refazei isso, deuses,
aos Graios, se exijo penas com boca piedosa.       530
Mas, vamos, fala, por tua vez, que incidentes a ti
vivo trouxeram; vens por rodeios, nos mares impulso

ou aviso de deuses? Que fado te fustiga
que andas as fúnebres casas sem sol, esses turvos locais?".
Em tal turno de conversa, Aurora, em quadriga rosa, 535
percorrera a metade do arco do curso do éter,
e talvez levassem todo o tempo dado em conversas...
mas a acompanhante Sibila advertiu e breve falou:
"Desce a noite, Eneias, e horas passamos, chorando.
Aqui é o lugar onde o caminho se parte em dois; a destra 540
é a que se estende por muralhas do grande Plutão,
por aí, nossa trilha ao Elíseo; a esquerda pratica
os castigos dos maus e os lança no Tártaro cruel."
Deífobo, a sua vez: "Não te irrites, grã ministra,
vou me afastar, meu grupo integrar, voltar-me às trevas: 545
vai, ó glória nossa, vai, desfruta de melhores fados".
Só tal falou e, com a palavra, voltou os passos.
Súbito Eneias olha trás e sob a rocha esquerda
vê largas muralhas circundadas de tríplice muro,
a que rápido rio, com correntes de chamas, 550
o Flégeton Tartáreo, cerca, e rola seixos soantes.
Em frente, porta escomunal, coluna de aço puro,
tal que força alguma de homem, nem os próprios Do-Céu
possam com ferro fender; torre férrea aos ares se alteia;
Tisífone assentada, manto sangrento dobrado, 555
o vestíbulo guarda, sem dormir, noite e dia.
Ouvem-se daí gemidos e, furiosas, zoam
chibatas, ranger de ferro e arrastar de correntes.
Parou Eneias e, estarrecido, o barulho captou:
"Que espécie de crimes, ó virgem, fala, e com que penas 560
se atormentam? Que lamúrias tão fortes no ar?".
Começa assim a falar a ministra: "Ó grão chefe
Teucro, a puro algum se dá transpor o umbral dos crimes,
mas, ao me pôr Hécate à guarda do bosque Avernal,

instruiu-me a própria em penas dos deuses, levou-me a tudo. 565
O Gnóssio Radamanto governa esse reino de rigor,
ouve e castiga as fraudes e força alguém a confessar
o que, ante os De-Cima, alegre com o escondido em vão,
de faltas expiatórias adiou à morte tardia.
Já, já os culpados, cinta de açoite, a vingadora 570
Tisífone, em salto sobre eles, bate, e com a esquerda põe,
diante, cobras que ameaçam, e chama a tropa cruel de irmãs.
Só assim, nos quícios, som de arrepiar, rangendo as sacras
portas se abrem. Vês que espécie de guardião senta-
se no vestíbulo? Qual figura toma conta do umbral? 575
Cinquenta bocas horrendas, a Hidra gigante,
mais feroz, dentro tem seu lugar. O Tártaro mesmo
abre-se abaixo duas vezes, e se estende em sombras,
quanto a visão pra cima do céu, ao Olimpo ar-puro.
Aqui, os jovens Titãs, a raça antiga da terra, 580
derrubados por raio, rolam no mais profundo;
também aqui, os gêmeos Aloídas, gigantescos
corpos, vi, que tentaram destruir o vasto céu com as mãos
próprias e derrubar Júpiter do reinado superior;
vi também Salmoneu sofrendo horríveis penas, 585
enquanto imita as chamas de Júpiter e os sons do Olimpo,
puxado então por quatro cavalos e a brandir tocha:
por povos dos Graios e a cidade da Élide média
ia triunfante e exigia pra si honras de deuses;
louco! que copiou nuvens de chuva e o inimitável 590
raio, com bronze e o trote de cavalos pés-de-chifre.
Mas o Pai todo-poder entre espessas nuvens jogou
um dardo (e não tochas ou clarões de fumegante
pinho) e o atirou de cabeça em meio a grande tufão.
E Tício também, criado por Terra, mãe-de-tudo, 595
era de ver, cujo corpo, ao todo, por nove jeiras

se estende; e um abutre enorme com bico recurvo
roendo-lhe o fígado imortal, e as vísceras férteis
em castigo, escava-as para alimento e mora no fundo
do peito, sem se dar paz alguma às fibras que renascem. 600
Por que falaria dos Lápitas, de Ixião, de Pirítoo?
Sobre eles está quase a cair negra rocha, e está mesmo a cair, parece; no alto de leitos de festa brilham
encostos de ouro, e ante os olhos iguarias preparadas
com requinte realesco; ao lado, a mais velha das Fúrias 605
se deita e não deixa que suas mãos encostem nas mesas,
e se ergue alçando uma tocha e troveja com a boca.
Aqui, aqueles por que irmãos foram odiados, na vida,
ou os pais batidos e tramada fraude aos clientes;
e os que velaram, sozinhos, sobre riqueza achada, 610
sem dar uma parte aos seus, e cujo número é imenso;
e os que foram mortos por adultério e armas de crime
tomaram, sem recear enganar a fé de seus senhores:
aqui presos, aguardam penas. E não queiras
saber que pena ou fato ou sorte os abismou aqui; 615
uns rolam pedra enorme, ou pendem dos raios de roda,
disjuntados; fica sentado, e sempre ficará,
o pobre Teseu, e o mais infeliz, Flégias, a todos
adverte e, a grande voz, afirma através das sombras:
'Aprendei, lembrados, a justiça e a não lograr os deuses'. 620
Este, por ouro, vendeu a pátria, e um senhor poderoso
lhe impôs; este, a dinheiro, gravou leis, mas as desgravou;
este invadiu o leito da filha e o embargo conjugal;
ousaram todos crime atroz e do ousar gozaram.
Ainda que eu tivesse cem línguas, cem bocas, voz 625
de ferro, abarcar a todas as formas de crimes, não
poderia passar por todos os nomes de penas".
Mal isso deu por dito, a ministra idosa de Febo:

"Mas toma já a trilha, sus, e acaba a oferta iniciada.
Apressemo-nos" diz, "vejo as muralhas que se alteiam 630
das forjas dos Ciclopes e no arco fronteiro as portas
onde instruções nos mandam estas oferendas depor."
Disse e, passo com passo, andando pela escuridão das sendas,
ganham o espaço que medeia e aproximam-se das portas.
Eneias ocupa a entrada e sobre o corpo água pura 635
espalha e crava o ramo na soleira à sua frente.
O que enfim cumprido e concluída a oferta à deusa,
desembocam em belo local e aprazíveis vergéis
dos bosques venturosos e em moradas felizes.
Aqui o ar puro é mais rico e cobre os campos de luz 640
purpurina, e ao seu sol, às suas estrelas reconhece.
Uns exercitam membros em palestras na relva;
lutam brincando ou combatem na areia de ouro;
outros, com os pés, um bailar batem e vozeiam versos;
e o sacerdote Trácio, com sua longa veste, 645
entoa com cadência as variações, sete, dos sons,
e já com dedos os faz pulsar, já com plectro de marfim.
Aqui, a raça antiga de Teucro, mui belo em broto,
heróis augustos nascidos em tempos mais propícios:
Ilo, e Assáraco e Dárdano, de Troia o fundador. 650
Admira as armas longe e os carros sem peso dos heróis;
Estão lanças fincadas no chão; e aqui e ali, soltos,
por várzeas pastam cavalos. Que encanto de carros
e armas, quando vivos; que cuidado em fazer pastar
os nédios corcéis: o mesmo os segue postos sob a terra. 655
Eis que divisa outros à destra e à esquerda pela relva
a se nutrir ou cantando em coro um hino alegre,
entre cheirosa mata de loureiros, de onde, acima,
o rio do Erídano rola abundante no bosque.
Ali, um bando, os feridos por lutarem pela pátria, 660

e os sacerdotes puros, enquanto a vida durou;
e os poetas pios que entoaram cantos Febeus
ou que a vida ornaram pela criação de seus cantos,
e os que, por mérito, fizeram de si lembrar-se os outros;
as têmporas cingem-se, a todos eles, de alvas fitas.     665
Postos em volta, assim lhes falou a Sibila,
antes dos mais, a Museu, pois muita gente ao meio
o cerca e o vê de baixo saliente por altos ombros:
"Dizei, almas felizes, e mais tu, ó vate excelente,
que região, que paragem guarda a Anquises, pois viemos   670
por causa dele e os grandes rios do Érebo passamos".
E a esta, assim, com poucas palavras responde o herói:
"Ninguém tem pouso certo, em bosques espessos moramos
e os topos das margens e os prados resfriados por riachos
povoamos; mas se vos move no peito um desejo assim,     675
passai por este morro, e lá, por fácil trilha, vos porei".
Disse e passou-lhes à frente e de cima mostra os campos
reluzentes. De lá deixam os cimos das montanhas.
Já o Pai Anquises, no fundo de vale verdejante,
às almas lá presas e que iriam a uma luz superior,      680
com interesse passava em memória e recontava
acaso o grupo todo dos seus, seus caros descendentes,
bem como seus fados; fortuna, caráter, seus feitos,
e logo que, andando para si, viu pelas relvas
a Eneias, estendeu ambas as mãos radiante,             685
lágrimas fluíram pela face e a voz da boca escapa:
"Vieste enfim, e o amor filial teu, por teu pai ansiado,
venceu difícil viagem, e a mim é dado contemplar
teu rosto, filho, e ouvir tua voz notória e responder!
Assim por certo imaginava e achava que iria ser,        690
contando o tempo e não me surpreendeu a minha
    inquietação.

Quais terras andando e por quão longos mares te acolho,
ó filho, por quão grandes perigos balançado!
Quanto temi que em algo o reino da Líbia te lesasse."
E aquele: "É tua, pai, tua triste imagem que, frequente,   695
me ocorrendo, obrigou-me a procurar essa morada.
No mar Tirreno está a frota. Dá que ajuntemos mãos,
dá, ó pai, e a ti de meus abraços não esquives".
Dizendo assim, de igual regava o rosto em grosso choro.
Três vezes tentou pôr-lhe os braços em volta do pescoço,   700
três vezes, em vão presa, a sombra das mãos escapou,
par do leve vento e tão similar ao sonho esvoaçante.
Nesse ínterim, vê Eneias num vale retirado
uma isolada floresta e, aí, sarçais que ressoam
e o rio do Letes, que banha as tranquilas moradas,   705
em torno dele volteiam várias raças e povos;
pois, como em prados quando abelhas num verão sereno
dão-se a flores vária-cor e em torno espalham-se lírios
de brilho branco, o vergel todo ressoa com a zoada,
se arrepia à súbita visão e busca as causas.   710
Eneias, sem saber qual seja essa corrente adiante
e que gente enchia as beiras em tamanha multidão,
e o pai Anquises: "As almas a que outros corpos se devem
pelo destino bebem à água do rio Leteu
líquidos calmantes e lentos esquecimentos.   715
Nomeá-las para ti e em tua presença bem mostrá-las
eu quero há muito, enumerar esta geração dos meus,
para que mais te alegres comigo de achar a Itália".
"Então, pai, é de se achar que daqui ao céu algumas
almas se elevam, e de novo retornam à lentidão   720
dos corpos? Nas míseras, que gana tão feroz de luz?"
"Vou bem dizer, filho, e não te manterei perplexo",
retorna Anquises e expõe passo a passo, em série, as coisas:

"No início, ao céu e às terras e às líquidas extensões,
e ao globo radiante da lua e à estrela de Titã, 725
nutre um espírito dentro, e a mente, dispersa em membros,
move toda a massa e se mistura ao corpo grande;
daí o gênero de homens, feras e a vida das aves
e os monstros que o mar produz sob o seu marmóreo plaino.
Há nestes núcleos força de fogo e origem celeste 730
na medida em que a matéria nociva não os retarda
nem os enervam térreos nós e membros moribundos:
daí temerem e quererem, doerem e gozarem, nem
verem o céu, postas em treva, isto é, prisão escura.
E o que é mais: se a vida as deixa no lampejo final, 735
das míseras não sai todo o mal, nem todos os defeitos
físicos, bem no fundo, e é inevitável que, de todo,
muitas crostas duradouras cresçam de modos incríveis.
Por isso, se vexam com penas, e dos passados
males pagam o tormento. Umas suspensas aos ventos 740
leves se mostram, de outras, num forte sorvedouro
dilui-se o crime impregnado ou se calcina no fogo:
cada um de nós sofre seus Manes; por isso, somos
jogados pelo amplo Elísio, e poucos, belos vergéis têm,
até que um longe dia, feito o ciclo do tempo, 745
tire a mancha impregnada e permita a sensação
pura do éter, ou seja, a chama do ar absoluto.
A todas, mal rolaram sua roda por mil anos,
um deus chama ao rio Letes numa comprida fileira,
é certo, para, esquecidas, reverem a curva superior 750
e outra vez começarem a querer voltar para corpos".
Disse Anquises, e ao filho e à Sibila juntamente
leva ao meio deles reunidos ou ao povo a cantar,
e ocupa um alto, de onde possa, em longa fila, a todos
colher de frente e reconhecer o vulto dos que vêm. 755

"Já, pois, que glória a seguir aguarda a Dárdana prole,
quais descendentes se te destinam da Ítala raça,
almas ilustres e que entrarão em nossa gente,
exporei com palavras e te mostrarei teus fados.
Vês? o jovem que se apoia numa lança sem ferro 760
tem por sorte o lugar mais próximo da luz; o primeiro
a subir às brisas do ar puro mesclado com sangue:
Ítalo, Sílvio, nome Albano, tua última estirpe,
que tua esposa Lavínia criará tarde nos bosques
para ti, já velho, como rei e pai de reis, 765
do qual vinda nossa raça em Alba Longa reinará.
O próximo é o grande Procas, glória da gente Troica,
Cápis, Númitor, e o que te retrará, pelo nome:
Sílvio Eneias, par a par excelente pela piedade
e armas, se um dia aceitar Alba, para reiná-la. 770
Que jovens! Olha que grandes virtudes ostentam,
têm as frontes sombreadas pelo carvalho civil.
uns, Nomento e Gábios, mais a cidade de Fidena,
outros, em montes, te erguerão os fortes Colatinos,
Pomécia, e a Fortaleza de Ínuo, e também Bola e Cora, 775
estes então serão nomes, hoje terras sem nome.
E mais, Filho de Marte, ao avô, de sócio, se unirá,
Rômulo, a quem, do sangue de Assáraco, a mãe Ília dará
à luz. Não vês como à cabeça estão penachos duplos
e o próprio Pai dos Supremos marca com seu emblema? 780
Ao poder dele, vê, filho, aquela Roma ilustre
fará um só, na terra o mando, e o espírito, no Olimpo.
e, única, pra si murará as sete colinas,
fértil em raça de heróis, qual a mãe de Berecinto
vai de carro, armada de torres, por cidades Frígias, 785
feliz com o parto de deuses, a abraçar cem netos,
todos, cidadãos dos céus, preenchendo alturas supremas.

Vira agora pra cá teus dois olhos, olha esta gente,
os Romanos teus. Este é César e, de Iúlo, toda
a geração, que chegará até a abóbada dos céus.  790
Este, este é o homem que ouves prometido a ti muita vez,
César Augusto, casta de um deus, que, outra vez, áureos
séculos fundará para o Lácio, por campos antes
reinados por Saturno, e além dos Garamantes e Indos
levará o império; jaz região além das constelações  795
e além das rotas do ano solar, onde Atlas, porta-céu,
gira ao ombro o polo preso aos fulgurantes astros.
À sua chegada, já agora arrepiam-se os reinos
Cáspios e o Meótico país de agouros divos,
e sete vezes tremem turvas as bocas do Nilo.  800
E nem lá tantas terras desbravou Alcides,
conceda-se que varou a corça pés-de-bronze, e os bosques
de Erimanto deu à paz e a Lerna vibrou com o arco;
nem Líber, vencedor, rege a trela com suas rédeas
de pâmpano, tangendo tigres do alto do Nisa.  805
E inda hesitamos em ampliar nosso valor com feitos?
Ou o medo tolhe nos fixarmos na terra da Ausônia?
E aquele ao longe é quem, vistoso em ramos de oliva,
com sacros objetos, vejo a mecha, a barba branca
do rei Romano, que com leis pôs a primeira  810
cidade, dos humildes Cures e pobre região,
enviado a um grande império. A ele logo sucederá,
quem romperá a ignávia pátria, Tulo, e impelirá homens
ociosos às armas e os esquadrões desabituados
já de triunfos. Perto de quem vem Anco, algo afetado,  815
e até agora exultante demais com sua aura popular.
E queres ver tanto os reis Tarquínios e o ânimo altivo
do vingador Bruto, quanto os feixes reavidos?
Terá o primeiro o mando consular, as cruéis secures;

e, mesmo pai, aos filhos, que movem guerra de inovações,  820
chamará às penas por honrosa liberdade.
Infeliz! Contra o que os vindouros tomarão teus fatos,
vencerá o amor pátrio e um desejo imenso de glória.
E mais: olha ao longe os Décios, os Drusos e Torquato,
cruel pela secure e Camilo a portar estandartes.  825
Mas aquelas almas que de armas parelhas vês brilhar
em harmonia agora e enquanto à noite se abatem,
ai! que forte guerra entre si quando atingirem
a luz da vida, que batalha e carnagem moverão!
O sogro, da trincheira Alpina e forte de Moneco  830
descendo, o genro, armado por Orientais opostos.
Não habitueis vosso ânimo, jovens, a tais guerras
nem contra a pátria revireis valores tão vigorosos.
E tu, ó primeiro, poupa-a, que tua raça extrais do Olimpo,
da mão lança tuas armas, sangue meu!  835
De Corinto vencida, ao grande Capitólio, aquele herói
levará seu carro, ilustre pelos Gregos mortos;
aquele outro Argos e Micenas de Agamêmnon destruirá,
bem como Eácide, geração de Aquiles forte-em-armas,
avós Troicos vingando e o aviltado templo Minérveo.  840
Quem, grande Catão, deixar-te-á em silêncio, ou, Cosso, a ti?
Quem, à cepa de Graco ou os gêmeos, dois coriscos de guerra,
Cipíadas, ruína da Líbia, e Fabrício, com o pouco,
eficiente? Ou a ti, Serrano, a semear no sulco?
Levais-me cansado aonde, Fábios? Máximo...tu és,  845
que, com o vagar, tu, só, nos restituis o Estado.
Outros forjem, com mais finura, bronzes que respiram,
bem o creio; ao mármore arranquem rostos com vida;
melhor pleiteiem causas, e os movimentos do céu
tracem no compasso e anunciem o nascer dos astros:  850
lembra-te de povos governar, Romano, com teu poder,

tais serão tuas artes: impor um estado de paz,
perdoar aos vencidos e subjugar os soberbos."
Assim, o Pai Anquises, e estas juntou aos surpresos:
"Olha como, vistoso em despojos ricos, Marcelo            855
caminha vencedor e sobressai a todos os heróis!
Manterá Roma ante grande turvo tumulto,
a cavalo, esmagará Penos e o Gaulês revel,
e erguerá ao Pai Quirino as terceiras Armas tomadas."
Mas o Pai Eneias (pois via caminhar, a par,              860
jovem notável por beleza e armas refulgentes,
mas a pouco alegre fronte e a face de um olhar baixo):
"Quem aquele, ó pai, que assim acompanha ao herói
    que marcha?
É filho ou alguém da, dos descendentes, nobre estirpe?
Que ruído da escolta em volta! Quão semelhante
    ao mesmo...                                        865
mas negra aflição, triste sombra, envolve a cabeça!"
O Pai Anquises começa, com lágrimas brotadas:
"Filho, não busques saber sobre o pesar dos teus;
fados só à terra o mostrarão, nem que reste mais,
não deixarão. Por demais potente a raça Romana           870
vos pareceria, ó De-Cima, se tais ons perdurassem.
Que gênero de herói não dará o famoso Campo
junto da grande cidade de Marte, ou que mortes hás de ver,
ó deus do Tibre, ao banhares seu túmulo recente!
Nenhum filho da espécie de Ílio aos avoengos Latinos     875
com tanta esperança elevará ou se exaltará
tanto um dia o Romúleo chão com pupilo seu.
Ai, amor filial, ai, lealdade antiga e invencível
mão em guerra! Contra ele, se armado, impunemente
iria ninguém, quer atacasse a pé o inimigo,              880
quer de esporas fincasse o flanco de baboso corcel.

Ai, pranteável rapaz, se violasses o fado feroz!
Tu hás de ser Marcelo. Lírios espalhai a mãos cheias,
pra que flores róseas eu alastre e ao menos preencha
com estes dons a alma de meu neto e cumpra inútil    885
função." Assim, vagueiam lá e cá por toda a região
nos extensos campos de névoa e a tudo percorrem.
E Anquises levou seu filho aos locais, um por um,
e na alma acendeu o desejo da glória vindoura;
a seguir, conta ao herói as guerras que estão por fazer,    890
e mostra os povos Laurêncios e a urbe de Latino
e como evitar ou suportar poderá cada prova.
Há duas portas do Sono, das quais uma é de corno,
se diz, pela qual se dá às Sombras reais fácil saída;
a outra, lavrada, luzente de branco marfim,    895
mas dela os Manes lançam sonhos falsos ao céu.
Logo que Anquises com tais palavras segue o filho
e a Sibila a par, e os manda da porta de marfim,
ele corta caminho para as naves e revê os seus.
Vai-se ao porto de Caieta, em linha direta.    900
Joga-se âncora da proa; alçam-se popas na praia.

# Livro Sétimo

Mas tu também, às nossas praias, ó ama de Eneias,
Caieta, morrendo, deste glória imorredoura:
e a honra a ti conserva o pouso, e teu nome distingue
(se é isso algum louvor) tua ossada na grande Hespéria.
Já o pio Eneias, feito o funeral segundo o rito,                        5
colocado o alto do túmulo, uma vez que se acalmaram
as altas ondas, segue o curso à vela e deixa o porto.
Sopram brisas à noite, e alviclara lhe cede
caminho a lua; resplende o mar sob trêmulo brilho.
Beiram-se as costas vizinhas da terra de Circe,                         10
onde esta filha rica do Sol bosques sem acesso
faz ressoar com canto frequente, e no lindo palácio
queima o cedro cheiroso para o clarão da noite,
passando fios finos pelo tear sonoro.
Daí ouve-se uivo e esbravejar de rebeldes leões                         15
contra as correntes e rugindo em noite avançada;
espinhosos porcos e ursos em cercados raivejam;
além disso, espécies de lobos enormes uivam,
que, de forma humana, com plantas eficazes, deusa cruel,
Circe revestira em aspecto e pele de feras.                             20
Para não sofrerem tais prodígios, os Troicos pios,
aportados, não adentraram tal praia horrenda;

Netuno encheu as velas com ventos propícios,
deu-lhes escape e os transportou além dos vaus borbulhantes.
Já o mar se corava de raios, e do alto céu puro        25
rubriloura Aurora brilhava em bigas rosadas
quando os ventos cederam, e, súbito, todo sopro
cessou e no indolente mármore lutam remos.
Então, daí, do mar, Eneias avista um bosque
imenso. Através dele o Tibre, com suave correnteza,    30
de velozes torrentes e louro de basta areia,
atira-se ao mar. Variegadas, em volta e em cima, aves,
costumadas às beiradas e ao leito do rio,
os ares suavizam com o canto e voam no bosque.
Aos seus, manda desviar o rumo e virar proas para      35
terra e sobe contente pelo assombreado caudal.
Sus, Érato, agora, que reis, que momentos dos fatos,
qual era o estado do Lácio antigo, logo que o estrangeiro
esquadrão aportou a frota nas orlas da Ausônia,
vou dar e recitar o início da primeira luta.           40
Tu, deusa, instrui o poeta; direi terríveis guerras;
cantarei esquadrões e reis dispostos à matança,
tropas Tirrenas e a Hespéria inteiramente impelida
às armas. Surge-me uma classe mais grave de fatos;
empreendo obra mais vasta. O rei Latino, já um tanto velho, 45
governava campos, cidades calmas, em longa paz:
sabemos que o geraram Fauno e a Ninfa Marica
Laurência. Pai de Fauno é Pico, e este a ti conta pai,
Saturno, tu o mais remoto gerador da espécie.
Filho algum, ou prole viril, por ordem dos deuses,     50
teve, e o nascido, em mais tenra idade, lhe foi tirado.
Filha única mantém a casa e seus grandes pousos,
madura para homem, núbil já de plenos anos.
Procuram-na muitos do extenso Lácio e de toda

a Ausônia. Procura-a o mais belo ante todos os outros, 55
Turno, em avós e ancestrais notável, a que a real esposa
se apressa em unir como genro com admirável afã,
mas divos prodígios vedam com vária espécie de horror.
Em pleno paço, em lugar mais fechado, havia um loureiro,
de copa sacra e por superstição mantido anoso, 60
que o próprio Pai Latino, encontrando, diz-se, a Febo
consagrou, ao fundar da fortaleza as bases,
e a partir dele aos colonos dera o nome de Laurêncios.
No seu alto abelhas, muitas (espantoso dizer),
com enorme zumbido trazidas pelo ar puro, 65
pousaram, e, entrelaçados uns aos outros os seus pés,
o enxame, súbito, de um ramo florido pendeu.
Já, o adivinho: "Vemos", disse, "chegar um herói
estrangeiro e um pelotão tomar a mesma direção,
lá do mesmo ponto, e apoderar-se do alto do forte." 70
E mais, enquanto põe fogo no altar com tochas puras,
e em pé, junto ao pai, a virgem Lavínia foi vista
(assombro!) conter fogo em sua longa cabeleira
e queimar-se seu toucado em chamas estalantes,
em fogo nas mechas reais, em fogo na coroa 75
vistosa em joia; a fumegar em fulgor de ouro então,
se enroscar e em todo o paço espalhar Vulcano.
Contam, isso foi terrível, horrível de ver,
pois cantavam haver de ser notada em fama e fado,
mas prognosticar para seu povo guerra grande. 80
E o rei, com os prodígios aflito, aos oragos Fáu
do pai profeta vai e o consulta sob os bosques da alta
Albúnea, que, a maior do arvoredo, da fonte sagrada
soa e, ensombreada, exala vapor violento de cheiro.
Lá todo povo Ítalo e toda terra Enótria, 85
em dúvidas, buscam resposta; aí, quando levou dons

o sacerdote e em peles no chão de ovelhas que abateu,
se deitou em muda noite e procurou o sono,
vê de mil modos admiráveis visões esvoaçantes,
e ouve vozes mudáveis e da conversa com deuses 90
goza e fala ao Aqueronte na profundeza Avernal.
E aí o próprio Pai Latino, buscando respostas,
imolava, no rito, cem lanosas bidentes;
e se deitava esteado em pele e em faixas de lã
delas. Súbita voz do alto do bosque sacro tornou: 95
"Não tentes ligar a filha a casamento Latino,
ó minha prole, nem confies em leito preparado;
do exterior virão genros que com sua raça levarão
nosso nome aos astros e com sua estirpe os descendentes
verão tudo, por onde o sol, ao ir e vir, olha a um 100
e outro oceano girar e se reger sob seu poder".
As respostas do Pai Fauno e os avisos na calada
noite dados, Latino mesmo não abriga na boca.
E já Fama ao longe esvoaçando em volta os levara
pelas Ítalas cidades, quando os jovens Laomedôncios 105
prenderam a frota, da relvosa ladeira das margens.
Eneias, os chefes principais e o belo Iúlo
põem os corpos no chão sob ramos de árvore alta,
dispõem alimentos, e arranjam bolos de espelta pela
relva sobre iguarias (o próprio Jove o advertia) 110
e entulham o solo de Ceres com frutos agrestes.
Tragada a esmo a restante iguaria, os obrigou
a fome de comer a dar dentadas no pouco cereal,
e com mãos e afoito maxilar romper a rodela
do bolo fatal, sem perdoar os amplos quadrados: 115
"Olha, consumimos até as mesas", disse Iúlo,
sem mais gracejar. Antes de tudo, a fala ouvida
trouxe o fim dos flagelos, e da boca do falante

antes de tudo o pai a arrancou e, pasmo do deus, guardou.
E já, já: "Salve, ó terra, a mim devida pelos fados, 120
e vós", disse, "salve fiéis Penates de Troia,
esta é a nossa casa, esta a pátria; meu pai Anquises, de fato,
(já me lembro) legou-me os segredos dos destinos:
'Quando, filho, a fome, te levando a praia ignota,
finda a iguaria, te obrigar a comer as mesas, 125
lembra-te então, cansado, de esperar um lar, e aí pôr,
construir com tua mão, com muralhas, as primeiras casas'.
Aquela fome é esta, ela nos aguardava, final,
a pôr um termo a nossos flagelos.
Assim, vamos, e alegres, à primeira luz do sol, 130
descubramos que locais são, quem aí mora, onde muralhas
da gente estão, e andemos, do porto, a vários pontos.
Ora entornai páteras a Jove e com preces invocai
Pai Anquises, e outra vez derramai vinho nas mesas".
Isso falando, enlaça as têmporas com ramas 135
e ao Gênio do lugar e à Terra, a primeira dos deuses,
e às Ninfas e aos Rios, não conhecidos, suplica;
então à Noite e aos astros da noite que vão nascendo,
e ao Júpiter do Ida e assim à Mãe Frígia, na ordem,
invoca, e aos Pais dos dois lugares, os do céu e do Érebo. 140
O Pai poder-total, a fulgir, três vezes trovejou
do alto céu, e nuvem que brilha em raios de luz e ouro,
ele mesmo arremessando manualmente, mostrou do éter.
Espalha-se súbito um rumor entre as hostes Troianas:
ter vindo o dia de erguerem as fadadas muralhas. 145
Reencetam à porfia o festim, do alto presságio
contentes, põem páteras e o vinho coroam.
Ao aclarar, com a luz primeira a terra, o dia após
surgido, a cidade, o entorno, e as praias dessa gente,
correm, dispersos: esse é o charco da água Numica, 150

este é o rio Tibre, aqui moram os bravos Latinos.
O filho de Anquises manda ir cem núncios, de toda
espécie escolhidos, às muralhas soberbas
da realeza, cobertos todos com os ramos de Palas,
levar ofertas ao rei e pedir paz para os Teucros.  155
Mandados, sem delonga se apressam e andam com passos
ligeiros. Ele marca com fosso baixo as muralhas,
constrói o forte e as primeiras moradas na praia,
qual acampamento, as cinge de ameias, valos.
Já percorrendo espaço, os jovens veem as torres  160
e altas casas de Latino e se abeiram das muralhas.
Ante a cidade, crianças e jovens primiflóreos
se exercitam com cavalos ou domam carros no pó;
finos arcos entesam, ou dardos flexíveis
vibram com o braço e se provocam em corrida ou luta.  165
Um mensageiro, avançando a cavalo, aos ouvidos
do velho rei leva que chegam homens altos
em roupa estranha. O rei manda sejam chamados
ao palácio, e se assenta no meio, no trono avoengo.
Um prédio insigne, imenso, alteado em cem colunas,  170
houve, altiurbano, sé real de Pico Laurêncio,
medonho pelas brenhas e a superstição de avós.
Tomar o cetro aí e os primeiros feixes erguer
era bom agouro real; este templo era uma cúria,
esta, a sala de sacros festins; morto o carneiro,  175
soíam sentar-se os patriarcas à mesa inteiriça.
Em sequência, também imagens dos remotos avoengos,
em cedro antigo, Ítalo tanto quanto o Pai Sabino
vindimador, tendo curva foice em representação,
e o velho Saturno e o quadro de Jano de-dois-rostos  180
postavam-se ante o vestíbulo, e outros reis, que do início,
em luta da pátria levaram feridas de guerra

e, de mais, das portas sagradas inúmeras armas,
pendem carros cativos, curvadas secures;
penachos de elmo e trancas enormes de portões, 185
e dardos, escudos, esporões arrancados de quilhas.
Ele mesmo, bastão quirinal, cingido de trábea
curta, se assenta e tem, na esquerda, broquel sagrado,
Pico, domador de cavalos, de quem a esposa, em paixão,
com vara de ouro batido e mudado a veneno, 190
Circe fez ave, e de cores salpicou suas asas.
Dentro, em tal templo de deuses, e em cadeira avoenga
sentado, Latino a si chamou, adentro, os Teucros:
e aos que entraram proferiu estas com calmo semblante:
"Dardânidas, dizei (pois não ignoramos a cidade 195
e raça vossa, e, notados, fazeis viagem por mar),
que buscais? Que razão trouxe as naus e a vós, carecendo
de quê, para as praias da Ausônia por tantos mares azuis?
Por desvio de rota ou por borrascas levados
(coisas tais que em alto-mar muita vez sofrem navegantes), 200
entrais as beiras do rio e no porto vos fixais...
não fujais da hospedagem nem ignoreis os Latinos,
gente de Saturno, justa, sem dever ou leis,
livremente, e que se mantém pela regra do antigo deus.
Bem lembro (a tradição fica mais obscura com os anos) 205
terem dito assim anciãos Auruncos que, nestas terras
nascido, Dárdano entrou nas urbes Ideias da Frígia
e até Samos de Trácia, que agora se diz Samotrácia.
Saído então da casa de Córito, Tirrena,
agora em trono, áureo palácio de céu estrelado 210
o acolhe e aumenta o número de deuses em altares".
Disse. E Ilioneu, com sua fala, assim lhe deu sequência:
"Ó rei, filho ilustre de Fauno, nem negra procela,
tocados por ondas, nos fez vir à tua terra,

nem astro ou praia enganou-nos no trajeto da viagem, 215
com decisão e desejoso ânimo, nesta cidade
demos todos, expulsos do maior reino que o sol,
vindo do extremo do Olimpo contemplasse alguma vez.
De Júpiter vem a raça, com Júpiter de avoengo o jovem
Dárdano se alegra, da última prole de Jove, o rei 220
mesmo, o Troico Eneias nos mandou à tua soleira.
Ouviu dizer quão forte procela, solta pela
cruel Micenas, varreu o campo de Ida, um e outro lado
da Europa e da Ásia lutou, por quais fados levado,
quer que a posição extrema afaste a um do Oceano 225
distante, quer que a zona extensa de um inclemente sol
separe ao outro, no meio das quatro regiões terrestres.
Desde um dilúvio, levados por tantos vastos mares,
pedimos aos deuses pátrios pequeno abrigo e praia
sem transtornos, e água e ar aberto para todos. 230
Não seremos indignos de teu reino, nem tua glória
será tida sem valor ou fraco o valor de teu gesto,
nem pesará aos Ausônios ter Troia aceito em seu seio.
Juro por fados de Eneias e sua destra forte,
quem a provou ou por sua fé ou em guerras e armas. 235
Muitos povos e nações (não nos desdenhes se, em mãos,
livres trazemos fitas e palavras suplicantes)
não só pediram como quiseram nos coligar a si,
mas desígnios dos deuses nos forçaram com poder
a buscar vossas terras. Aqui Dárdano nasceu, 240
aqui volta, e Apolo com fortes ordens nos pressiona
ao Tirreno Tibre e à água sacra, à Numícia fonte.
A mais, te oferta estes simples presentes da fortuna
anterior, restos reavidos de Troia fumegante;
nesta peça de ouro, ante a ara, o pai Anquises libou, 245
de Príamo esta é a veste quando dava leis aos povos

ritualmente convocados, um cetro e uma sacra tiara,
trabalho das mulheres de Ílio".
A tais palavras de Ilioneu, em contemplação mantém
Latino o rosto fixo e no chão, sem se mexer, se prende, 250
movendo olhos atentos; a púrpura bordada
não toca o rei, nem o toca o cetro de Príamo tanto
quanto se detém na união, no casamento da filha,
e no peito volve a predição do velho Fauno:
este é o genro que, vindo da plaga estrangeira, 255
se anuncia por fado e que, para o reino, com iguais
poderes é chamado; dele há de vir a geração
distinta por valor, para a terra inteira dominar.
Por fim, diz alegre: "A nossa empresa ajudem deuses
e seu bom augúrio. Será dado, Troiano, o que almejas; 260
nem dons rejeito; enquanto rei, Latino, a ventura
do rico solo e a fartura de Troia não vos faltarão.
Que em pessoa Eneias (se tanto é o desejo por nós,
se quer já como hóspede ligar-se e ser chamado sócio)
venha, não se espante de meu semblante amistoso. 265
Ser-me-á de tanta paz o tocar a mão de um soberano;
quanto a vós, levai agora ao rei instruções minhas:
tenho filha, a qual se unir a varão de nossa gente
predições do pátrio santuário e sinais vários do céu
não permitem; que há de vir genro de região exterior: 270
tal predizem reservado ao Lácio; que com sua raça
leve aos astros nosso nome; que este é o que o fado exige,
creio e quero (se algo certo minha mente prediz)".
Dito isso, o chefe escolhe cavalos de cada conjunto;
havia trezentos, luzentes, em fundos currais. 275
Manda já levar, em fileira, a cada Teucro, os asas-
nos-pés, cobertos de púrpura e xairéis bordados;
do peito deles descaem colares de ouro: arreados,

de ouro, sob os dentes vão roendo o ouro louro.
Ao ausente Eneias, um carro e gêmeos jungidos, 280
de divina semente, que expiram fogo das ventas,
da raça daqueles que, ao Pai, a Dedália Circe,
ao furtar, criou como híbridos da fêmea coberta.
Com tais dons e palavras de Latino, os Enéadas,
ufanos, voltam sobre os cavalos e trazem a paz. 285
Mas eis que de Argos Ináquia vem voltando a terrível
esposa de Júpiter; o ar, levada, mantinha;
ao alegre Eneias e à Dárdana frota, do céu
avistou lá de longe, do Siciliano Paquino.
Já os vê construir moradas, já entregar-se à terra, 290
deixar os navios; varada de dor cortante, parou.
Balançando a cabeça, soltou estas do peito:
"Ai! raça odiosa e fados Frígios contrários
aos nossos fados! Acaso puderam sucumbir
nos campos Sigeus? Capturados, ficar presos? Troia 295
acaso, em fogo, queimou heróis? Por esquadrões, pelas chamas
acharam brecha. Acho, porém, que jazem meus poderes
alquebrados ou, excedida por ódio, me aquietei.
Mas não! Hostil, tirados da pátria, por ondas, ousei
corrê-los e opor-me a eles, nômades, por todo o mar. 300
Gastei as forças de céu e mar contra Teucros:
Sirtes, Cila ou Caribdes colossal, que me valeu?
Resguardam-se no leito desejado do Tibre,
livres do oceano e de mim. Marte conseguiu destruir
o povo feroz dos Lápitas. Às iras de Diana 305
o próprio Pai dos deuses a velha Cálidon fez passar:
que crime tamanho os Lápitas, ou Cálidon mereceu?
E eu, a insigne esposa de Jove, que nada inousado
pude deixar, eu que pude me opor a tudo, infeliz,
sou vencida por Eneias? Se, pois, não é bastante 310

o meu poder, hesito em pedir o que há em qualquer parte?
Se não posso abrandar os deuses De-Cima, o Aqueronte agitarei!
Não me é dado (seja!) afastá-lo do reino Latino;
por fados, sem mudar, mantém-se Lavínia esposa,
mas posso criar delongas e pô-las em fatos tão graves, 315
mas me é permitido extinguir os povos de ambos os reis;
sendo assim, juntem-se genro e sogro para dano dos seus.
Terás dote, ó virgem, do sangue Rútulo e Troiano, e
Belona, madrinha, te aguarda. Tampouco Cisseide
gerou só tochas jugais, grávida de um facho: 320
igualmente, Vênus teve seu parto e um outro Páris,
e, outra vez, pra revivida Pérgamo tocha infeliz".
Essas, mal deu por ditas, vai à terra, horripilante.
Mexe com a medonha Alecto, da sé das Terríveis
deusas e das trevas infernais, de quem são a negra 325
guerra, iras, traições e os crimes funestos ao coração.
Até o Pai Plutão a odeia, odeiam suas irmãs
Tartáreas o monstro: ela a si muda em tantas faces;
são medonhos rostos; sombria, formiga de cobras...
A quem Juno atiça com estas palavras que diz: 330
"Dá-me, ó virgem filha da Noite, este trabalho especial,
este serviço, pra meu respeito ou fama não cair
de posto, nem os Enéadas poderem lisonjear
com as bodas a Latino ou sitiar as Ítalas bordas.
Podes tu pôr em discórdia a irmãos harmoniosos; 335
com ódio agitar famílias, impor ao lar flagelos
e fúnebres archotes. Para ti há nomes mil, e mil
artes do fazer mal: sacode esse peito fértil,
destroça a paz firmada, semeia os pretextos de guerra,
para que os jovens queiram, exijam, peguem armas juntos". 340
Alecto, aí impregnada de peçonhas Gorgôneas,
de início, ao Lácio e, então, ao paço elevado do senhor

de Laurento vai e ocupa o silente umbral de Amata,
a quem, à vinda dos Teucros e bodas de Turno,
ardente, vexam cuidados e iras femininas...   345
Lança-lhe a deusa uma serpente, dos negros cabelos,
e a faz penetrar no seio até às mais fundas medulas,
para que confunda em fúria toda a casa com o monstro.
Entre as vestimentas deslizando e o liso peito,
enrosca-se sem tocar e a induz a enfurecer-se,   350
insuflando bafo de serpe; faz-se a cobra enorme
um colar de ouro ao colo, faixa de longa fita,
trança-lhe os cabelos e lisa lhe vaga os membros.
E, ao entrar contágio inicial com úmido veneno,
lhe abala os sentidos e joga fogo nos ossos   355
(o coração não tomou a chama em toda a mente);
mais brandamente e à maneira habitual de mães falou,
muito chorando a respeito da filha e suas bodas Frígias:
"Lavínia acaso é dada a casar a Teucros exilados,
ó pai? E não te apiedas nem de tua filha nem de ti?   360
Nem te apiedas da mãe que, ao primeiro Aquilão, o traidor
deixará indo a alto-mar, levando a virgem, salteador?
E não é assim que entra em Lacedemônia o pastor Frígio
e leva Helena de Leda à fortaleza Troica?
Pra que a sacra promessa e o antigo cuidado dos teus?   365
E a destra dada tantas vezes a Turno, teu parente?
Se para Latinos se quer genro de estranha nação,
e isso em ti se firma, e as ordens do Pai Fauno te obrigam,
a toda terra que, livre, se aparta de nosso
reino, bem julgo estrangeira e que assim decretam deuses.   370
E, caso se busque a fonte remota da família,
de Turno ancestrais são Ínaco e Acrísio e a Micenas do
      Centro".
Tendo em vão com tais palavras tentado, a Latino

vê-se firmar contrário, e profundo entrou nas entranhas
o mal enfurecedor da cobra, e toda a percorre; 375
a infeliz, então, por tais prodígios excitada,
louca, cega, sai em fúria, pela cidade imensa
qual pião, volteando às vezes ao sacudir de um lanço,
que crianças, em círculo grande por pátio vazio
seguem, ao jogo atentas: rodado por fio, 380
vai-se em giros tortos; de mais, o bando inepto e infantil
para, admirando os rodopios da peça de buxo:
as pancadas lhe dão vida...Veloz, com seu giro,
pelas cidades se atira e por excitadas pessoas;
e mais, por matas, ao pretexto fingido de Baco, 385
tentando agravo maior, e furor maior tomando,
sai a voar e esconde a filha num monte arboroso,
para que aos Teucros roube a noiva e atrase o casamento.
Ruidosa: "Evoé, Baco, és tu só digno da virgem",
bravejando: "pois é por ti que toma os tirsos flexíveis, 390
gira em coro a ti, por ti faz crescer sacro cabelo".
O que diz voa, e acesas no peito de furor, às mães
todas um mesmo e só ardor leva a buscar novos lares.
Deixam casas e dão pescoço e cabeleira aos ventos,
mas outras lá com trêmulos ululos atulham os ares 395
e envoltas em pele carregam hastes de videiras.
Ela própria, ao meio, afogueada, sustém um pinho
em brasa e canta os esponsais de sua filha e Turno,
rolando olhar de sangue, e súbito, de forma horrenda,
grita: "iô, mães Latinas, cada uma esteja onde for, 400
se nos pios corações há algum afeto pela infeliz
Amata, e a aflição do direito de mãe vos vexa,
soltai do cabelo a faixa, passai orgias comigo".
Assim, entre as selvas, entre os ermos das feras,
Alecto aqui, ali impele a rainha com Báquio aguilhão. 405

Parecendo que avivou bastante as primeiras fúrias
e mudou os intentos e a família de Latino,
logo ergue-se daí a deusa horrenda em negras asas
para os muros do Rútulo audaz (cidade, se diz,
que Dánae fundou para lavradores Acrisídeos), 410
trazida por lesto Noto, lugar antes Árdea dito
pelos avós, e ainda tem um grande nome de Árdea,
mas sua sorte se foi. No fundo do paço Turno
gozava já um meio sono no escuro da noite.
Alecto despe o aspecto medonho e os membros de Fúria 415
e a si mesma transforma numa imagem de velha
e rasga a face horrenda de rugas e põe-se alvas
comas com fita e enlaça aí ramo de oliva.
Faz-se Cálibe, de Hera e seu templo ministra antiga;
e ante o olhar, ao jovem se apresenta com palavras tais: 420
"Turno, vais tolerar tantas lidas em vão corridas
e que teu reino se transfira a Dárdanos colonos?
O rei recusa o consórcio, e o dote obtido com sangue,
a ti, e se busca para o reino herdeiro de fora?
Vai, já a duros perigos dá-te, ó escarnecido; 425
Tirrenas tropas, vai, destrói, com paz cobre os Latinos.
Falar-te a claro tais coisas, em deitando em calma noite,
mandou-me por isso a própria Satúrnia onipotente;
logo, eia, a armar os jovens te dispõe, mexer tropas
no porto, com vontade, e consome os capitães Frígios que 430
se postam no belo rio, e suas naus pintadas.
Exige-o o alto poder dos Céus. O próprio Latino,
se não diz que dá o casamento e cumpre sua palavra,
sinta e afinal experimente nas armas a Turno".
Então, o jovem, zombando da vate, por sua vez 435
assim começou: "A nova que a frota nas águas
do Tibre entrou não me escapou, qual crês, aos ouvidos,

não me inventes medo tamanho, nem Juno real
esqueceu-se de mim.
A velhice fraca de inação, de orago exausta, 440
em vão te aflige, ama, de cuidado e, entre as armas
de reis, com medo irreal trai a sacerdotisa.
É teu mister guardar imagens e templos de deuses;
varões façam guerra e paz, devem, eles, fazer guerras".
Com tais palavras, Alecto se acendeu em iras. 445
Súbito tremor tomou os membros do jovem a falar,
pararam-lhe os olhos: com tantas serpes sibila Erines,
mostra-se o espectro tão forte, flamejante olhar torcendo;
a ele que hesitava e que tentava dizer mais,
fez recuar, e um par de serpentes ergueu da cabeleira 450
e fez soar a chibata e acrescentou da boca enraivada:
"Eis fraca de inação, que a velhice, exausta de orago,
entre as armas de reis com medo irreal trai, a mim;
vê isto: chego aqui do lar das Irmãs Terríveis,
trago na mão a guerra e a morte". 455
Assim falando, jogou no jovem um archote e cravou
tochas no peito, de brilho opaco fumegantes.
Pavor grande lhe corta o sono, e em ossos e juntas
se esparrama suor de todo o corpo jorrado.
Por armas freme, armas procura no leito e na casa, 460
ferve o anseio por ferro e o ímpio desvario por guerra,
por cima, a ira: qual quando, com forte estalo, a chama
do vime se põe sob o fundo de tacho fervente
e a água sobe, com o calor; borbulha dentro o fumoso
caudal de água e transborda por cima com espumas, 465
e já o fluido não se contém, negro voa o vapor ao ar;
já aponta a marcha contra o rei Latino, violada
a paz, aos chefes dos jovens e manda aprestar armas,
guardar a Itália, enxotar o inimigo das fronteiras:

quanto a si, basta ir contra ambos, Teucro e Latino, is-  470
so mal deu por dito e os deuses para os votos invocou;
à porfia os Rútulos se incitam para as armas:
a um toca o alto esplendor de sua beleza e juventude,
reis avós, a outro, a outro a mão de ilustres feitos.
Enquanto os Rútulos Turno enche de ânimo e coragem,  475
Alecto, Estígias asas, move-se para os Teucros,
espiando com nova artimanha o ponto, em que praia o belo
Iúlo acossava feras de emboscada e na corrida,
a virgem Cocítea então furor súbito lança nos cães,
e tocou suas narinas com o cheiro costumeiro  480
pra com ardor seguirem um cervo: essa a primeira
causa das lides, e acendeu com guerra o ânimo agreste.
Havia um cervo de forma insigne e grande em chifres,
que, arrancado da teta da mãe, os filhos de Tirreu
nutriam, e o pai Tirreu, a quem obedecia  485
o bando real, e guarda confiada ao longo pasto.
Afeito ao mando, sua irmã Sílvia com grande esmero
de grinaldas brancas, tecendo-as, lhe ornava os galhos
e, inda selvagem, penteava e à água limpa lavava.
Permitindo o afago e à mesa do dono acostumado,  490
vagava em mata e outra vez ao ponto sabido,
ao redil, por si só vinha, mesmo tarde à noite.
Ao vagar longe, as cadelas bravas de Iúlo, que caça,
o açulam quando, ao acaso, a favor da correnteza,
deslizava e na beira viçosa abrandava o calor.  495
Não é que o próprio Ascânio, aceso por gana de glória
sem par, lhe dirigiu, do arco, uma flecha
(um deus lhe assistiu à mão vacilante), e com forte som
lançada, aquela haste pelo ventre, por vísceras entrou.
Mas o quatro-pés se abrigou no teto conhecido  500
e penetrou gemendo no redil; com choro, em sangue,

e, como quem choraminga, enchia toda a casa.
A irmã Sílvia, a primeira, batendo nos braços com as mãos,
grita por socorro e alerta os robustos camponeses.
Eles (pois o monstro cruel se oculta em matos em silêncio)   505
chegam num susto; armado um de um tição na ponta,
outro, com nós de pesado bastão: do que procura,
achando, cada qual faz arma. Tirro incita o grupo
quando ao acaso racha à cunha um roble em quatro partes,
mostrando aspecto horrendo ao pegar um machado.   510
De atalaia a deusa má, de fazer mal ao buscar hora,
sobe no alto telhado do redil e, de sua ponta,
toca um pastoril sinal, e a trombeta curva
amplia sua voz Tartárea, com que logo o bosque
todo tremeu e as matas profundamente retumbaram:   515
e ouviu ao longe o lago da Trívia, ouviu o branco rio
Nar, de água de enxofre, assim como as fontes do Velino;
e as mães, tremendo, ao peito apertam seus filhinhos.
Aí, lestos, ao toque com que a trombeta horrenda
deu sinal, de toda parte vêm, pegas as armas,   520
levadas sem freio; mas também os jovens Troicos
em socorro a Ascânio prorrompem, abrindo trincheiras;
formam-se linhas: não já um combate pastoril,
se ataca com duros bastões ou chuços de ponta acesa:
com ferros dupla-ponta se batem, seara escura   525
se encrespa em longo, espada à mostra, e o bronze acometido
de sol fulge e lança luz na direção das nuvens:
qual ao primeiro vento a onda a branquear começa,
aos poucos se alça o mar e mais para cima as vagas
joga e, daí, sobe à altura dos céus, do mais profundo;   530
e aí o jovem Almão, linha de frente, seta a silvar,
que tinha sido o mais velho dos filhos de Tirreu,
é abatido; fixou-se a arma sob a goela e trancou o

caminho da voz úmida e, com o sangue, o leve sopro.
Em volta muitos corpos de heróis, e lá o velho Galeso, 535
enquanto se põe ao meio, pela paz, ele o mais
justo que houve um dia, o mais rico em várzeas da Ausônia: eram
seus cinco rebanhos de ovelha, e cinco manadas
cabiam-lhe, e virava o chão com cem arados.
Com Marte igual passando-se tais coisas nos campos, 540
dona dessa promessa, a deusa, molhando a guerra em sangue,
e para o primeiro combate juntando mortes,
deixa a Hespéria e pelas aragens do céu se levando,
vitoriosa, em arrogante tom fala a Juno:
"Eis pra ti completa a desunião por feia guerra. 545
Dize que em amizade se reúnam e façam alianças,
uma vez que com sangue Ausônio borrifei os Teucros;
a isso o seguinte ajuntarei se me é certo o teu querer:
à guerra as cidades vizinhas levarei com boatos
e acirrarei ânimos no ardor por louco Marte, 550
que ajudem de todo canto, porei armas pelos campos".
Juno, em sua vez: "De terror chega e artimanhas!
Já há as causas de guerra; luta-se, armas com armas;
as armas que a sorte primeira deu tinge sangue novo;
que esta união, isto é, que este casamento celebrem 555
o ilustre rebento de Vênus e o próprio rei Latino.
A ti, não deve apreciar vagar com mais liberdade por
aragens do éter o reinante do Olimpo supremo.
Vai-te daqui! Pois eu, se houver qualquer espécie de empresa,
comandarei eu mesma". Tais expressara a Satúrnia. 560
Aquela ergue asas que sibilam pelas serpes,
busca a mansão do Cocito, os céus mais altos deixando.
Há um lugar sob subidas montanhas no centro da Itália,
famoso de nome e em muitos países comentado:
o vale de Amsancto, um lado negro de um bosque 565

o aperta, ambiflanco, de espessas ramagens e ao meio, a prumo,
um caudal soa na rocha e com cachões lançados.
Aqui a gruta horrenda e do cruel Dite o sorvedouro
mostram-se, e imenso abismo, com o romper do Aqueronte,
abre suas goelas infectas, dentro das quais Erines, 570
deusa odienta, guardada, abranda céus e terra.
Nesse ínterim, não menos a rainha Satúrnia põe
a mão final na guerra: todo o grupo de pastores,
do combate correm para cidade e trazem, mortos,
Almão, menino, e Galeso, de rosto estropiado: 575
rogam deuses e Latino têm por testemunho.
Comparece Turno e, em plena acusação de crime e incêndio,
reduplica o horror: que Teucros ao reino se chamam,
mesclam-se à raça Frígia e a ele expulsam do paço.
Aqueles cujas mães, de Baco em delírio, por ínvios 580
bosques dançam em coro (que o nome de Amata é importante),
de todo lado vindos, se unem e em muito têm Marte.
Todos exigem prestes a horrenda guerra contra os
presságios, ditos dos deuses, à sua revelia.
À porfia, cercam de Latino a mansão. 585
Ele, qual penedo imóvel do oceano, resiste
qual penedo do mar, vindo-lhe contra estrondo enorme,
que a si, com muitas vagas em volta a lhe rugir,
sua massa sustém: em vão escolhos retumbam, rochas
espúmeas ao redor, volta aos flancos a alga espedaçada. 590
Mas, como poder algum se dá para dobrar seu cego
propósito e as coisas ao querer da cruel Juno vão,
bem tomando o Pai por prova deuses e vãs aragens:
"Ai! sou", diz, "freado por fados e ferido do infausto;
pagareis com sacrílego sangue esses castigos, 595
ó miseráveis; te aguardará, ó Turno, infâmia, a ti
tormento e com tardios votos invocarás os deuses.

Pois foi por mim ganha a paz, e inteiro, à frente do porto,
me privo de feliz funeral". E mais não falando,
cercou-se no paço e deixou do reino as rédeas.
Costume era no Lácio da Hespéria que, a seguir, tomaram
como sacro urbes Albanas e ora mantém Roma,
maior do mundo, com o qual elas dão início a Marte,
ou se se dão a levar com tropa a deplorável guerra a
Getas, e a Hircanos, Árabes, ou estendê-la a Indos,
e ir rumo à aurora e retomar bandeiras aos Partos:
há duas portas de guerra, assim denominadas são,
sagradas por temor religioso e de Marte duro;
trancam-se em travas brônzeas e massa sem fim
de ferro, sem que do umbral Jano guardião se afaste;
mal fica firme, por senadores, o voto de guerra,
o próprio cônsul, vistoso em sua toga quirinal
e Gabina túnica, as reabre, barras rangentes;
proclama ele mesmo a guerra, seguem-no os outros jovens;
brônzeas cornetas soam junto em rouca afirmação.
Por tal uso impunha-se a Latino guerra declarar
aos Enéadas e as sinistras portas reabrir.
Absteve-se o Pai de as tocar; virando as costas, fugiu
ao odioso mister e entrou em sombrio refúgio.
A rainha dos deuses, dos céus se caindo, empurrou
com as próprias mãos as portas custosas; virado o gonzo,
rompeu Satúrnia os batentes férreos da guerra.
Pega fogo a Ausônia, antes parada e nada agitada:
uns se dão a andar a pé pelo campo; outros, altivos,
bravejam, no pó, em altos corcéis: todos buscam armas;
parte limpa escudos lisos e dardos luzidios
com espesso unto e afiam machadas na pedra;
e é bom carregar bandeiras e ouvir o som das trombetas.
Mormente cinco grandes cidades sobre bigornas

fabricam armas...a potente Atina, a altiva Tíbur, 630
Árdea e Crustumério e Antemna carregada de torres.
Encovam seguros capacetes e dobram trançados
de vime de escudo; outros fazem com capa flexível
de prata couraças brônzeas, polainas lisas.
Até aí veio dar seu culto da relha e foice, 635
até aí o amor do arado: em forno espadas pátrias forjam.
Já soam trombetas, dá-se a senha, sinal de guerra.
Este, em casa, apanha o capacete à pressa, aquele força
rinchador cavalo à trela, e de escudo e couraça de ouro
de três fios se reveste e cinge espada fiel. 640
Abri-me agora, deusas, o Hélicon, cantai que reis foram
movidos à guerra, que exércitos os campos
encheram, seguindo a cada qual, a que heróis a terra
próspera da Itália floriu, com quais armas se abrasaram,
pois vós sois, deusas, lembradoras e capazes de contar; 645
a nós, do que se conta, mal passa leve brisa.
À frente vai à guerra, de orlas Tirrenas, rude,
Mezêncio, de deuses zombador, e arma fileiras;
junto ao qual, Lauso, seu filho, do qual mais belo outro
não houve, exceto a figura de Turno, Laurêncio; 650
Lauso, de cavalos domador, de feras vencedor,
conduz, em vão seguindo-o, da cidade Agilina
mil guerreiros, digno de ser mais feliz com seu pátrio
poderio e de que não tivesse Mezêncio por pai.
Depois desses, mostra um carro ornado de palmas, 655
pela relva, e cavalos campeões, o filho de Hércules
valente, o valente Aventino e traz no escudo a insígnia
pátria, cem cobras, e a hidra cercada de serpes:
Reia, vestal, na mata da colina Aventino,
num parto às ocultas o fez vir às plagas da luz, 660
mulher unida a um deus, depois que o campeão Tiríntio,

depois de morto Gerião, tocou as várzeas Laurências
e na Tirrena corrente lavou vacas Iberas;
na mão trazem dardos e chuços cruéis para a guerra,
lutam com punhal arredondado e lanças Sabelas. 665
Ele mesmo, a pé, levando um couro enorme de leão,
tosco, com crina horrível, trazendo dentes alvos,
coberto à cabeça: assim entrava na casa real,
horripilante, ombros enrolados no manto de Hércules.
Os irmãos gêmeos então deixam a muralha de Tíbur, 670
região dita pelo nome do irmão Tiburto,
Catilo e o fogoso Coras e os jovens Argivos,
põem-se na vanguarda entre lanças apinhadas:
qual dois filhos de Nuvem, descem do pico do monte,
centauros, ultrapassando o Hómole e o nivoso Ótrio 675
em curso veloz: lhes dá a mata amplo espaço ao avanço,
e retrocedem as moitas com grande ruído.
Não faltou o fundador da urbe de Preneste,
que todas as gerações creem rei nascido de Vulcano,
entre rebanho campestre e encontrado num fogão: 680
Céculo; acompanha-o um extenso batalhão campestre,
homens que habitam a alta Preneste e da Gabina
Junônia os campos; e o gelado Anieno e Hérnicas rochas
banhadas de riachos; os que nutres, ó rica Anágnia
e os que tu, Pai Amaseno. Armas não há para todos, 685
nem soam escudos ou carros; uns atiram bolas
de azulado chumbo; outros levam dardos duplos
na mão e aleonados casquetes de pele de lobo
têm de proteção à cabeça; deixam nuas as plantas
do pé esquerdo: as direitas cobre bota de couro cru. 690
Messapo, domador de cavalos, Netúnio ramo,
a quem não é lícito matar com fogo ou ferro,
a povos há tempo ociosos e às tropas desafeitas

à guerra convoca às armas e outra vez toma da espada.
Uns compõem tropas Fesceninas e Équos Faliscos; 695
outros o alto do Soracte e as várzeas Flavíneas têm,
e o lago com o monte do Címino e os bosques Capenos;
marchavam iguais em número e cantavam seu rei:
como às vezes alvos cisnes, entre límpidas nuvens,
quando se vão de seu pasto e dão sons melodiosos 700
pelos longos pescoços; soa o rio e, vibrado, o lago
de Ásio ao longe.
E não pense alguém que se ajuntam brônzeos batalhões
de tão grande bando, mas aérea nuvem, de alto-mar,
de aves ruidosas a se arremessar para a praia. 705
Eis da antiga linhagem de Sabinos, a guiar
grande esquadrão, Clauso, ele, já, igual a grande esquadrão;
dele, no Lácio, a Cláudia tribo e gente alastra-se já,
desde quando foi dada Roma aos Sabinos em quinhão.
Junto, a grande coorte Amiterna e os antigos Quirites, 710
toda a guarnição de Ereto e Mutusca oleicultora,
os que moram na urbe de Nomento e os Róseos campos
do Velino, os que nas rochas crespas de Tétrica e o
monte Severo, a Caspéria, os Fórulos, rio de Himela,
os que bebem do Tibre e do Fábare, aqueles que mandou 715
a frienta Núrsia, e as tropas de Horta e os povos Latinos,
e os que, costeando-os, banha ao meio o Ália, nome agourento,
quantas, muitas ondas rolam no mar branco Líbio,
quando o Oríon raivoso se esconde em águas glaciais
ou espigas torram-se ao sol novo numerosas; 720
ou nos campos do Hermo ou nas várzeas louras da Lícia.
Troam broquéis; ao som de pés, turbada, a terra treme.
Haleso então, Agamemnônio, hostil ao nome Troico,
atrela ao carro cavalos e a Turno arrasta povos
bravos mil, que volvem com ancinhos, fecundo em Baco, 725

o Mássico, bem como os que de altos cerros Auruncos
patriarcas mandaram, e os perto do mar Sidicino,
e os que deixam Cales, e os ribeirinhos do Vulturno,
vadoso rio, e ao mesmo tempo o Satículo intratável,
e os bandos dos Oscos. Curto escudo redondo lhes é          730
de arma e é normal ligá-lo a um flexível açoite;
cetra cobre a esquerda, espada curva, em corpo a corpo.
E não sairás por nossos versos não nomeado,
Ébalo, a quem Télon gerara de Sebétide, a ninfa,
dizem, quando tinha seu reino Cápreas de Teléboas,          735
já algo velho, mas, filho não contente com as veigas
do pai, já oprimia então com um vasto domínio
os povos Sarrastes e as planícies que banha o Sarno,
e os que moram em Rufras, Bátulo e os campos de Celena,
e os que sobranceiam muros da Abela das-maçãs:             740
costumam cateias lançar à maneira dos Teutões,
é-lhes de casquete a casca arrancada da cortiça,
suas peltas brônzeas brilham, fulgem brônzeas suas espadas.
Também mandaram-te à luta a montana Nersas,
Ufente, vistoso por fama e armas preciosas,                 745
que tens sobretudo a gente inculta e afeita a frequente
caça nos bosques, a dos Équos, de áridas terras:
a terra, armados, revolvem, folga-lhes levar
presas sempre frescas, como viver de rapinas.
E, mais, da gente Marrúbia vem um sacerdote,               750
de um capacete ornado à fronte e de uma oliva fértil,
por voz do rei Arquipo, valentíssimo Umbrão,
que à espécie de víbora e a cobras que acremente bafejam,
costumava por seus cantos ou com a mão pôr em sono,
e abrandar sua ira e, com dons, sedar mordidas,             755
mas remediar a pancada da Dardânia lança não
pôde nem o encanto sonífero lhe ajudou contra

feridas e as plantas buscadas nos montes Marsos.
A ti o bosque de Angícia, a ti o Fúcino de água cristal,
a ti choraram lagos claros.  760
E ia à guerra, de Hipólito o valentíssimo filho,
Vírbio, a quem sua mãe Arícia fez vir em destaque,
criado em bosque sacro da Egéria em volta de águas,
na praia, onde está a ara repleta da aplacável Diana.
Pois contam, por boato, que Hipólito, após morrer, obra  765
da madrasta, e pagar com o sangue a pena do pai, corcéis
assustados o esquartejando, outra vez aos astros
do ar puro e sob as superiores aragens se foi,
trazido outra vez por ervas de Peão e o querer de Diana.
Então o Pai pleno-poder, indignado que um tal mortal  770
surgiu das sombras de baixo para a luz da vida,
ele mesmo precipitou Febígena, o inventor de um
remédio e arte de tal monta, com raio na água do Estige.
Trívia, porém, propícia a Hipólito guarda num lugar
secreto e o transfere à ninfa Egéria e, então, ao bosque dela,  775
onde, desconhecido, em matas Ítalas passasse
o tempo sozinho e onde, mudado o nome, fosse Vírbio.
Daí se afastar ainda, do templo e sacro bosque
Trívio, os cavalos pés-de-chifre, pois ao carro e o jovem
derrubaram na praia, por medo de monstros do mar;  780
nem por isso o filho, no liso da planície dava
rédeas aos bravos corcéis e ia à guerra no carro.
Turno mesmo, eminente figura, em vanguarda
avança portando armas, com toda a cabeça acima;
sustém soberbo elmo de crinas com penacho três-pontas  785
a Quimera que exsufla fogo Etneu da bocarra,
tão mais ressoante e feroz em suas funestas chamas, quanto
mais são cruentas com sangue espalhado as batalhas.
E o liso escudo expõe no ouro Io em relevo, chifre

erguido, ora de pelos semeada, ora vaca 790
(um grande tema!), e a Argos, guardião da donzela,
e, da urna em lavra, Ínaco, Pai, entornando água.
Segue-se chusma grossa de infantes, e em toda a planície
condensa-se a tropa de escudos, jovens Argivos,
e alas Auruncas, os Rútulos e os antigos Sicanos, 795
linhas Sacranas, Labicos de escudos pintados,
que tuas várzeas, Tibre, e a orla sagrada de Numício
lavram e revolvem com arados os Rútulos morros
e o monte Circeu, em quais campos Júpiter Anxuro
reina, e Ferônia, alegre com seu bosque verdejante, 800
por onde se estende o escuro lago de Sátura e por vales
fundos o Ufens gelado abre caminho e some no mar.
Chega depois desses Camila, da gente Volsca,
guiando fila equestre e pelotões que com o bronze brilham,
guerreira: não afeita à roca ou cestas de Minerva 805
nas mãos de mulher, mas embora donzela, a suportar
duros combates e a passar os ventos na carreira.
Voaria até pelas pontas das hastes da seara
intacta, sem ferir na carreira as débeis espigas;
mesmo por pleno mar, em grossas ondas elevada, 810
faria viagem, sem molhar os pés velozes nas águas.
A ela, todo jovem, nas casas, nos campos
espalhado, admira, e a turba das mães, e a olha a andar,
de ânimos pasmos, boquiabertos, de como os ombros lisos
cobre, em púrpura, enfeite real; com a fivela prende, 815
de ouro, os cabelos; como leva Lícia aljava e um bordão
em mirto, de pastor, com fina extremidade.

# Livro Oitavo

Mal Turno fez subir do forte de Laurêncio
o pendão e, estridente som, trombetas retumbaram,
e mal agitou fogosos corcéis e armas chocou,
logo turvaram-se os ânimos e, a par, todo o Lácio
se conjura em tremente tumulto e raivam-se os jovens,   5
selvagens. Os primeiros chefes, Messapo e Ufente e
Mezêncio, irrisor dos deuses, de toda parte ajuda
colhem, tiram o agricultor, das vastas plantações.
E é mandado Vênulo à cidade do ilustre Diomedes
para rogar auxílio e o pôr a par que os Teucros se assentam   10
no Lácio e Eneias, por frota vindo, vencidos
Penates traz e diz-se exigido por fados
como rei, e que se ajuntam muitos povos ao herói
Dardânio e extensamente no Lácio cresce sua fama:
que pensa em seus projetos, que fim, se a sorte o ajudar,   15
pretende da batalha, isto é o que mais claro parece a
a Diomedes do que ao rei Turno ou ao rei Latino.
Dão-se no Lácio tais coisas, que o herói Lacedemônio
no todo olhando-as, flutua em grande onda de aflições
e reparte lesto a mente já para cá, já pra lá   20
e leva em pontos diversos e por tudo leva e traz:
de igual, quando a luz da água, a tremer, em bacia de bronze

pelo sol refletida ou pela imagem da lua clara,
vai voando por toda parte em extensão e logo se ergue
nos ares e atinge o forro pintado do alto telhado.   25
Noite era, e aos viventes por todas as terras fatigados
e à espécie de aves e grandes animais toma sono fundo,
o Pai Eneias deitou-se à beira sob céu de ar glacial,
no coração inquieto com a funesta guerra,
e se deu através dos membros tardio repouso.   30
O próprio deus do lugar, o Tibre, de suave correnteza,
a se erguer, um tanto velho, por ramagens de choupo,
deu-se-lhe a ver: cobre-o um linho com capa verde
e uma haste umbrosa protegia-lhe os cabelos.
Fala então e tira aflições com tais palavras:   35
"Filho de diva estirpe que a urbe Troica nos trazes
do inimigo outra vez e a eterna Pérgamo preservas,
ó esperado do chão Laurêncio e os campos Latinos;
pra ti fixado cá o lar, não recues, e os Penates;
não te aterrem ameaças de guerra: o furor e as iras   40
dos deuses cessaram.
Para que não penses que o sonho te cria vãs visões,
sob azinhos de orla, grande porca branca, achada, se
deitará, que a trinta cabeças de crias pariu,
prostrada ao chão, brancos filhotes em torno às suas tetas:   45
[esse da urbe o ponto, esse o certo cessar das lidas será];
daí, com a volta de três por dez anos, a urbe
Ascânio fundará, de nome brilhante: Alba.
Nada incerto, eu canto. Já, com que modo te hajas, ao que
se opõe, vencedor, dá atenção: vou te instruir, com poucas.   50
Árcades, raça vinda de Palante, que Evandro rei
seguira e seus emblemas, por sócios, nessas plagas,
escolheram o sítio e em cerros fundaram a urbe,
do nome de Palante antepassado, Palanteu.

Estes guerreiam frequente com a gente Latina: 55
toma-os por sócios na guerra e com eles faze aliança.
Eu mesmo, por beira e fluxo certo, conduzir-te-ei,
para que, levado a remos, venças rio acima.
Ergue-te, eia, filho de deusa e, logo ao tombar dos astros,
faze preces a Juno e sua ira e ameaças 60
vence com votos de prece; vencedor, a mim prestarás
culto. Sou eu, a quem vês, com a correnteza cheia
roçar as margens e separar férteis plantações,
o azulado Tibre, caríssimo rio aos Celestes.
Sobe-me aqui nobre mansão, centro para outras cidades". 65
Disse, e o rio se encerrou em fundas águas, chegando
às mais baixas. A Eneias deixa a noite e o sono.
Levantou-se e contemplando as luzes, que nasciam, de um sol
celestial, e, pelo rito, toma no vão das palmas
água do rio e ao éter proferiu estas palavras: 70
"Ninfas, Laurências ninfas, donde o nascer do rio,
e tu, Tibre, Pai, com teu curso sagrado, recebei
a Eneias e afastai-o dos perigos por fim.
De qualquer parte que a água te sustém, que em dó tens nossos
transtornos, de qualquer solo de que belíssimo sais, 75
sempre com meu culto, sempre com dons, celebrado serás
como cornífero rio, reinador de águas da Hespéria.
Fica só perto e mais de perto confirma teu poder".
Assim fala e escolhe duas naves birremes da frota,
provê-as de remeiros e, de igual, mune os sócios de armas. 80
Eis, porém, súbito e aos olhos admirável prodígio:
alva, entre folhagens, com alva cria unicor,
prostrou-se uma porca e, no verde da praia, divisa-se;
que o pio Eneias imola a ti, sim, a ti, magna Juno,
ao fazer sacrifício, e junto à ara põe com seu bando. 85
O Tibre nessa noite, quão longe foi, sua água turva

suaviza e, refluindo, tanto se sustém em silentes ondas
que a modo de mansa poça d'água ou tranquilo lago
estendeu lisura às águas, falta de esforço ao remo.
Assim, apressam, com som propício, o curso iniciado,        90
e, untado, o abeto pela água desliza e as ondas admiram,
o bosque admira ao longe brilharem, sem costume,
escudos de heróis e quilhas pintadas flutuarem.
Com os remos eles por noites, por dias esfalfam
e domam seus meneios longos e por variadas                  95
árvores se tampam, cortam num plaino quieto verde mata.
Um sol de fogo subira ao meio do globo do céu,
ao verem muralha e forte ao longe e os tetos raros
de construções, que ora o Romano poderio igualou
ao céu: pois as posses que Evandro tinha eram parcas.      100
Prestes viram proas e se achegam da cidade.
Nesse dia acaso o Árcade rei devidas honras
ofertava ao grande filho de Anfitrião e aos deuses,
ante a urbe, no bosque. Junto, o filho Palante,
juntos, os maiorais todos dos jovens e o pobre             105
senado incensavam, e um sangue novo fumega ante aras.
Mal viram altas naus bem deslizarem entre espesso
matagal e calados debruçarem-se nos remos,
tremem à súbita visão e todos, deixando
as mesas, consurgem. O audaz Palante veda-lhes             110
que o culto rompam, e à frente deles, tomando um dardo,
voa e ao longe, do morro: "Jovens, que razão vos obrigou
a tentar via ignorada? Ides aonde?" falou,
"Quem sois de raça? O país, de onde? Trazeis paz ou armas?".
O Pai Eneias assim fala do alto da popa                    115
e na mão põe à frente um ramo de oliva traz-a-paz:
"Vês filhos de Troia, e suas armas hostis aos Latinos,
nós que, fugitivos, afastam com guerra altiva;

queremos Evandro; isso levai, dizei que chefes
Dardânios de escol chegam pedindo tropas aliadas". 120
Com tal nome abalado, pasmou-se Palante:
"Quem quer que sejas, desce e fala em presença de meu pai,
e passa como hóspede adentro de nossos Penates".
Toma-o à mão e, abraçando-o, segura-lhe a destra.
Avançando-se, entram pelo bosque e deixam o rio. 125
Eneias fala ao rei amigáveis palavras:
"Excelso filho Graio, a quem rogar e estender ramos
ornados com fita quis a sorte. Na verdade,
não me espantei de seres guia dos Dânaos e um árcade
e por teu ramo seres ligado aos dois filhos de Atreu; 130
mas meu valor e os oráculos sacros dos deuses,
nossos avoengos parentes, tua fama no mundo ampla
ligaram-me a ti e fizeram aceitar os fados.
Dárdano, Pai, o primeiro e fundador da Ília urbe,
saído de Electra, dizem Graios, filho de Atlas, 135
chega até os Teucros. À Electra o grande Atlas gerou,
ele que sustenta nos ombros a abóbada celeste;
Mercúrio tendes por pai, a quem Maia resplendente
criou, gerado no topo gelado do Cilena.
Ora, a Maia, se em algo cremos no ouvido, Atlas, 140
o mesmo Atlas gera, que sustém os astros do céu:
de nós dois a raça, pois, vem dupla de um só sangue.
Fiado nisso, legados ou iniciais sondagens
a ti não fixei, a mim eu mesmo e a minha
pessoa apresentei e, a rogar, vim a teu paço; 145
a gente Dáunia, a mesma que a ti, com guerra injusta,
nos persegue: nós, se expulsos, crê nada haver de faltar
para que passem sob o jugo a Hespéria toda, inteira,
e tenham o mar que em cima está e o que embaixo os banha.
Aceita e dá fé: temos fortes peitos para a guerra, 150

temos coragem e a juventude em ações provada".
Eneias disse. Aquele, há tempo, corria com o olhar
o rosto e olhos de quem fala e a figura toda.
Poucas diz: "Como a ti, o mais valente dos Teucros,
recebo e acato de bom grado! Como a palavra e a voz      155
relembro e o rosto do grandioso Pai Anquises!
De fato lembro que Príamo Laomedôncio, ao ver
o reino da irmã Hesíone, quando se ia a Salamina,
adiante, foi visitar as lindes geladas da Arcádia.
A adolescência então vestia-me as faces com sua flor;    160
e admirava os chefes Teucros e admirava o próprio
filho de Laomedonte, mas superior a todos foi
Anquises. Ardia-me o peito juvenil desejo
de a ele dirigir-me e a mão unir à sua mão:
acheguei-me e ardoroso o levei aos muros de Fêneo.       165
Ao se afastar, deu-me atraente carcás e setas Lícias
e uma clâmide com fios de ouro entretecida
e um par de freios dourados que usa agora meu Palante.
Por isso, a mão que pedis unida foi em aliança;
quando a luz de amanhã se der primeira à terra,          170
contentes com o favor vos mandarei e darei recursos.
Ora, este culto anual, já que vindes como amigos,
que não é lícito adiar, celebrai, com interesse,
conosco e já vos habituai às mesas de aliados".
Logo isso dito, manda repor as iguarias e os copos       175
retirados, e ele mesmo os heróis põe em bancos de relva.
Em distinção, com um coxim e pele felpuda de leão,
acolhe Eneias e o convida a um trono de bordo.
À porfia, moços de escol e um ministro da ara
trazem entranhas tostadas de touros e enchem os cestos   180
das dádivas de Ceres trabalhada e servem Baco.
Serve-se Eneias e junto a juventude Troiana

das costas inteiriças de um boi e de entranhas rituais.
Tirada a fome e refreado o desejo de comer,
o rei Evandro fala: "A nós estas cerimônias, 185
comidas ao rito, esta ara de excelsa deidade,
superstição tola e não consciente dos velhos deuses
não impôs: de cruéis perigos, hóspede Troiano,
salvos, fazemos e renovamos merecidas honras.
Olha esta pedra suspensa em rochedos, 190
como essa massa jogada está longe, e a casa
do monte, vaga, as rochas tiveram enorme queda:
houve uma gruta ali, remota, em retiro grande,
que ocupava a figura informe de Caco, semi-homem;
sem acesso aos raios do sol, e sempre com matança 195
recente se amornava o chão e, fixos, na entrada horrenda,
pendiam rostos sem cor de homens, com negra sânie.
Vulcano era pai do monstro; pondo da boca escuras
centelhas, já mexia com seu volume imenso.
E trouxe o tempo, num dia, para nossos desejos, 200
ajuda, isto é, a vinda de um deus; pois, grande vingador,
orgulhoso da morte e despojos de Gerião de-três-corpos,
viera Alcides e, vencedor, por ali puxava
enormes touros, que ocupavam o vale e o rio.
Caco, alma feroz pelo furor, para nada ficar 205
não ousado ou tentado em questão de crime e tramoia,
do estábulo, quatro touros de magnífico porte
desviou e, vacas de sobeja beleza, por igual;
para não haver quaisquer traços de pés para frente,
puxados na cauda à gruta e, inversa a pegada, 210
arrastados da via, com negra rocha os guarda:
sinal algum, para quem busca, leva à grota.
Porém, ao já tocar do estábulo o gado satisfeito
e lhes preparar a saída, o filho de Anfitrião,

no apartar, mugem os bois, e o arvoredo inteiro 215
se enche de amuo, e deixam-se as encostas sob berros:
à voz uma das vacas responde e, na ampla gruta,
muge e, mesmo guardada, trai de Caco a esperança.
Ardia então de fúria a dor de Alcides com fosca
bílis; pega de arma rápido e o carvalho carregado 220
de nós, e em carreira voa ao topo do elevado monte.
Por vez primeira os nossos veem Caco ter medo
e de olhos turvados. Foge logo e mais rápido que o Euro,
corre para a caverna: aos pés o pavor lhe ajunta asas!
Mal se trancou, rompendo as correntes, fez descer 225
a pedra enorme que, por ferro e obra de seu pai,
pendia, e reforçou com barras os firmes umbrais.
Eis chegou no furor da paixão Tiríntio, e cada entrada e-
xaminando, e ora aqui, ora ali mexia o rosto,
a ranger dente. Ardente de ira espia três vezes 230
o monte Aventino, três vezes os rócheos umbrais
tentou em vão, três, cansado, se assentou no vale.
Ergue-se rocha aguda, em todo lado íngremes pedras,
subindo do dorso do antro, altíssima de ver,
pouso adequado a ninhos das aves truculentas: 235
a ela (pois dada ao lado esquerdo ia do rio),
à direita, firmado ao contrário, abala e solta
tirando das bases mais fundas e, de repente,
a impulsa; com a impulsão, ressoa o mais alto do espaço:
espirram-se as margens e, assustado, o rio reflui. 240
Ora, a gruta apareceu e, descerrada, a imensa
mansão de Caco, e os côncavos negros se aclaram de cheio,
igual a quando, por qualquer força, aberto fundo, o chão
reabrisse os pousos de baixo e desvelasse os reinos
sombrios, odiosos aos deuses, e de cima o abismo 245
cruel se visse e os Manes tremessem à luz entrada.

Pego súbito, pois, por clarão imprevisto,
preso no vão rochoso e a zurrar anormalmente,
Alcides o fere de cima e a toda espécie de àrma
apela e o vexa com ramos e calhaus descomunais.  250
Mas ele, pois nenhuma fuga, ademais, há do perigo,
das goelas vomita forte fogo (incrível de se
contar!) e envolve o lar com uma negrura de cegar,
tirando aos olhos a visão, e condensa na caverna
um negror de fumo com trevas mistas de fogo.  255
Não aturou isso Alcides e no fogo a si mesmo
jogou com salto abaixo, por onde, mais densa, faz
a fumaça um rolo, e onde arde a gruta enorme em
    névoa escura:
prende aí a Caco, que expele em vão fogo no escuro,
enlaçando-o num nó e se agarrando a ele comprime  260
os olhos, extraindo-os, e a goela seca em sangue.
Abre-se logo a escura morada, arrancadas as portas,
e as vacas subtraídas e os roubos renegados
mostram-se aos céus e é puxado fora o feio corpo
pelos pés. Não podem as pessoas saciar-se olhando  265
aqueles olhos torvos, o vulto, o peito peludo
de cerdas da meia-fera e o fogo findo da goela.
Desde esse dia faz-se o culto, e, alegres, os oriundos
guardam a data. E o primeiro fundador é Potício
e a casa de Pinário é guardiã de Hércules sagrado.  270
Fez este essa ara no bosque sacro, e sempre 'a maior'
por nós será chamada e que será sempre a maior.
Por isso, vamos, jovens, a tamanha glória em brinde,
rodeai ramos nos cabelos e estendei copos com a destra;
invocai nosso deus comum e libai vinho com prazer".  275
Dissera, e um choupo de duas cores com a Hercúlea sombra
lhe velou os cabelos e enlaçado em folhas pendeu,

e um sagrado vaso lhe encheu a destra. Todos prestes
à mesa alegres libam e invocam os deuses.
Na curvatura mais próxima do céu fica Vésper:  280
e já os ministros e à frente Potício caminhavam
cingidos de pele, ao costume, e levavam tochas.
Renovam iguarias, e a segunda mesa traz
dons deliciosos e enchem as aras com travessas cheias.
Postam-se em volta de altares acesos os Sálios  285
pra cantar; frontecintos vêm com ramos de choupo;
aqui o coro de jovens, ali o de velhos contam em versos
loa e os feitos de Hércules, os primeiros monstros, duas cobras
da madrasta, como, com as mãos apertando, estrangulou;
como, em guerra, destruiu também famosas cidades,  290
Troia e Ecália; como os duros trabalhos sem conta,
sob ordem do rei Eristeu, fados de Juno má,
levou a cabo. "Invicto, os filhos de Nuvem, bimembres,
Hileu e Folo, à mão, és tu que imolas o monstro
de Creta, e o leão gigante na caverna de Nemeia;  295
temem-te em tremor os lagos Estígios e o guardião do Orco
deitado em ossos mal-roídos no antro ensanguentado.
Figura alguma, nem o próprio Tifeu gigantesco,
segurando armas, te assustou; a ti, não falho de calma,
a hidra de Lerna cerca com série de cabeças.  300
Salve, filho de Jove, somado em glória aos deuses,
assiste a nós e a teu culto, com presença favorável."
Tais coisas celebram em verso: acima de tudo, acrescentam
a gruta de Caco, como o próprio, a soltar fogo.
Toda a mata com o clamor reecoa e os outeiros retumbam.  305
Então, findo o divino ritual, à cidade
todos voltam. Carregado de anos, caminha o rei
e por companheiro mantém Eneias e o filho,
avançando, e com vária conversa suaviza o percurso.

Eneias se admira e rodeia por tudo olhos ágeis,  310
anima-se com os locais e alegre indaga, e ouve,
uma por uma, as recordações dos passados heróis.
E o rei Evandro, autor do baluarte Romano:
"Moravam nestes bosques faunos e ninfas nativas,
e raça de homens nascida de tronco e carvalho  315
duro, aos quais faltavam regras e instrução em jungir touros,
nem sabiam reunir bens e poupar coisa obtida,
mas caça penosa os nutria por sustento.
Por primeiro, do Olimpo de ar puro veio Saturno,
fugindo a armas de Jove e, tirado o reino, banido.  320
Formou ele raça inculta e dispersa em altos montes
e lhe deu leis e fez questão de que se chamasse Lácio,
pois nessas plagas teria em segurança se escondido.
Foram de ouro, tais quais se conta sob o seu reinado,
os séculos; assim regia o povo na calma da paz,  325
até que o tempo aos poucos ficou pior e sem cor
e ocorreu o furor da guerra e o desejo de possuir.
Vieram então os grupos Ausônios e os povos Sicanos.
E mais vezes a terra de Saturno depôs seu nome:
Páris houve e aí crespo Tibre de amplo corpo,  330
a partir do qual nós, Ítalos, o chamamos
rio Tibre, e perdeu assim o Álbula o velho nome.
Já a mim, expulso da pátria e a buscar os confins do mar
a sorte poder-total e o destino inevitável
puseram-me nestas plagas e trouxeram as terríveis  335
predições de minha mãe Carmente e o deus Pai Apolo".
Apenas ditas essas, indo à frente mostra a ara
e a porta Carmental, em expressão Romana,
que contam ser um preito antigo a Carmente, ninfa,
ministra adivinha que primeira cantou os grandes  340
futuros Enéadas e o célebre Palanteu.

Depois um bosque imenso que o ardente Rômulo diz
"Asilo", e mostra o Lupercal sob rochedo gelado,
dito, pelo costume, Parrásio, de Pã Liceu;
bem como aponta o bosque o sacro Argileto           345
e por ele atesta e instrui sobre a morte do hóspede Argos;
daí o conduz à sede Tarpeia e ao Capitólio,
hoje, de ouro, antes, de moitas agrestes eriçado.
Já a funesta superstição do local assustava
medrosos aldeões, tremiam já com a mata e a rocha.   350
"Este bosque, este morro", diz, "de cume frondoso,
que deidade não se sabe, habitava um deus. Os Árcades creem
ter visto o próprio Júpiter, com a destra agitando
amiúde a égide que anuvia, e movendo nimbos.
Mais além, vês dois fortes de muralhas destruídas,   355
restos e lembranças de antigos guerreiros. O Pai Jano esta
fortaleza construiu, enquanto Saturno, aquela;
da primeira o nome é Janículo, doutra, Satúrnia."
Com essas entre si ditas, entravam na casa
do pobre Evandro e viam, dispersa, uma manada       360
no foro Romano e na fina Carinas mugir.
Mal se chegou à casa: "por este umbral entrou"
diz, "vencedor, Alcides; acolheu-o este paço.
Hóspede, ousa largar riquezas, faze-te digno
também do deus, chega brando a minhas míseras posses". 365
Disse e sob a cobertura da estreita morada
levou o enorme Eneias e em cama de folhas
o fez repousar sobre uma pele de ursa da Líbia.
Desaba a noite e abraça de asas foscas a terra.
E Vênus, mãe não à toa assustada em seu coração,   370
movida por ameaças Laurências e a guerra cruel,
fala a Vulcano e estas começa no dourado leito
conjugal, e lhes insufla ternura divina:

"Enquanto os reis de Argos com guerra destruíram Troia,
devida a eles, e os fortes a ruir com o fogo hostil, 375
auxílio algum supliquei para os míseros ou armas
de tua arte e poder, nem tu, muito querido esposo,
desejei que praticasses em vão os teus trabalhos,
mesmo que aos filhos de Príamo devesse muito
e vária vez chorasse o cruel labor de Eneias. 380
De ordem de Júpiter detém-se agora em Rútula região.
Venho, pois, súplice, e a teu poder sagrado para mim
peço armas como mãe para o filho. A ti pôde dobrar
com lágrima a filha de Nereu, esposa de Titono:
olha quais povos congregam, que muralhas contra mim, 385
fechando as portas, ferro apontam para a ruína dos meus".
Disse e o aquece, a hesitar de um lado ao outro, a deusa em doce
abraço com seus braços de neve. Súbito absorveu
ele a costumeira chama, e um conhecido calor
nas medulas lhe entrou e correu por ossos molecidos, 390
tal como, às vezes, rompido por um trovão faiscante,
um sulco de fogo a fulgir vara nuvens com clarão.
Sente a esposa, alegre do ardil, cônscia da beleza.
Então o Pai, vencido por eterno amor, lhe diz:
"Por que pedes motivos a fundo? Aonde de ti 395
se foi tua confiança em mim, deusa? Se igual cuidado fosse
ser-me-ia lícito ainda agora armar os Teucros:
nem o Pai onipotente e os destinos proibiam
Troia de se opor e Príamo de durar outros dez anos.
Se te dispões ora a guerrear, e esse é teu intento, 400
que empenho for, que te possa prometer com minha arte,
pode se fazer pelo ferro ou o electro fundido,
o quanto vale meu fogo e sopro. Para, por rogar,
de duvidar quanto às tuas próprias forças". Essas falando,
deu-lhe o abraço desejado, e a sedativa lanquidez 405

buscou pelos membros, desfeito no colo da esposa.
Quando o repouso inicial, no meio curso da noite
que se vai, tirou o sono, então logo a mulher, a quem
se impôs sustentar a vida com a roca e a leve Minerva,
mexe as cinzas e a fornalha adormecida, ajuntando     410
a noite aos seus trabalhos, e as criadas, sob tochas,
urge com longo fiar, para poder conservar
casto o leito conjugal e educar seus pequenos:
não de outra forma, e menos lento no tempo, o Ignipotente
se ergue da macia cama aos afazeres da forja.     415
Perto das costas da Sicânia e de Lípara da Eólia,
surge uma ilha elevada sobre rochas fumegantes;
embaixo a gruta e as galerias do Etna trovejam
roídas no forno dos Ciclopes, e fortes golpes,
em bigorna ouvidos, vibram surdos sons, e por furos     420
chiam barras de aço em brasa e o fogo ofega em fornalhas:
é o solar de Vulcano e por nome a terra é Vulcânia.
Aí desceu dos altos do céu o Ignipotente;
batiam ferro Ciclopes nesse antro vasto:
Brontes e Estéropes e, de membros nus, Pirácmon.     425
Por mãos formado, lapidado em parte já,
havia um raio, dos que, frequentes, no céu todo o Pai
joga abaixo à terra; parte estava inacabada.
Três raios de saraiva oblíqua, três de aguaceiro,
três de fogo rutilante, três do Austro veloz juntaram.     430
No instante, brilhos de aterrar, estampidos e medo
mesclam ao seu trabalho, e explosões de chamas contínuas.
Noutro lugar, urgiam com o carro e as rodas voantes
de Marte, com os quais estimula os homens, com os
      quais, cidades;
e a Égide horrorosa, arma da tempestuosa Palas;     435
renhidos com briga, polem dourada escama de serpes,

cobras enlaçadas e, no peito da deusa,
a própria Górgona a virar olhos, colo troncoso.
"Suspendei tudo", diz, "afastai obra iniciada,
Ciclopes Etneus, e tornai a atenção para cá:  440
armas há a fazer para um forte herói, uso de forças
já, mãos rápidas já, todo um engenho de mestre já;
acelerai o vagar." E não mais falou. Mas todos
curvam-se mais célere e sorteiam o trabalho em partes
iguais: escorre o bronze em caudais e o metal ouro  445
derrete na imensa fornalha e o aço que-faz-cortes.
Dão forma a um gigantesco escudo, um contra todos
os dardos dos Latinos, e cercam sua rodela
com sete rodelas; uns puxam e fazem voltar o ar
com foles cheios de ventos, outros banham num tanque  450
peças chiantes de bronze; o antro atroa com o bater bigornas.
Entre si, com muita força, levantam braços
em compasso e a massa revolvem com firmes tenazes.
Enquanto o Pai Lêmnio apressa essas coisas em praia Eólia,
propício clarão desperta Evandro do humilde lar  455
e pios matutinos de aves sob o teto.
Já um tanto velho se ergue e de túnica veste o corpo
e cerca as plantas dos pés com cadarços Tirrenos:
então do flanco e os ombros prende uma espada Tegeia,
jogando abaixo à esquerda pele de pantera.  460
E também do alto da soleira dois cães de guarda
põem-se diante dele e acompanham os passos do dono.
Ao pouso e recesso do hóspede Eneias se ia o herói,
lembrado das conversas e dos dons prometidos.
Não menos madrugador Eneias se mexia:  465
seguidor daquele o filho Palante, a este, Acates;
se encontrando, juntam destras, e ao meio do paço
se assentam e deleitam com uma conversa livre. O rei

antes, estas:
"Guia supremo dos Teucros, com quem a salvo, nunca,  470
certo é, direi vencido governo e reino Troico,
são-nos de ajuda à guerra, por tão ilustre nome,
parcos os meios: daqui nos cerca rio Tusco;
dali, vexa o Rútulo, e ao redor, de armas soam muros.
Mas povos fortes e acampamentos em armas copiosos  475
me disponho a ligar contigo: sorte não esperada
que salvação dá. Vens aqui, pedindo-o fado.
Não longe daqui, fundada em rocha antiga é habitada
a sede da urbe de Argila, onde antes a gente Lídia,
famosa por guerra, fixou-se em morros Etruscos;  480
teve-a depois, por muitos anos florescente,
com reinado altivo e exércitos terríveis, Mezêncio.
Por que contas matança indizível, por que os feitos
brutais de tirano? A ele e à sua gente guardem deuses!
Até mesmo corpos mortos juntava a corpos vivos,  485
tanto reunindo mãos com mãos como bocas com bocas,
que espécie de tortura! Em sânie e pus manando em atroz
abraço, assim com uma longa morte os matava.
Fartos disso enfim, homens armados o cercam,
delirando atrocidades, a ele e à casa,  490
degolam seus comparsas, lançam fogo nos tetos;
escapo entre a matança, à região dos Rútulos
foge e é defendido por armas de Turno, hospedeiro.
Ergueu-se, pois, toda a Etrúria com justiceiro furor
e exige suplício ao rei com um Marte imediato.  495
Dar-te-ei, Eneias, por chefe a estes mil guerreiros,
pois em toda a praia reunidas, murmuram popas,
e manda-se hastear bandeira: impede-os arúspice velho,
que canta os fados: 'Ó juventude Meônia de escol,
flor e força dos velhos varões, que ao inimigo dor  500

justa leva e que Mezêncio inflama com justas iras,
subjugar nação tão grande não pode Ítalo algum:
escolhei guias do exterior'. Neste campo o Etrusco
exército parou, transido do aviso dos deuses;
Tarcão mesmo me enviou legados e a coroa      505
do reino com o cetro e me entrega os estandartes,
que eu entre em quartéis e tome o governo Tirreno.
Mas velhice lenta do frio e exausta de eras a mim
impede o reinado, e anoso vigor, as ousadias.
Ao filho animaria, se não, misto de mãe      510
Sabina, levasse parte da pátria. A ti, com anos
e raça o fado ajuda, as divindades requerem.
Vá à frente, ó valentíssimo guia de Ítalo e Teucro;
a mais, meu Palante aqui, nossa esperança e consolo,
juntarei a ti: sob tua mestria se acostume      515
a suportar a milícia e o grave mister de Marte, e olhar teus
feitos; te admira desde seus primeiros anos.
Cavaleiros da Arcádia, duzentos, força seleta
de jovens lhe darei e um tanto igual, em seu nome, Palante".
Mal disse tais palavras, fincados, mantêm seu olhar      520
Eneias, filho de Anquises, e o fiel Acates,
as muitas provações julgavam no ânimo tristonho.
Mas Citereia deu um sinal no descampado céu,
pois súbito um clarão, dardejado do céu puro,
vem com um ruído e ruir tudo pareceu de repente      525
e um som de trombeta Tirrena estrugiu no céu puro.
Olham no alto e um forte estrondo reboa outra vez e outra vez;
armas entre nuvens, num trecho sem nuvens do céu,
veem se avermelhar pelo ar limpo e, vibradas, retumbar.
No íntimo os outros se estonteiam, mas o herói Troiano      530
reconhece o som, isto é, promessas da diva mãe.
Então fala: "Hospedeiro, não procures de verdade

que fato trazem os prodígios: exige-me o Olimpo.
A diva mãe predisse que daria esse sinal
se a guerra estourasse, e as armas de Vulcano pelo ar me      535
traria de ajuda.
Ai! quão grande matança ameaça os pobres Laurêncios!
que penas, Turno, me pagarás. Sob as águas quantos
escudos e elmos de heróis e corpos robustos rolarás,
Pai Tibre, que exijam batalhas e rompam tratados".           540
Logo que tais disse, sai do alto trono e primeiro acende
a ara extinta, com tochas a Hércules, e nos lares
do último dia e nos exíguos Penates se adentra
alegre; imolam rituais ovelhas de dois anos
Evandro ao mesmo tempo e ao mesmo tempo os
       jovens Troicos.                                     545
Depois vai daí às naus e revê os companheiros,
de cujo número, para segui-lo nas guerras,
toma os que excedem em valor, a parte restante
água abaixo vai e, curso a favor, lenta desliza,
a ir a Ascânio mensageira dos fatos e do pai.                550
Dá-se cavalo aos Teucros que vão aos campos Tirrenos;
a Eneias levam um não sorteado, envolto
em pele fulva de leão, a fulgir de unhas de ouro.
Corre um boato, súbito espalhado na urbe exígua,
que cavaleiros vão voando ao portal do rei Tirreno.          555
De medo, mães dobram promessas, e com o perigo o pavor
fica mais perto e de Marte a visão surge maior.
Pai Evandro, cerrando a mão do que vai embora,
nela se agarra insaciável e diz estas palavras:
"Pudesse Júpiter dar-me de volta os anos passados!           560
Qual era, ao derrubar sob a própria Preneste a linha
de frente e triunfante incendiar pilhas de escudos!
E com esta mão o rei Érilo ao Tártaro dei,

a quem, ao nascer, três almas a sua mãe Ferônia
(horrível, dizer) dera, três armas para brandir, 565
três vezes a ser derrubado à morte, mas todas
suas almas tirou esta mão e, de igual, despojou de armas.
Não! de modo algum separar-me-ia agora, ó filho,
de teu abraço; nem Mezêncio, vizinho, nunca à minha
pessoa insultando, faria com o ferro tantas 570
mortes cruéis, vazaria a urbe de tantos cidadãos.
Mas vós, ó De-Cima, e tu, o maior dos deuses,
Júpiter, compadecei-vos, peço, do rei Arcadiano,
e ouvi as preces de um pai, se vosso querer divino,
se os fados, são e salvo me preservarem Palante, 575
se eu viver para vê-lo e a ele achegar-me num só,
rogo a vida, sujeito-me a aturar qualquer prova;
mas se algum infortúnio terrível, sorte, ameaças,
que agora seja dado, agora, a vida cruel cortar,
enquanto há dúbia aflição, vago temor do porvir, 580
enquanto a ti, cara criança, meu só e tardo prazer,
tenho num abraço: notícia mais grave os ouvidos
não fira". Essas palavras o pai, na última partida,
jorrava; a casa, em desmaio, servos o levavam.
E saíra já, portas abertas, a cavalaria, 585
vai entre os da frente Eneias e o fiel Acates;
a seguir, outros Troicos maiorais, Palante mesmo
na fila média, em clâmide e armas pintadas vistoso:
tal quando, banhada em água do oceano, a estrela d'alva,
a que Vênus ama mais do que os outros raios de astros, 590
rompe do céu seu topo sagrado e dissolve as trevas.
De pé, temerosas, nos muros, as mães, no olho seguem
nuvem de pó e os pelotões que brilham com o bronze.
Por matos, por onde é mais perto o fim do trajeto,
vão armados; sai um grito: formada a fileira, 595

nubipoeirento, a quadrúpede tom bate o casco no campo.
Há um bosque extenso junto ao rio gelado de Ceres,
pelo culto de antigos bem sagrado, cerros cavados
de todo lado a mata fecham, cercam de ábies negro.
A Silvano, deus do pasto e gado, dizem, velhos             600
Pelasgos dedicaram tanto um bosque quanto um dia,
que primeiro ocuparam, certa vez, fronteiras Lácias.
Perto daí Tarcão e os Tirrenos tinham quartéis
pelo local seguros; do morro, no alto, pode
já ver-se toda a legião, e em largo campo se estende.      605
Aí chega Eneias e os jovens que escolheu para a
guerra e, exaustos, cuidam dos cavalos e dos corpos.
E Vênus vinha, radiante deusa, entre os nimbos do éter,
trazendo ofertas; e mal em vale afastado, ao filho
isolado perto de fresco rio, de longe viu,                 610
com tais palavras fala e se mostra por si mesma:
"Eis os presentes que prometi bem feitos com a arte
de meu esposo; não hesites, filho, em já chamar
à luta ou os soberbos Laurentes ou o fogoso Turno".
Disse Citereia e à busca do abraço do filho foi,           615
e sob um carvalho à frente pôs as armas cintilantes.
Alegre da oferta da deusa e de honra tamanha,
não consegue se saciar e em um por um põe os olhos,
admira e por entre mãos e braços revira o elmo,
por penachos espantoso e vomitador de chamas,              620
e a espada fatal e a couraça, rija de bronze,
cor de sangue, imensa, tal como azulada nuvem
quando com raios de sol se avermelha e fulge ao longe;
já as lisas polainas, de electro e ouro refundido,
como a lança e a textura indescritível do escudo.          625
Ali, feitos de Ítalos e triunfos de Romanos,
sabedor de predições e ciente do porvir,

fizera o Ignipotente, ali, todo o ramo da futura
estirpe desde Ascânio e as guerras travadas, em sequência;
e fizera, parida em verde gruta de Mavorte, 630
uma loba deitada, pendurados em torno a cujas
tetas, se divertem dois meninos e sugam a mãe
sem receios: ela, virando o cachaço torneado,
com a língua os afaga e roça, ora um, ora outro.
Aí perto, a Roma e as Sabinas raptadas com abuso, 635
do assento da cávea em ato dos grandes Circenses,
acrescentara, e a nova guerra que surge de repente
entre os Romulídeos e o velho Tácio e os Curetes austeros;
já os mesmos reis, entre si cessados os combates,
de armas ante a ara de Jove e segurando páteras, 640
em pé, e imolada a porca, faziam aliança.
Não longe daí, velozes quadrigas esquartejavam
a Mício (houvesses, Albano, guardado a palavra!),
Tulo arrastava entranhas do pérfido guerreiro
por mato, e sarças regadas pingavam sangue. 645
E Porsena forçava Roma a aceitar Tarquínio,
expulso dela, e a pressionava com um grande cerco:
os Enéadas iam às armas por liberdade;
a ele, como quem se enraiva, como quem ameaça,
verás por que ousava Cocles cortar a ponte, e Clélia, 650
soltos os grilhões, atravessava o rio a nado.
No alto, guardião do forte Tarpeio, está de pé
Mânlio, ante o templo e ocupava o cume do Capitólio,
e o paço, novo, se eriçava com o colmo Romúleo.
Aqui, esvoaçando em pórticos de ouro um ganso argênteo, 655
com seu canto, anunciava que os Gauleses chegavam;
pelo mato vinham Gauleses e o forte ocupam,
velados por trevas e graças à noite densa;
de ouro eram suas cabeleiras, de ouro, suas vestes,

em sagos listrados fulgem, seus pescoços lácteos 660
se enlaçam com ouro, cada qual brande dois dardos
de Alpes com jeito, salvo o corpo por longo escudo.
Aqui, os Sálios dançando e os Lupercos desnudos
seus espigões de lã e seus escudos caídos do céu
forjara: mães pudicas portam peças de culto 665
pela urbe em macias liteiras. Longe daí, põe
também Tartáreas mansões, profundas portas de Dite
e as penas dos crimes, e a ti, Catilina, suspenso
da rocha que pende e a tremer ante as faces das Fúrias,
e à parte os homens honestos a quem Catão dá leis. 670
Entre isso, o áureo quadro de uma revolta em larga escala
vinha, mas o azulado espumava em ondas brancas;
e em volta, batiam, brilhos de prata, delfins
a tona com seus rabos e cortavam a maré.
No meio, frotas de bronze, a guerra de Ácio avistar 675
era possível, e ver-se-ia todo o Leucates
ferver disposto em guerra e ondas brilharem com o ouro.
Depois, César Augusto levando Ítalos à luta,
com remadores, com o povo, com os Penates, e os grãos deuses.
De pé, no alto da popa, as belas têmporas jorram 680
duas chamas e na cabeça se expõe a cabeça do pai.
Noutra parte, Agripa – ventos e deuses propícios –
levando, altivo, um pelotão; honra bélica excelsa,
suas fontes luzem ao esporão de batalha naval.
Agora, Antônio, com bárbara tropa e exércitos vários, 685
dos povos da Aurora e da costa Rubra, vitoriosa,
fez viajar consigo o Egito, tropas do Oriente e a extrema
Bactra; e o vem seguindo (que infâmia!) sua esposa Egípcia.
Todos juntos avançando, e todo o plaino aquoso
a espumar, torto por remo adunco e esporões triplos. 690
Vão ao mar alto: crês, do pego arrancado, flutuando

as Cícladas ou altos montes com montes batendo;
com massa tal homens se erguem nas popas torreadas.
Com mãos, joga-se chama de estopa, e com dardos o ferro
voante, enrubra-se a Netúnia seara de estranha matança.   695
No meio, a rainha chama pelotões com pátrio sistro,
e por ora não vê às costas um par de serpentes.
Monstros de deuses de toda casta e Anúbis ladrador
contra Netuno e Vênus e contra Minerva têm
dardos na mão; em plena luta assanha-se Mavorte   700
ferrigravado, e do éter as Fúrias terríveis;
Discórdia vai alegre com o manto rasgado,
a quem Belona segue com açoite ensanguentado.
Vendo essas coisas, Apolo de Ácio armava o arco
de cima: com receio dele todo o Egito e os Indos,   705
todo Árabe, os Sabeus todos voltavam-lhe as costas.
A própria rainha, chamando ventos, se via
a dar velas e já a lançar, frouxas, as amarras.
Entre matança, pálida com a morte que vem,
o Ignipotente a fez ir-se por Iápige e por ondas:   710
mas à frente o Nilo, de corpo enorme, a prantear
e abrir suas dobras e por toda a veste chamando
ao regaço azul, e ao caudal cheio de furnas, os vencidos.
E César, com triunfo triplo levado às muralhas
de Roma, sagrava aos deuses Ítalos voto imortal:   715
trezentos templos excelsos por toda a cidade;
as ruas reboavam de alegria, jogos e aplausos;
em todo templo, um coro de matronas, aras, em todos:
ante aras novilhos, mortos, cobriam o chão.
Ele próprio, sentado ao umbral de Febo fulgente,   720
verifica os presentes dos povos e os prega em portais
suntuosos. Em fila extensa os povos vencidos vão,
tão vários em língua, em uso de roupas quanto em armas:

cá, Múlciber a raça Nômade e os Afros sem cintos,
lá, os Léleges e os Cários e os Gelonos porta-setas      725
esculpira; o Eufrates ia já mais brando em águas,
Mórinos, dos homens os mais longes, e o Reno bicorne,
e os selvagens Daas e o Araxes furioso com a ponte.
Isso, pelo escudo de Vulcano, presente da mãe,
admira e, sem saber dos fatos, folga com o visto,       730
a tomar aos ombros a fama e o fado dos netos.

# Livro Nono

Enquanto tais coisas se dão em lugar bem distante,
Juno, filha de Saturno, enviou Íris do céu
ao bravo Turno. Acaso então em bosque do avô
Pilumno, num vale sagrado, se assentava,
a quem, com a rósea boca, a filha de Taumante assim diz:   5
"O que, Turno, nenhum deus ousaria prometer
a quem deseja, o tempo, passando, trouxe por si.
Eneias, deixando a cidade, os sócios e a frota,
vai-se ao trono do Palatino e ao paço de Evandro.
E não é tudo: entrou nos confins da urbe de Córito   10
e arma tropas de Lídios, camponeses que ajuntou.
Por que hesitas? Tempo é já de pedir cavalos, carros;
corta qualquer delonga, pega os quartéis confusos".
Disse e para os céus num par de asas se alçou e recortou
numa veloz carreira um arco enorme sob as nuvens.   15
Reconheceu-a o jovem e elevou as duas mãos
aos astros e com esta fala a seguiu, ela a fugir:
"Íris, joia do céu, quem tirando das nuvens te fez
descer na terra a mim? De onde esse tempo radiante
de repente? Vejo o centro do céu se separando   20
e estrelas vagar no orbe. Sigo presságios tão fortes,
sejas quem me chama às armas". Assim falando, às ondas

seguiu e, da face do mar, líquido tirou,
muito aos deuses pediu e encheu de promessas o éter.
Já todo o exército marchava pelo campo aberto, 25
rico em cavalo, rico em roupa enfeitada de ouro.
Massapo comanda a vanguarda, os jovens de Tirro,
a retaguarda; em meio ao pelotão o chefe Turno
vai-se, armas à mão e o supera com toda a cabeça:
tal, em silêncio, crescendo com sete vias 30
tranquilas, o fundo Ganges de espessa corrente,
quando volta à planície e em seu leito se recolhe.
Os Teucros veem ao longe enroscar-se súbita nuvem
de escura poeira, e trevas se elevarem pelos campos.
Logo, Caíco brada da construção fronteira: 35
"Que bolo de cidadãos, de negra cerração, se enrola?
trazei logo espada, arranjai dardos, subi nos muros;
o inimigo aí está, vamos!". Com alto grito os Teucros
por toda parte escondem-se, enchem as muralhas.
Pois, ao se afastar, Eneias, perfeito em armas, assim 40
mandara: que a esse tempo, o que quer que se desse,
não ousassem enfileirar-se ou confiar-se a campo,
só ocupassem os quartéis e, com trincheira, as muralhas;
mesmo, pois, que aponte honra e furor, ao travar combate,
ponham portas de barreiras e executem as ordens; 45
e, armados, aguardem o inimigo em vãos de torres.
Voando, Turno precede o lento pelotão, seguido
por vinte escolhidos cavaleiros e inesperado
chega à cidade; leva-o Trácio cavalo de manchas
alvas, e um elmo dourado o cobre com crista carmesim. 50
"Quem comigo está, jovens, quem primeiro, no inimigo?
Aqui ó", diz; e brandindo um dardo aos ares o atira,
prelúdio de combate, e entra, empinado, no campo.
Com grito o acolhem companheiros e o seguem com aplauso

arrepiante. Admiram o ânimo apático dos Teucros: 55
guerreiros, não se dão à planície, e armas de ataque
não levam, mas não saem dos quartéis. Para lá e cá,
inquieto, revista os muros, busca entrada não inviável;
e como, quando um lobo, espreitando um curral cheio, ruge
em frente às grades, a suportar ventos e chuvas, 60
em plena noite, e os cordeiros, seguros sob a mãe, dão
balidos, ele, arrepiado e sôfrego de raiva,
se assanha pelo ausente: acumulada há muito, a fúria
de comer o exaspera e as goelas secas de sangue:
assim, para o Rútulo que olha muralhas e arraiais, 65
ferve a raiva, e lhe incendeia a dor os duros ossos;
de que forma tentar acesso, que expediente expulsar
Teucros presos no abrigo e os jorrar pela planície?
À frota oculta junto ao flanco do acampamento,
rodeada pelas trincheiras e pelas águas fluviais, 70
ataca e pede incêndio aos companheiros exultantes,
e sua mão, com pinho em fogo, fogoso preenche.
Lá se empenham mesmo: a presença de Turno insta-os
e cada jovem se cinge de tochas escuras.
Espalham chamas, e a resina fumegante dá brilho 75
opaco, e Vulcano vai aos astros misto de cinza.
Que deus, Musas, desvia incêndio tão cruel dos Teucros?
Qual, das naves afastou tamanhas labaredas?
Dizei: do fato é velha a crença, mas a fama é eterna.
Quando primeiro Eneias formava sua frota no Ida 80
Frígio e se aprestava a ir às profundezas do pego,
diz-se que a própria mãe dos deuses, de Berecinto, ao grande
Júpiter disse estas palavras: "Dá, filho, pois peço,
o que tua cara mãe te roga, dominado o Olimpo.
Tive um bosque de pinho, preferido há muitos anos, 85
como sacro, em ponta de monte, onde culto me davam,

coberto por abetos escuros e pés de bordo
que ao jovem Dárdano, com falta da frota, dei com prazer;
agora preocupada, receio ansioso me oprime.
Corta a ânsia e deixa que a mãe possa obter isso com rogos,   90
que não sejam aluídos de abalo ou vencidos
por tufões; seja bom que em meu monte nasceram".
Em resposta, o filho que gira os astros do mundo:
"Mãe, a que fim chamas os fados? Que pedes por esses?
Naus feitas por mão mortal teriam o direito   95
imortal? E Eneias, seguro, encarar improváveis
riscos? A qual deus tanto poder é permitido?
Bem, atingindo seu escopo e ocupando um dia
o porto Ausônio, a qualquer que às ondas for escape
e conduzir o capitão Eneias aos campos Laurêncios,   100
vou tirar a forma humana e mandar serem do mar
poderoso deidades, tal como a Doto de Nereu
e Galateia cortam com o peito o oceano espumoso".
Dissera, e confirmando pelas águas do irmão Estígio,
pelo caudal de pez e as beiras da escura torrente,   105
fez que sim e com o balanço estremeceu todo o Olimpo.
Chegou, pois, o dia prometido, e o prazo devido
cumprem as Parcas, quando a ofensa de Turno advertiu
a Mãe de retirar os archotes das naus sagradas.
Primeiro, estranha luz aos olhos brilhou e uma nuvem   110
grande, do Oriente, pareceu atravessar o céu,
com os coros do Ida; então, atroadora voz pelo ar
cai e pega em cheio esquadrões de Rútulos e Troicos:
"Não vos afobeis, Teucros, em defender minhas naves,
nem armeis vossas mãos; será dado a Turno pôr fogo   115
ao mar antes que ao pinho sacro; quanto a vós, ide
como deusas do mar, livres, ordena a Mãe". E as popas rompem
logo as amarras cada qual, a partir das margens,

e quais golfinhos, afundando os bicos nas ondas,
vão ao fundo. Então (incrível prodígio) tantos rostos 120
de donzelas se mostram quantas, antes, proas brônzeas
estavam aprumadas nas praias, e levam-se ao mar.
Pasmaram-se no espírito os Rútulos. Messapo mesmo,
perturbados os cavalos, espantou-se, e hesita
o rio Tibre, soando surdo e volta o curso do alto-mar. 125
Mas não sai de Turno audacioso a confiança;
e mais, com palavras move o ânimo e, franco, adverte:
"Aos Troicos competem tais assombros; Jove mesmo
lhes tirou a ajuda habitual: os Rútulos não exigem
dardos nem fogo, pois aos Teucros o mar é inviável, 130
sem fuga a esperar, negada uma parte do mundo:
mas temos o mundo nas mãos; nações Ítalas têm
tantas armas, milhares! Nada me aterram respostas
do fado dos deuses, mesmo se os Frígios se gabem.
Bastante deu-se ao fado, a Vênus, que os Troicos atingissem 135
os campos da fértil Ausônia; por mim, também tenho
meu destino: arrasar a ferro a sacrílega raça
pela esposa roubada. Aos Atridas só não toca
esse ressaibo, e só a Micenas é dado pegar armas.
Terem perecido uma vez basta, errar no passado foi 140
o bastante, eles que ainda agora odeiam a fundo o sexo
feminino. A eles, a confiança em trincheiras entre nós
e o estorvo das fossas, breve espaço para a morte,
dão ânimos. Ora, não vieram então as muralhas
de Troia, por mão Netúnia feitas, tombando em chamas? 145
E vós, escolhidos, quem se dispõe a romper
os fossos, quem comigo entra nos medrosos arraiais?
Não me será preciso armas Vulcânicas, quilhas
mil contra os Teucros; que se deem já Etruscos todos
como aliados; que não temam as trevas, e do Paládio 150

o covarde saque, grande a chacina dos guardas
do forte, ou nos ocultar no escuro vão de um cavalo!
À luz, às claras, aos muros decidi rodear fogo.
Fazer hei que pensem que a questão não é com Dânaos ou
a juventude Pelasga, que Heitor dez anos retardou.   155
Então agora que do dia a melhor parte se ocupou,
quanto à que resta, alegres de ações bem levadas, olhai
por vós, guerreiros, e contai com a luta aprestada".
Entretanto, incumbe-se a Messapo com guardas despertos
bloquear portas e cercar as muralhas com chamas.   160
Duas vezes sete se escolhem, da Rútula tropa,
quem vigie os muros; a cada qual seguem cem
jovens de cristas vermelhas e cintilantes de ouro.
Volteiam e trocam turnos e espalhados na relva
dão-se ao vinho e derramam crateras de bronze.   165
Fogueiras junto brilham e a guarda em jogo passa
noite sem sono.
Nisso, do forte, Troianos observam; com armas
ocupam o topo e, pressurosos, revistam portões,
e fazem ligação de pontes e baluartes,   170
juntam armas; atentos, Mnesteu, Seresto ardente,
que o Pai Eneias, se contratempos os chamassem,
pôs de mentores dos jovens e mestres de operações.
Pelas muralhas cada legião, sorteada aos riscos,
faz rondas e rodízios em função do que lhe incumbe.   175
Niso era um porteiro, afiadíssimo em armas, filho
de Hírtaco, que Ida a caçadora a Eneias mandara
por companheiro, rápido em dardos e leves flechas;
junto a ele, o companha Euríalo, mais belo que o qual
outro Enéada não foi e que armas Troianas portasse,   180
rapaz que marca o inicial vigor com face imberbe.
Um só amor têm os dois, juntos à guerra corriam.

Então, em guarnição comum, também a porta ocupam.
Diz Niso: "– Os deuses põem-me na alma este ardor meu,
Euríalo, ou um desejo forte faz-se um deus em cada um?   185
Meu espírito pensa em luta ou em algo grande,
já faz tempo, e com descanso que-traz-paz não se contenta.
Vês que confiança toma os Rútulos com o poder deles:
brilham luzes esparsas, em vinho e sono largados,
se deitaram, calam-se extensos os locais. Percebe, pois,   190
em que reflito e em meu espírito que plano aponta!
Querem todos, povo e senado, chamar Eneias
e enviar homens que informações seguras tragam.
Se concedem o que para ti peço (que a fama
do feito me basta), ao pé daquele morro parece poder   195
achar trilha para os muros e o forte Palanteu".
Pelo grande amor de glória tocado, pasmou-
se Euríalo; logo ao amigo ardoroso estas fala:
"– Então te furtas a ligar-me como companheiro,
Niso, a tal feito? A tamanho perigo te deixar só?   200
Não assim educado me instruiu meu pai Ofeltes
acostumado à guerra, entre o horror de Argos e as provas
de Troia, nem contigo fiz coisas desta monta,
seguindo o nobre Eneias e suas últimas sortes.
Aqui está espírito que despreza a luz e crê   205
que essa glória a que vais bem se compraria com a vida".
A tais, Niso: "– De fato nada disso de ti temo,
não, não é justo; a te gritar "viva" Júpiter grande me
traga ou qualquer um que a isto vê com olhos benignos.
Mas se um (que vês tantas coisas em risco tamanho)   210
se um fato, se um deus me arrebatar em sentido contrário,
quero que sobrevivas: tua idade é mais digna de vida!
Haja alguém que a mim, morto em luta ou comprado a preço,
me dê à terra costumeira ou, se algum caso o impedir,

dê oferendas ao ausente ou com sepulcro o distinga. 215
E que não seja à tua triste mãe razão de tanta dor,
que sozinha, rapaz, se atrevendo entre tantas mães,
bem te segue sem cuidar do forte do grande Acestes".
Mas aquele: "– Teces debalde inúteis razões,
e, não mudado, meu intento não sai de posição. 220
Apressemo-nos", diz, e ao mesmo tempo desperta os vigias;
eles trocam e montam guarda; ele próprio, deixando
o posto, vai de companheiro a Niso, e o rei procuram.
Na terra os demais vivos aliviam seus cuidados
no sono e os corações das penas deslembrados. 225
Os guias Teucros principais e jovens de escol
dos altos assuntos do reino tomam decisão:
que fazer, ou quem fosse o mensageiro de Eneias;
de pé, sob hastes longas e sustendo escudos,
em meio aos arraiais e o plaino. Euríalo e Niso, 230
juntos, prontos, pedem sejam logo admitidos: grave
vai ser a empresa e haver preço pela demora. Primeiro,
Iúlo os acolhe, apressados, manda fale Niso.
O Hirtácida, assim: "Atendei com boas intenções,
Enéadas, não se tome nossa idade ante o que 235
trazemos. Os Rútulos, em vinho e sono largados,
silenciaram. Vimos nós mesmos lugar para emboscadas,
que se abre em dois caminhos da porta mais próxima ao mar;
fogos, esparsos, e um fumo escuro que aos astros
se ergue. Se permitis aproveitarmos da sorte, 240
de buscar Eneias ante o forte Palanteu,
com despojos aqui, feita uma enorme matança,
já o vereis vir. E a trilha, ao irmos, não nos enganará.
Sob negros vales vimos a ponta da cidade,
em caça frequente, e conhecemos todo o rio". 245
Pesado de anos e de espírito maduro, Aletes:

"Deuses pátrios, sob cujo poder Troia sempre está,
mas não dispondes de todo a destruir os Teucros,
já que destes tamanho valor a jovens e firmes
espíritos". Falando assim, prendia os ombros e destras                250
de ambos e lhes molha com lágrimas fronte e rosto.
"Que, quais recompensas dignas de vós por tal glória
pensaria eu poderem ser pagas? As mais preciosas
logo os deuses e vosso valor darão; as demais
já renderá o bom Eneias e o vivo em anos                              255
Ascânio, de tamanho mérito nunca esquecido."
"E, mais, eu, cuja salvação só está na volta de meu pai",
toma Ascânio, "Niso, pelos grandes Penates e o lar
de Assáraco e o santuário da grisalha Vesta, assegurovos, sejam quais forem minha sorte e segurança,                      260
em vosso regaço as ponho; trazei de volta meu pai,
dai-me revê-lo; a seu retorno nada será triste.
Darei dois copos lavrados em prata e palpáveis
pelas gravações, que tomou de Arisba, subjugada,
e também dois tripés e duas barras enormes de ouro,                   265
e a velha cratera que deu Dido de Sídon.
Mas se tomar a Itália e apoderar-me de seu cetro
suceder-me, eu vencedor, e fixar sorte a espólios,
viste com que cavalo, com que armas de ouro marchava
Turno: esse mesmo, o escudo, o penacho vermelho vivo                  270
retiro ao sorteio e já agora são teus prêmios, Niso.
Além disso, meu pai dará duas vezes seis mulheres
de seletíssimo corpo, e escravos e armas para todos;
e mais, as herdades que o próprio rei Latino possui.
A ti, a quem minha idade acompanha com intervalos                     275
mais próximos, rapaz respeitável, com todo o coração,
já acolho e abraço como amigo de toda emergência;
sem ti nenhuma glória será buscada em meus feitos;

se paz, se guerra levo, a ti, meu crédito supremo
em ações, em palavras." Em resposta a quem diz tais, 280
Euríalo: "Dia algum me acusará de destoar
de tão briosa empresa, só não me caiba contrária,
sorte feliz! Mas acima de todos os dons, um só
te peço: tenho uma mãe de antigo ramo Priameu,
a quem, para seu infortúnio, a terra de Ílio não guardou, 285
a sair comigo, nem os muros do rei Acestes.
E ora, deste perigo, a deixo toda ignorante
e não saudada; que Noite testemunha e tua
destra sejam de que não posso aturar lágrimas de mãe.
Mas, peço, consola a infeliz, socorre a quem deixei; 290
deixa-me esta esperança em ti: a todos os percalços
mais forte arrostarei". Corações abalados,
Dardânidas choram; mais que todos, o belo Iúlo,
a mais, lembrar o amor do pai cerrou-lhe o coração.
Então fala assim: 295
"Prometo tudo que é digno de teus altos desígnios,
pois será minha essa tua mãe e só o nome Creúsa
há de faltar: a um filho assim reconhecimento
grande é devido, seja que sorte os fatos seguir.
Juro por esta cabeça por que meu pai soía 300
antes, o que, ao voltares, te prometo, e com boa a sorte,
isso mesmo, para tua mãe e por teu povo, continuará".
Chorando, assim fala e ao mesmo tempo dos ombros tira a espada
dourada, que Licáon de Gnosso fabricara
de arte pasmosa e em bainha de marfim, fácil, fixou. 305
A Niso dá Mnesteu couro ou pele de leão
felpudo. Faz troca de capacete o fiel Aletes.
Tendo-se armado, partem já; segue-os na sua marcha
turma de chefes e jovens e velhos até a porta
com seus augúrios. E também o formoso Iúlo, 310

mostrando antes do tempo brio e cuidados de adulto,
muita mensagem dava a ser levada ao pai. Mas tudo
dispersam os ventos e jogam seu efeito às nuvens.
Saídos, passam por fossos e entre o breu da noite
rumam aos quartéis a si funestos, mas antes a muitos  315
serão de perda. Aqui e ali, gente deitada veem
de sono e vinho na grama, à praia erguidos os carros,
entre rédeas e rodas guerreiros jazendo, armas a par,
a par vasos de vinho. Hirtácides, primeiro, assim falou:
"É ousar à mão, Euríalo, a própria ação nos chama.  320
E cá é a trilha. Para que bando algum possa surgir
sobre nós, por trás, atenta e examina ao longe.
Vou desbastar aqui e te guiar por longa brecha".
Assim fala e retém a voz. Parte já, de espada, contra
o arrogante Ramnete, que acaso em grossos tapetes  325
alçado, com todo o peito sopra o sono, alto;
rei e adivinho de igual, mui caro ao rei Turno,
mas com o vaticínio não pôde desviar sua ruína.
Vara, perto, três servos de Remo aqui e ali deitados
entre armas e o escudeiro, e topou com o cocheiro ao pé  330
de seus cavalos e corta a ferro o pescoço, a pender;
ao próprio amo tira a cabeça e a deixa truncada,
a palpitar no sangue; em sangue escuro, amornado, o chão
e o leito se umedecem. Também mata Lâmiro e Lamo
e o jovem Serrano, que naquela noite muito  335
jogou, belo de rosto e que jazeu, membros vencidos,
por deus copioso: feliz, se com tal jogo a noite
emendasse e até à madrugada o levasse!
Qual leão faminto a agitar no ovífero curral cheio
(pois fome alucinada o excita) mata e arrasta o gado  340
manso e mudo de medo, ruge com a bocarra sangrenta:
não menos de Euríalo a matança; inflamado, também

se ensandece e, no meio, ataca um grande bando sem nome,
Fado e Herbeso e Reteu e Ábaris, desprevenidos,
a Reteu, embora vigiando e a tudo observando, 345
mas, de medo, escondido atrás de enorme cratera;
de perto, em seu peito à frente enfia a espada toda
na hora em que se erguia, e a puxou com muito sangue;
sua alma cor de púrpura expele e morrendo faz voltar
sangue com vinho. Fervente, furtivamente investe 350
e ia já aos sócios de Messapo, logo que o fogo
final viu se apagando e tosando a grama os cavalos,
ao costume, atados, quando estas breves palavras Niso
(pois o viu por matança e gana ser levado)
"Paremos", disse, "é que a alva, prejudicial, se aproxima; 355
o bastante se puniu, fez-se trilha entre o inimigo".
Deixam muita arma de guerreiros trabalhada em prata
pura, bem como crateras e esplêndidos tapetes.
Pega Euríalo, de Ramnete, as fáleras e o cinturão
de ouro com bulas, que a Rêmulo de Tíbur um dia 360
manda por dons Cédico, mui rico, embora ausente,
a aliar-se como hóspede. Aquele, ao morrer, os faz ter ao neto;
morto esse, os Rútulos por guerra e combate os ganham.
Rapta-os e aos ombros fortes os ajusta, inutilmente!
Veste então o elmo jeitoso de Messapo, enfeitado 365
de plumas. Vão dos quartéis e buscam segurança.
Mas cavaleiros da urbe Latina à frente enviados
(nisso, o resto da legião se detém em fila em campo)
marchavam e ao rei Turno levavam respostas,
trezentos, de escudo todos, Volscente o instrutor. 370
E já aos quartéis chegavam e entravam pelos muros,
quando ao longe os veem dando volta por trilha à esquerda,
e a Euríalo o elmo, na sombra parca em luz da noite,
projetou desatento, e contra os raios deu reflexo.

Não à toa isso se viu. Da fileira grita Volscens:  375
"Parai, guerreiros, por que essa trilha? quem sois, armados?
e que rumo tomais?". Em resposta eles nada oferecem,
mas apressam a fuga ao mato e se fiam no escuro.
Lançam-se os cavaleiros às várias trilhas sabidas
lá e cá e rodeiam cada saída, com guardas.  380
Floresta houve com sarça e negro azinho em extensão,
enleada, que enchera em toda parte denso espinhal;
rara, uma senda clareava por atalho oculto:
a Euríalo o escuro de ramos e o espólio pesado
obstam, e o temor o engana com a direção das passagens.  385
Niso está longe e escapa ao inimigo sem saber
e aos lugares que, após, são ditos, do nome de Alba,
Albanos; fundos apriscos tinha aí o rei Latino.
Mal parou e olhou atrás em vão o amigo ausente:
"Euríalo infeliz, em que parte deixei-te? sigo  390
por onde?". Outra vez varando cada senda intrincada
da mata insidiosa, as pegadas, em ré, tanto olha
com atenção, quanto se perde em sarçais silenciosos.
Ouve cavalos, ruídos e sinais dos que perseguem,
nem muito tempo de entremeio, quando um grito vem  395
ao ouvido, e vê Euríalo, a quem já um bando inteiro,
logro de local e noite, em súbito trom de tropel,
arrasta surpreendido e a tentar tanta coisa em vão.
Que fazer? Com que meios? Com que armas arriscar-se a livrar
o jovem? Ou, pronto a morrer, entre as espadas enfiar-se  400
e acelerar com ferimentos uma morte honrosa?
E lesto, braço contraído, um dardo a segurar,
olhando a Lua no alto, com voz alta suplica:
"Ó tu, deusa, acode tu propícia ao meu empenho,
glória de astros, guardiã de bosques, filha de Latona,  405
se algum dia em tuas aras por mim Hírtaco, meu pai,

dons te ofertou, se algum acrescentei com minhas caças,
se à cúpula prendi, isto é, fixei em sacro teto,
dá-me agitar esse pelotão, guia meus dardos pelo ar".
Disse e firmando-se com todo o corpo despachou   410
o dardo. A haste voadora destrincha as sombras da noite
e cai nas costas de Sulmão, que se virara, e aí
parte-se e passa o diafragma com lenho rachado.
Frio, se vira, vomitando do peito um fluxo quente,
e com longos estertores palpita-se-lhe a entranha.   415
Uns e outros olham em volta. Disso, mais animado,
eis balançava outra seta da ponta da orelha;
no seu mexer, outro dardo fura a Tago uma e outra fonte,
siflando e parou morna no cérebro varado.
O cruel Volscente raiva-se e em parte alguma vê o autor   420
do lanço ou aonde possa atirar-se em fúria.
"Bem, tu já agora pagarás pelos dois com teu sangue quente",
falou. Ao mesmo tempo, tendo sacado a espada,
investia contra Euríalo. Assustado, demente,
grita Niso, sem que na escuridão mais pudesse   425
se esconder ou aturar um tão forte sofrimento:
"Aqui eu estou que o fiz! Voltai o ferro em mim,
ó Rútulos, é meu todo o crime, esse aí nada tentou,
nem pôde; testemunha-me o céu e os cúmplices astros,
ele apenas amou demais ao amigo infeliz".   430
Tais proferia, mas a espada, com violência impelida,
vai além das costelas e o alvo peito despedaça.
Rola Euríalo para a morte e pelos membros belos
passa o sangue, e a nuca, tombada, inclina-se nos ombros:
qual purpurina aflor, cortada embaixo pelo arado,   435
ao morrer se amolece, ou papoulas, caule já bambo,
a corola baixam se acaso com a chuva se vergam.
Mas Niso avança entre eles e por meio deles vai

só atrás de Volscente, em Volscente só, se detém.
Em torno, inimigos juntos, perto já aqui, já ali, 440
o rechaçam; mais ameaça e gira a espada como um
raio, até que na boca, à frente, do Rútulo a gritar
a enfia e, mesmo morrendo, ao inimigo rouba a vida;
traspassado, então, sobre o amigo sem vida se arroja,
e nele enfim, com uma serena morte se acalmou. 445
Dupla feliz! Se algum poder meus versos tiverem,
nunca um dia vos tirará às gerações lembradas,
enquanto os de Eneias habitarem o rochedo imóvel
do Capitólio e o chefe Romano detiver o império.
Os Rútulos, tomada a presa e espólios, vencedores, 450
aos quartéis, chorando, levavam Volscens sem vida.
Não menos nos quartéis o pranto; achado morto
Ramnete, e os chefes num massacre só extintos,
Serrano e Numa; há grande afluência aos seus próprios corpos
bem como aos guerreiros semimortos e ao local aquecido 455
de morte há pouco e à poça espumante em sangue espesso.
Reconhecem entre si despojos e o elmo luzente
de Messapo e as fáleras com esforço reavidas.
E já Aurora luz nova nas terras espalhava,
abandonando o leito açafroado de Titono; 460
disperso já o sol, reexposta à luz a terra,
Turno, ele próprio rodeado de armas, às armas chama
os guerreiros e as alas junta cobertas de bronze;
cada qual junta as suas e com tons vários mexe as iras;
até fixam em pontas de lança alteada (horrível 465
ver!) e as seguem, com clamor alto, as próprias cabeças
de Euríalo e Niso.
À esquerda dos paredões os Enéadas, fortes,
puseram o exército (pois à direita o cerca um rio)
e ocupam fossos gigantes e estão tristes, de pé, 470

em torres altas; e os tocam os rostos espetados,
aos míseros bem conhecidos, e a manarem negro pus.
Nisso, alada, esvoaçando pela cidade em pavor, corre,
em debandada, Fama, a pregoeira, e aos ouvidos chega
da mãe de Euríalo, e o calor deixa logo os ossos da infeliz; 475
pulam das mãos as lançadeiras, a lã se desenrola;
sai voando a infeliz e com lamento agudo de mulher,
cabelo arrancado, louca, aos muros e às fileiras
vai correndo: dos guerreiros, dos perigos, dos dardos
esquecida; então satura os céus com seus queixumes: 480
"É assim que, Euríalo, te vejo, tu, aquele repouso
da velhice minha? Pudeste abandonar-me sozinha,
cruel? a ti, mandado para riscos tamanhos,
falar, a vez final, não se dá o poder à pobre mãe?
Ai! em terra estranha como presa dada a cães e aves 485
Latinas te estiras, nem a ti, em teu funeral levei,
como mãe te cerrei os olhos ou lavei chagas
pondo-te a roupa a que, apressada, noite e dia me dei
por ti, e com a teia aliviei afãs de velha!
Aonde ir? Ou que terra contém ora tuas juntas, 490
membros partidos, corpo em pedaços? É isso, filho,
que me trazes de ti? É o que segui por terra e por mar?
Cravai, se há compaixão, sobre mim todos os dardos,
Rútulos, lançai, a mim primeiro a ferro exterminai.
Ou tu, grande Pai dos deuses, te apieda e com teu dardo 495
minha pessoa odiosa no Tártaro derruba,
pois de outro modo não posso romper minha vida cruel".
Com tal choro se abalam corações, passa em todos
gemer de dor; fraca, a força embota para a luta.
Como avivava os lamentos, Ideu e Áctor, 500
por conselho de Ilioneu e Iúlo, que muito chorava,
recolhem-na entre mãos e outra vez levam para a casa.

Mas a tuba retumbou ao longe som terrível com sonoro
bronze; acompanham-na gritos e os ares estrondeiam.
Apressam-se os Volscos, feita em conjunto a tartaruga, 505
e põem-se a encher os fossos e arrancar o valo,
uns buscam saída e escalar de escadas os muros,
por onde a fila é rala e dá claros a coroa
não tão densa de homens. Já os Teucros derramam todo
tipo de armas e com duros chuços batem para 510
baixo, afeitos por longa guerra a guardar muros.
E contra-rolam pedras pesadas para de algum
modo romperem a tropa encoberta, mas é fácil
aparar toda queda sob o seu grosso casco.
Já não basta: por onde, extenso, o pelotão ameaça, 515
massa descomunal os Teucros rolam, lançam,
que achatou em muito os Rútulos e desfez de armas
a cobertura e sob Marte escondido não cuidam
mais Rútulos afoitos se opor, mas dão-se a o valo
rechaçar com dardos. 520
Em outro trecho, arrepiante de ver, brande Etrusco
galho píneo Mezêncio e lança tochas fumosas.
E já o Netúnio Messapo, domador de cavalos,
abre a trincheira e pede escadas para os muros.
Vós, Calíope, suplico, me inspirai enquanto canto, 525
aí, a ferro, que matanças, que mortes Turno
provocou, cada guerreiro que despachou ao Orco;
desdobrai comigo os quadros amplos da guerra
[pois vós sois, deusas, lembradoras e capazes de contar].
Torre houve de grande altura e pontes elevadas 530
apta pelo local, que com sumo esforço todos
os Ítalos, com suma força de recursos seus,
tentavam tomar; por sua vez, guardá-la a pedras
Troicos e, juntos, rojar dardos por vãos de frestas.

Turno, o primeiro, lançou uma tocha ardente 535
e ao flanco afixou a chama que, adensada a vento,
ataca tábuas, pega-se a portas que a queimar começam.
Confusos, dentro, mexem-se aqui e ali e querem
vã fuga ao perigo: enquanto juntam-se e retrocedem
à parte que está sem estrago, súbito a torre 540
sob o peso tomba à frente e troa todo o céu de estrondo.
Vêm meio-mortos ao chão, seguindo-os a construção
Imensa, e pregados por seus dardos e, por mourões
duros, no peito varados; mal um só, Helenor,
e Lico escapam; deles o mais velho é Helenor, 545
a quem Licímnia escrava, do rei Meônio, gerara,
furtiva, e a Troia mandara com armas proibidas
à ligeira, espada nua, inglório, escudo branco.
Mal se viu entre os soldados milhares de Turno,
à sua frente, linhas daqui, linhas Latinas dali, 550
qual fera sitiada em cerco denso de caçador,
se enraiva contra armas e, não sem saber, se atira
à morte e com um salto sobre as varas se eleva:
não de outro modo, o jovem, disposto a morrer, entre inimigos,
e vai por onde vê o mais apinhados os dardos. 555
Mas Lico, bem melhor com os pés, tanto por entre inimigos
quanto por armas, em fuga chega às muralhas e tenta
com as mãos agarrar-se às pontas e atingir a destra dos seus.
A quem Turno, seguindo a par com corrida e armas,
censura com estas, triunfante: "louco, destas mãos 560
contaste em poder safar-te?". E ao mesmo tempo o segura,
no ar, e o puxa com grande pedaço do muro:
qual, quando uma lebre ou cisne de alvo corpo o portador
de armas de Júpiter suspende nos pés curvos, voando ao alto,
ou o lobo de Marte ao cordeiro do curral 565
raptou, que a mãe busca a balir tanto. De toda parte um clamor

sobe; eles avançam e enchem de entulhos os fossos;
outros jogam achas com fogo aos pontos mais altos.
Ilioneu, com pedregulho, ou lasca de rochedo,
derruba a Lutécio, que se achegava à porta e tochas        570
trazia; Líger a Ematião, Asilas a Corineu,
um, no arremesso, o outro, na seta que engana de longe;
Ceneu bate a Ortígio, Turno ao vencedor Ceneu;
Turno a Ítis, e a Clônio, e a Dioxipo, e a Prômulo e a Ságaris,
e a Ida, postado em frente da altíssima torre.              575
Cápis a Priverno, a que a haste ligeira de Temila
primeiro roçou; louco, jogando o escudo, leva a mão
à ferida: assim, a seta se achegou com asas
e se espetou na mão no lado esquerdo e, ocultos dentro,
rompe os respiradouros da alma, com chaga mortal.          580
Dentro de armas soberbas se apruma o filho de Arcente,
de clâmide bordada, forte no tom escuro Ibero;
saliente de rosto, o pai Arcente o enviara, educado
no sacro bosque da mãe, à beira do rio
Simétio, onde há uma ara do fértil e aplacável Palico;      585
funda siflante, depostas as hastes, Mezêncio
mesmo, dando volta três vezes à cabeça, lançou e o
meio das fontes do opositor, derretido o chumbo,
rachou e o derrubou, esticado em grossa areia.
Então, primeira vez em guerra, entesar a seta               590
veloz se diz, antes afeito a assustar feras a fugir,
Ascânio, e com a mão pôs por terra o valente Numano;
era de cognome Rêmulo e tinha de Turno a irmã
caçula, tendo-se há pouco tempo associado em bodas;
diante da primeira fila, coisa digna e indigna             595
de dizer, bradando e no íntimo ufano do novo reino,
ia-se e a si alardeava poderoso, aos gritos:
"Não vos peja ser contidos outra vez por cerco e valo,

Frígios duas vezes presos, e opor muro ante a morte?
Eis quem quer nossas bodas para si, pela guerra! 600
Que deus, que desvario vos impeliu para a Itália?
Não há aqui Atridas, Ulisses que finge ao falar.
Gente dura desde o nascer, já os filhos ao rio
levamos e a frio atroz e de água os fortalecemos;
para caçar, os meninos velam e exploram matas, 605
é diversão domar cavalo e apontar seta com o arco,
e resistente à lida e afeita ao pouco, a juventude
ou doma a terra a garfo ou abala o forte com guerra.
Todo tempo é gasto com ferro e, lança virada,
batemos do novilho o dorso. E a lerda velhice 610
não enerva o poder do ânimo ou nos altera o vigor:
as cãs abafamos com elmos e é prazer, sempre novos,
carregar os despojos e viver de pilhagem.
Vos vestis de açafrão e cintilante púrpura;
inércia, vosso agrado; vos apraz dar-vos à dança, 615
e vossas túnicas têm mangas e vossos turbantes, faixas.
Frígias de fato, pois Frígios não sois, caminhai pelo alto
do Díndimo, onde a flauta dois-furos dá som habitual;
chamam-vos tambores e pífaros Berecintos da Mãe
do Ida; deixai armas aos homens, renunciai ao ferro!" 620
A gabar-se dessas coisas e a cantar afrontas
não suportou Ascânio e, de frente, com a corda equina
estendeu o arco e levando afastados os braços,
parou e, súplice, ante Júpiter, pediu com votos:
"Júpiter todo-poder, aprova meu intento ousado, 625
pessoalmente a teu templo te levarei ofertas rituais,
e à ara alvo novilho porei de fronte dourada
e que juntamente com sua mãe levante a cabeça
e que ataque com o chifre e espalhe areia com as patas."
Ouviu-o o Genitor e, da parte sem nuvem do céu, 630

troa ao lado esquerdo e junto soa o arco da morte;
puxada atrás, a seta escapa chiando tremendo,
e atinge a cabeça de Rêmulo e pelo oco das têmporas
vara. "Vai, zomba do vigor com vozes soberbas.
Frígios, presos duas vezes, dão aos Rútulos resposta." 635
Só isso, Ascânio; os Teucros o seguem com seus gritos,
com júbilo vibram e os ânimos aos astros elevam.
Nisso, Apolo cabeludo, da região do ar, por sorte,
de cima via os exércitos Ausônios e a cidade,
em nuvem sentado e estas diz a Iúlo triunfante: 640
"Viva! rapaz, por teu valor que surge, assim vai-se ao céu!
Nado de deuses e um dia a gerar deuses: guerras, todas,
vindouras por fado, bem cessarão com a Assáraca estirpe,
Troia não te contém." Logo que essas proferiu, do éter
superior se lança, dispersa os sopros das brisas 645
e vem a Ascânio. Em forma do rosto se converte então
no antigo Buta. Antes, escudeiro de Anquises
Dardânio foi e seu fiel guardador de porta. Como
companheiro de Ascânio o pai o pôs. Apolo caminhava,
em tudo, igual ao velho, e pela voz e pela tez, tan- 650
to e pelas cãs e armas, por seu ruído, terríveis;
e, de mais, com estas fala ao ardente Iúlo:
"Baste, filho de Eneias, impune, em Numano com teu
dardo ter batido, o grande Apolo esta primeira glória
a ti concede e não inveja tuas armas iguais; 655
no mais, abstém-te da guerra, moço." Assim dito, Apolo
abandona em plena fala sua mortal figura
e dos olhos ao longe sumiu no vazio do vento.
Reconheceram os chefes Dárdanos o deus e o arco
divino e em sua fuga perceberam a seta que sifla. 660
Vedam, pois, Ascânio, ávido de luta, da voz e
poder Febeu, e vão-se eles ao combate

e lançam suas existências aos perigos patentes.
Corre um grito de todo o muro nos baluartes;
tesam pontudo arco e giram correia de armas; 665
cobrem o chão todo de dardos, escudos, elmos ocos,
dão ruído no entrechoque, começa dura batalha:
tanto quanto, vinda do oriente com os Cabritos pluviais,
a chuva açoita a terra, como com muita saraiva
borrascas dão-se ao mar, ao lançar Júpiter tempestade 670
chuvosa, com Austros, e no céu destroçar nuvens ocas.
Pândaro e Bítias, nascidos de Alcânor do Ida, aos quais
educou a agreste Iera em bosque sacro de Jove,
jovens iguais aos abetos e aos montes de sua pátria,
reabrem a porta, confiada por mando do Chefe; 675
em armas fiados, provocam hostes aos muros.
De pé, dentro, à destra e à esquerda, como torres,
ferriarmados, brilhosos, testa alta com penachos,
quais dois altos carvalhos à beira de claras águas,
ou às bordas do Pó, ou perto do Átese aprazível, 680
suspendem-se e na direção dos céus, não tousados,
erguem suas grimpas e, inclinado cimo, balançam.
Mal viram aberta a entrada, os Rútulos se arremessam;
sem demora, Quercente e Aquículo, vistoso em armas,
e Tmaro, de gênio apressado, e Hemão, o Belicoso, 685
mesmo com toda a tropa, virados, dão as costas,
ou na própria soleira da porta a vida deixam.
Então a ira aumenta mais nos corações contrários:
juntos, já os Troianos num só ponto se concentram,
e atrevem-se a travar luta e a ir à frente mais longe. 690
Ao chefe Turno, em outra parte, enfurecido
e a matar guerreiros, leva-se a nova: o inimigo,
arde com a recém-matança e oferece a porta aberta.
Larga o começado e, de ira colossal mexido,

precipita-se à porta Dardânia e aos altivos irmãos, 695
e primeiro a Antífanes, pois esse vinha à frente,
bastardo do ilustre Sarpédon, Tebano de mãe,
prostra com a lança jogada; voa o Ítalo pilrito
pelo ar sem peso e cravada no ventre, dentro do peito 700
some; o oco jorra o líquido espumante da negra
chaga, e o ferro se amorna no pulmão varado.
Então abate com a mão a Mérope e Erimanto e Afidno;
então a Bítias, que ardia no olhar e urrava no peito,
não com dardo (pois que a dardo aquele não daria a vida),
mas o pegou falárica arrojada, forte a zuir, 705
impulsa a modo de raio, a que nem dois couros de touro,
nem sólida couraça de uma malha dupla e ouro
resistiu; vacilando, os membros tombam, descomunais;
dá um gemido a terra, e mais do que isso, o escudo,
    grande, estronda:
tal, às vezes, na praia da Eubeia de Baias, 710
cai um dique de pedras, que outrora, com grandes blocos
construído, jogam no mar; tombado assim, desaba
e, despedaçado por inteiro, em recifes se estende;
revoltam-se as águas e a areia escura se eleva;
então Próquita altaneira treme ao ruído e, duro leito, 715
Inárime, por mando de Júpiter, posta por cima.
Então Marte, potente-em-armas, acresce aos Latinos
coragem e força e em peitos mexeu ferrões pontudos,
e nos Teucros derramou Fuga e o escuro Temor.
De todo canto vêm, pois lhes foi dado o poder do combate 720
e o deus guerreiro nos peitos se instalou.
Pândaro, assim que vê o irmão de corpo estendido,
em que pé esteja a sorte e que acaso reja os fatos,
gira a porta, ao virar gonzos, com muito esforço,
em largos ombros firmado, e muitos dos seus deixa 725

excluídos das muralhas no custoso embate,
mas consigo tranca outros e os que vêm correndo acolhe.
Louco! pois não viu em pleno pelotão o rei Turno
investir, e mais, o fez trancar-se na cidade,
tal qual um tigre gigantesco entre plácido rebanho.                730
Logo um brilho inusitado nos olhos piscou, e as armas
soaram medonhas, na cabeça agitam-se penachos
cor-de-sangue, e deixou escapar clarões faiscantes do escudo.
Reconhecem o rosto odioso e os membros colossais,
com susto súbito, os Enéadas; Pândaro enorme                       735
rompe e, pela morte fraterna fogoso de ira,
diz: "Não é esse o palácio dotal de Amata,
Árdea no meio dos muros pátrios não retém a Turno,
vês quartéis inimigos, sair daqui não há como!".
Sorrindo-lhe, acalmado já o ânimo, Turno:                          740
"Começa, se há coragem no peito, a travar a luta;
dirás a Príamo que aqui também achaste Aquiles".
Disse. Aquele, firmando-se com total força, arroja
uma tosca lança de nós e casca verde.
Ventos o golpe recebem. Juno Satúrnia                              745
desviou-o ao vir, e a lança se fixa na porta.
"Mas deste dardo que a minha mão vira com força
não fugirás: do dardo o propulsor não é o do golpe."
Assim fala e ergue no alto a desembainhada espada
e, com o ferro, o meio da testa entre as têmporas parte            750
em dois e as faces sem barba, com golpe medonho.
Faz-se estrondo. A terra com peso enorme se abala;
os membros frouxos e armas do cérebro sangrentas,
morrendo, estende ao chão; e em partes iguais, sua cabeça,
lado de cá, lado de lá, de ambos os ombros pendeu.                 755
Virados, os Troicos debandam num pavor de tremer,
e se logo ao vencedor viesse uma ideia como esta:

romper o recinto à mão e enfiar os seus pela porta,
seria aquele o último dia da guerra e da raça.
Mas fúria e insano amor de matar levam-no ardente  760
contra os oponentes.
De início, a Fálaris, e a Giges, cortando o jarrete,
surpreende: as lanças tiradas deles, as joga, ao fugirem,
nas costas. Juno é que lhe serve força e coragem.
Acresce o sócio Hálio e Figeu, varado o escudo,  765
sem que o notem nos muros e a provocar Marte,
tanto a Alcânder e a Hálio, quanto a Prítane como
   a Noêmon;
a Linceu, que vem em sua direção e chama os sócios,
hábil, firmando-se no paredão com o gládio vibrante,
se opõe; a cabeça abatida a um só golpe rente,  770
junto com o elmo, foi parar longe. A seguir, o assolador
de feras, Ámico, mais apto que o qual não houve
outro a untar dardos com arte e armar ferro com veneno;
e a Clélio da Eólia, e a Creteu, afeiçoado às Musas,
Creteu, das Musas cultor, cujo gosto eram poemas,  775
e a cítara, e fazer vibrar melodias por cordas,
sempre a cantar cavalos, armas, lutas de guerreiros.
Enfim, capitães Teucros, ouvida a matança
dos seus, Mnesteu e o ardente Seresto a par afluem;
veem seus homens desgarrados e o inimigo entrado.  780
E Mnesteu: "Fuga aonde, então? , diz, "ides aonde?
Que outros muros, que outra fortaleza tendes além?
Um homem só e de toda parte cercado, amigos,
em trincheiras, pela urbe, impune, tal matança
faria? Enviando ao Orco tantos capitães de jovens?  785
Da inditosa pátria e de vossos velhos deuses e do
grande Eneias, frouxos, não tendes dó nem vergonha?".
Com essas acesos, firmam-se e, em pelotão cerrado,

se postam. Turno aos poucos recua da luta
e vai-se ao rio e ao trecho que é por água rodeado. 790
Mais duros, pois, de alto grito, caem-lhe em cima os Teucros,
adensam a tropa: tal quando um grupo a um leão bravo
coage em armas que irritam; ele, assustado,
arriçado, acremente olhando, arreda, mas nem a raiva
nem a coragem o deixam recuar ou investir; 795
bem que o querendo, seria capaz entre armas, entre homens:
não de outro modo, Turno, a hesitar, passos bem lentos dá
para trás e seu peito ferve intensamente de ira;
até atacar então duas vezes entre os inimigos;
duas vezes recuou por muros alas em desordem 800
de fuga. Mas dos quartéis todo o troço logo se faz um.
Nem Juno Satúrnia, por sua vez, ousou forças
fornecer, pois do céu Júpiter a Íris aérea
manda abaixo, que traz à irmã ordens nada suaves:
se Turno não sair dos altos muros Teucros... 805
Assim, nem com o escudo nem com a mão consegue o jovem
resistir. Com tais projéteis de todos os lados,
cobre-se, o elmo retumba aos frequentes tinidos em torno
do vão das fontes, e o bronze sólido sob seixos se
fende. A crista abaixa-se, à cabeça, a ponta do broquel 810
cede às pancadas. Troicos, com lanças, e o próprio Mnesteu
rebatem. Então de todo o corpo o suor
escorre e, com piche (respirar já nem mais se pode),
produz uma torrente; árduo ofego esfalfa os membros gastos.
Precípite, enfim, joga com todas as armas 815
a si no rio; este o acolheu, ao cair, no benfazejo
caudal amarelado e o pôs fora das águas suaves,
e alegre, lavada a mortandade, o devolve aos seus.

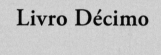

No entanto, se descerra a morada do Olimpo onipotente,
e convoca a assembleia o Pai dos deuses e dos homens rei
à mansão astral, de onde altivo todas as terras
contempla, os arraiais dos Dárdanos e os povos do Lácio.
Sentam-se em selas abertas dos dois lados. Diz ele:  5
"Celícolas excelsos, por que por vós a decisão
é voltada? E tanto disputais com tendências várias?
Eu recusara que a Itália entrasse em guerra com os Teucros:
que desacordo com o proibido é esse? Que medo a uns
e a outros impeliu a pegar arma e incitar guerra?  10
Tempo certo virá – não o procureis – da luta,
quando a feroz Cartago um dia aos fortins Romanos
levará grande derrota e a abertura dos Alpes;
será livre então disputa de ódio e pilhagem de bens:
ora consenti, firmai, contentes, pacto que agrade".  15
Isso, Jove em poucas, mas por sua vez não com poucas diz
linda Vênus:
"Ó Pai, ó poder eterno de homens e de criações
(pois o que outra coisa há que já possamos implorar?),
vês como os Rútulos exultam e Turno se conduz  20
entre eles; vistoso a cavalo e, Marte a favor, avança,
enfatuado? O muro, fechado, já não guarda Teucros,

até entre portas e nos valos das muralhas
mesmas, travam combate e de sangue se inundam fossos.
Fora, Eneias nada sabe. Então, nunca deixarás                25
aliviados do cerco? O inimigo ameaça outra vez muros
de uma Troia que surge, e um outro exército, além;
e outra vez contra os Teucros surge de Arpos da Etólia
Tidides. Creio, ao certo minhas feridas persistem
e, embora tua filha, fico aguardando armas de mortais.      30
Se sem aprovação e teu querer divino os Troicos
a Itália atingiram, paguem erros, e não os contentes
com tua ajuda. Mas se tantos oráculos seguiram,
que os De-Cima e os Manes davam, por que teus
    decretos alguém
pode mudar? Ou por que estabelecer novos destinos?          35
Por que lembrar frota abrasada na praia Ericina?
E o regedor de borrasca e furiosos ventos
revoltos na Eólia, ou Íris enviada das nuvens?
Já agora, Alecto aos Manes (tal classe de ente estava
inexplorada) excita e, súbito enviada de cima,              40
vai desvairada no meio das Ítalas cidades.
Nada me interesso em mando, isso já esperamos enquanto
houve sorte: vençam os que preferes que vençam.
Se não há região que aos Teucros dê tua dura esposa,
ó meu pai, pelas ruínas fumegantes de Troia,                45
arrasada, te imploro, seja dado livrar de armas,
são e salvo, a Ascânio, permitido ao neto meu sobreviver.
Que Eneias, sim, se agite em ondas ignoradas,
e qualquer o caminho que a sorte lhe der, que siga:
posso protegê-lo e a tristes batalhas subtrair.             50
Em meu uso, Amatunte, Pafos elevada e Citera
e a morada em Idálio estão; depondo as armas, obscuro,
passe aí seu tempo. Ordena, com teu enorme poder,

que Cartago oprima a Ausônia; nesse caso, às urbes Tírias
nada se oporá. Aos Teucros, que ajudou escapar 55
do flagelo da guerra no meio de incêndios Argivos
e tanto perigo passado em mar e em vasta terra,
enquanto procuram o Lácio e uma Troia renascida?
Melhor não teria sido em últimas cinzas da pátria
fixar-se e no solo onde foi Troia? O Xanto e o Simoente 60
devolve, imploro, aos míseros e dá, pai, aos Teucros passar
outra vez as desgraças de Ílio". A tirânica Juno
por forte furor movida: "Por que me obrigas a quebrar
fundo silêncio e pôr fora em palavra oculta dor?
Qual dos homens ou deuses obrigou a Eneias 65
buscar guerra e se impor inimigo ao rei Latino?
À Itália veio por ação dos destinos, que seja,
coagido por fúria de Cassandra. É que o animamos
A deixar seu forte e confiar a vida aos ventos?
A um menino confiar mando de guerra e muralhas? 70
Importunar a boa-fé Tirrena e as nações em paz?
Que deidade, que rijo poder, de nós vindo, em dano
o pôs? Onde, aí, Juno ou Íris enviada das nuvens?
É indigno Ítalos rodearem de chamas Troia
que nasce? E Turno se firmar em sua terra pátria 75
se lhe é avô Pilumno, a deusa Venília, sua mãe?
Quanto a Troicos com negra tocha acossarem Lácios,
domarem com jugo campo alheio e lhes roubarem caças?
Escolher sogros e do abrigo excluir pactuados em bodas?
Pedir paz com um gesto e fixar armas sobre popas? 80
Tu, tu podes subtrair Eneias às mãos dos Graios;
em lugar do herói, estender névoa e ventos irreais
e converter sua armada em ninfas de número igual;
por nosso lado, ajudar Rútulos em algo é crime!
Fora, Eneias nada sabe; e nada saiba, fora! 85

Tens Pafos e Idália, Citera elevada; por que atacas
cidade prenhe em guerras e coléricas mentes?
Contra ti, tentamos destruir o vacilante império
da Frígia? nós? ou quem jogou míseros Troianos
contra Aquivos? Qual foi a causa de erguer-se em armas       90
Europa e Ásia, e romper a aliança com um rapto?
Sendo eu guia, o adúltero Dárdano assaltou Esparta?
Fui eu que dei armas ou fomentei guerras com Cupido?
Convém lá temer pelos teus, ora tardia te insurges
com queixas injustas e lanças inúteis disputas?".           95
Tais Juno arenga e todos os Celestes murmuram
com adesões opostas; tal como os primeiros sopros,
retidos, bramam na brenha e obscuro rumor volvem,
revelando que aos marinheiros ventos vão chegar.
O Pai onipotente, aí, poder maior do mundo,                100
começa; ao falar, o excelso pouso de deuses se cala,
estremece a terra no chão, emudece o ar puro no alto;
aí Zéfiros quedam-se, fecha o mar sua planura de paz.
"Tomai, pois, e fixai no espírito estas minhas predições:
já que lícito não foi ligar Ausônios com Teucros,          105
por pacto, e vossa discordância a um fim não chega, tenha
hoje sua sorte cada um, o que esperar, dê-se.
Troiano ou Rútulo for, não lhes farei distinção,
se quartéis de Ítalos, por fado, em cerco se tomarem,
seja por fatal engano ou por predições funestas;           110
disso não isento os Rútulos; a empresa trará dor
ou ventura a cada um: Jove é um só rei para todos;
os fados acharão seu curso." Pelo rio do Estígio
irmão, margens ardentes de pez e negra torrente,
consente, e no aceno fez todo estremecer o Olimpo.         115
Esse, o fim da fala. Ergue-se Júpiter do trono
de ouro, ele a quem, ao meio, os Celestes levam ao umbral.

Nesse ínterim, os Rútulos, em volta a cada entrada
dão-se a exterminar guerreiros e rodear muros com chamas.
Mas a legião de Eneias mantém-se em valos sitiada, 120
sem esperar fugir. Tristes, em pé, sobre altas torres
em vão, e em ralas rodas cercam os paredões.
Vêm Ásio, filho de Ímbraso e Timetes, filho de Hicetáon,
os dois Assáracos, e Timbres, o mais velho, com Cástor:
primeira fila; aos quais de Sarpédon os dois irmãos, 125
Claro e Têmon, acompanham desde a parte alta da Lícia;
traz, firmando o corpo todo, uma grande pedra,
fragmento não pouco de rocha, Ácnon de Lirnesso,
não menor nem que seu pai Clítio, nem que seu irmão
    Mnesteu.
Uns com dardos, outros com seixos buscam defender, 130
preparar chamas e ajeitar setas em arcos.
Ao meio, em pessoa, o mais certo desvelo de Vênus,
o rapaz Dárdano, sua bela cabeça descoberta,
luz qual joia que em dois parte o fio de ouro claro,
enfeite de pescoço ou cabeça; ou, qual encravado 135
com arte num buxo ou no terebinto Orício,
fulge o marfim; sua nuca cor-leite apanha a coma
jorrada, que embaixo liga anel de ouro flexível.
A ti também, Ísmaro, viram essas nobres nações
acertar golpes e preparar projéteis com veneno, 140
da raça Meônia ó fidalgo, lá onde férteis plantações
remexem homens e que o Pactolo banha de ouro;
e aí compareceu Mnesteu, que glória antiga pôs
no alto, em expulsar Turno dos valos das muralhas,
e Cápis: dele sai nome de urbe da Campânia. 145
Peleja entre si vinham travando da guerra
penosa: Eneias sulcava o mar bem no meio da noite.
Logo que, vindo de Evandro, entrou no Etrusco quartel,

vai ao rei e ao rei diz seu nome e raça e o que procura
e pessoalmente traz, e que armas para si granjeia 150
Mezêncio, bem como as violentas disposições de Turno
lhe mostra e qual boa-fé há nas ações humanas
lhe lembra e entremeia pedidos: sem demora Tárcon
junta-lhe tropa e a bate em pacto; então, livre do fado,
às naus sobe a gente Lídia a mando de deuses, 155
confiada a um capitão de fora. O navio Eneio
toma a frente, ao esporão embaixo postos Frígios leões;
sobranceiro está o Ida, aos Teucros exilados tão caro.
Aí senta o nobre Eneias e revolve consigo
as sortes várias da guerra, e Palante, à esquerda 160
sua, fixo, ora sonda os astros, rota da noite,
apagada, ora o que já passou por terra e por mar.
Descerrai o Hélicon, deusas, agora e inspirai meus cantos:
que tropas, nesse ínterim, das costas Toscanas Eneias
seguem, equipam navios, pelo mar se transportam. 165
Mássico, o da frente, os plainos corta com o brônzeo Tigre;
a seu mando, tropa de mil jovens, que os muros Clúsios
e a urbe Cosa deixaram, em cujos ombros vão
dardos, setas, leves aljavas, mortíferos arcos.
Junto, o horrível Abas; todo o pelotão, notáveis 170
armas, com ele, e brilha a popa de Apolo dourado.
Populônia, sua terra natal, lhe dera seiscentos
jovens, em guerra experientes; já a ilha de Ilva,
trezentos, opulenta por minas de aço inesgotáveis.
Terceiro, Asilas, famoso mediador de homens, deuses; 175
fibras de quadrúpede, astros do céu lhe obedecem,
linguagens de ave e clarões de presságio dos raios:
mil toma, adensados em batalhão e lanças crespas,
que se lhe submetam manda Pira, Alfeia de origem,
cidade Etrusca por solo. Segue-os Ástir, tão belo, 180

Ástir fiado em seu cavalo e em armas multicores.
Juntam-se trezentos, todos num só querer segui-lo,
que vêm da nação Cere ou ficam nos campos do Minião,
bem como a antiga Pirgos e a malsã Gravisca.
A ti, dos Lígures guia, valentíssimo em guerra, 185
não passarei, Cúnaro, e ó Cupavo que poucos seguem,
de cuja cabeça penas de cisne se aprumam;
(o crime, ó amor, foi teu erro), e o enfeite é a forma de teu pai,
pois contam que Cicno, em pranto pelo amado Faetonte,
cantando em ramas de choupo e à sombra das irmãs 190
e enquanto consola com uma canção o triste amor,
passou com tenra pluma a velhice grisalha,
deixando a terra e com seu canto indo em busca de astros.
Seu filho, indo-lhe atrás a frota, turmas de sua idade
faz com remos andar o Centauro imenso; este 195
pende-se na água e ameaça rocha enorme sobre ondas,
empinado, e com longa quilha sulca o mar profundo.
Ocno famoso impele também, da orla natal, batalhão,
filho de mãe profetisa e de rio Toscano,
o qual te deu, Mântua, muralhas e o nome de sua mãe, 200
Mântua rica em avoengos, mas não uma a raça de todos:
tríplice é sua gente e, de cada gente, quatro clãs,
ela a capital dos clãs; seu poder, de sangue Tusco.
Deles, Mezêncio até arma quinhentos contra si,
que, de seu pai Benaco, envolto por cana verde-mar, 205
Míncio levava pelas planuras de água em pinho hostil.
Vai pesado Auletes e com cem remos as ondas
fere erguendo-as, o mar espuma no marmóreo virar.
Leva-o o imenso Tritão e sua concha que assusta
vagas cor-azul; fronte peluda até a cintura ao nadar, 210
figura um homem, seu ventre se finda em baleia,
sob seu peito meio-animal murmura a onda espumosa.

Iam tantos chefes de escol e três vezes dez naus
à ajuda de Troia e a bronze fendem planícies de sal.
Já o dia do céu se apartara, e Febo benfazeja, 215
no carro de ondas à noite, toca o meio do Olimpo.
Eneias mesmo (que a aflição não dá paz aos membros),
sentado, governa o leme quanto cuida das velas.
E eis que o coro de seus acompanhantes em pleno curso
vem-lhe ao encontro: ninfas que a benigna Cibebe 220
mandara obter deidade de mar e de naus se verter
em ninfas, flutuavam par a par e as ondas cortavam,
quantas as proas de bronze antes à praia se erguiam.
Dão por seu rei de longe e o rodeiam com coros.
Delas, a mais instruída em falar, Cimodoceia, 225
indo em pós à nau, com a destra a prende e com o dorso
    se ergue
ela mesma, e com a esquerda a impele em ondas silenciosas.
A ele insciente, assim fala: "Vigias, Eneias,
prole diva? Vigia e enfia amarras nas velas.
Somos os pinhos do Ida, de seu cimo sagrado, 230
ora ninfas do mar, tua frota. Como nos forçava,
já a pique, o Rútulo desleal com ferro e com fogo,
contra a vontade, rompemos tuas cordas e te buscamos
pela água lisa. Condoída, a Mãe refez nossas imagens,
concedeu sermos deusas e passar o tempo sob ondas. 235
E o jovem Ascânio é retido por muros e fossos,
entre as armas e os Latinos, medonhos por Marte.
Os postos mandados já ocupa o Árcade a cavalo,
misto com o bravo Etrusco: opor-lhe tropa ao meio, para
não se unir ao quartel, de Turno é certa a opinião. 240
Sus, ergue-te e logo ordena, antes que Aurora chegue, às armas
chamar os sócios e toma o escudo que o próprio Ignipotente
como invencível deu-te e a orla do qual de ouro cingiu.

O clarão de amanhã, se inúteis meus ditos não julgares,
vai mirar grandes montões de Rútula matança".   245
Disse, e ao se afastar, com a destra impeliu a alta popa,
consciente de sua força: foge ela pelas ondas
mais veloz que um dardo e a seta que iguala a ventania.
Já, as outras apressam o curso. O Troico filho de Anquises,
sem compreender, ergue os ânimos com este agouro.   250
Então, olhando as curvas sublimes, breve suplica:
"Benigna Ideia Mãe dos deuses, o Díndimo a peito
tens e as urbes torreadas e os leões presos em dois ao freio,
me estás ora à frente da luta, apressa o augúrio,
no rito, e assusta os Frígios, ó deusa, com pé favorável".   255
Só isso disse. E, no entanto, ao se virar, o dia irrompe
com luz total, e já tinha afugentado a noite.
Mais que tudo, ordena aos sócios, que sigam os augúrios,
deem atenção às armas, e preparem-se à luta.
Já pela frente tem os Teucros e seus arraiais,   260
de pé, na alta popa, quando com a esquerda o escudo,
flâmeo, ergueu. Grito aos astros Dardânidas elevam
dos muros; a esperança aumentada as iras atiça;
ao alcance das mãos jogam dardos: quais, ao vir nuvem
negra, dão sinal grous de Estrimão e varam o ar puro   265
com ruídos e com som feliz fogem dos ventos e chuva.
Mas ao rei e aos chefes Rútulos esses fatos parecem
estranhos, até que à praia, viradas as popas,
veem atrás todo o mar escorrer com a frota.
Brilha o elmo na fronte e, da ponta, lastra dos penachos   270
chama e o pico de ouro do escudo vibra vastos fogos;
não de outro modo, quando em noite clara, cor de sangue,
os cometas se enrubescem triste ou o calor de Sírio;
ele, trazendo sede e doença aos mortais aflitos,
surge e tolda os céus com sua funesta claridade.   275

Mesmo assim, de Turno afoito não foge a confiança
de alcançar antes a praia e os repelir da terra, ao virem.
[E mais: com palavras move ânimo e, franco, adverte:]
"O que em promessas rogastes aí está: destruir à mão;
nas mãos, o próprio Marte, homens; da esposa, ora se lembre   280
cada qual, e do lar; ora, as nobres façanhas, louvor
de avós recorde. Sem mais, os invistamos na água,
enquanto em medo e, saindo, ao primeiro passo hesitem.
A sorte ajuda a quem ousa".
Tais fala e consigo resolve quem possa mandar   285
contra e a quais confiar os paredões sitiados.
Eneias, nesse ínterim, aos sócios, das altas popas,
tira por pontes. Muitos observam o refluxo
do mar calmo e com um salto se entregam aos baixios;
outros, por remos. Tárcon, tendo examinado a praia   290
por onde o mar não ferve ou, quebrada, a onda não geme,
mas sem se chocar, se abeira da maré crescente,
volta de repente a proa e conclama os companheiros:
"Agora, ó grei de escol, dobrai-vos com fortes remadas;
tomai, levai as naves, rachai com esporões esse chão   295
hostil e que a própria quilha cave um sulco para si.
E aceitaria que se rompa o navio em porto assim,
se de vez tomar a terra". Depois que proferiu
essas Tárcon, em um, os sócios se erguem dos remos
e as naves, a espumar, enfiam em chão Latino,   300
até que esporões tomem o seco e parem quilhas
todas sem danos. Porém, Tárcon, não tua popa,
pois, batendo em parcéis, ao pender, dorso inclinado,
incerta, erguida por longo tempo, açoita as ondas,
solta-se e joga os guerreiros no meio das águas, aos quais   305
estorvam fragmentos de remo e os bancos, flutuantes,
e volta atrás seu curso ao mesmo tempo em que as ondas refluem.

Lento vagar não prende a Turno e, ardente, arrasta inteiro
o esquadrão contra os Teucros e na orla se lhes opõe.
Tocam o sinal. À frente assalta bandos campestres            310
Eneias, augúrio bom de guerra, e Latinos
consterna; morto Téron, que, o mais alto dos homens,
sem mais ataca a Eneias; com a espada, entre brônzeos fios,
pela túnica rija de ouro, vara o flanco exposto;
depois fere a Liças, extraído da mãe já morta               315
e consagrado a ti, Febo, pois foi-lhe dado, infante,
fugir do risco do ferro. Perto, ao forte Cisseu
e Gias gigante, a abaterem alas com maça,
mortalmente prostrou: nada, de Hércules as armas
ou as robustas mãos lhe valeram, nem seu pai Melampo,        320
sócio de Alcides, enquanto forçadas fainas
lhe deu. Eis que a Faro a gritar solta ditos
vãos, arremessando um dardo: o crava em sua boca.
E tu, ao seguires Lício, novo prazer, louro
tornando o rosto à primeira penugem, infeliz Cídon,          325
por mão Dárdana abatido (firme nos amores
que dos jovens tinhas sempre, ó digno de pesar), jazerias,
se um grupo denso de irmãos não viesse contrário, filhos
de Forco; eles em número de sete, sete dardos,
em um, lançam; em parte no elmo e no escudo se rebatem       330
sem força; em parte, os que tocam o corpo de leve,
Vênus boa afasta. Fala ao fiel Acates Eneias:
"Provê-me dos dardos (nenhum, contra Rútulos, a mão
destra brandira) que se fixaram no corpo de Graios
em campos de Ílio". Então agarra uma lança enorme            335
e a arroja. Voando, atravessa com o golpe o bronze do escudo
de Méon e ao mesmo tempo rompe couraça e peito.
O irmão deste, Alcânor, se aproxima e ao irmão que cai
firma com a destra. Escapa já seta mandada,

varando-se o braço, e com sangue mantém seu movimento; 340
e a destra, mortiça, dependurou-se do ombro por tendões.
Númitor então, arrancando o dardo ao corpo do irmão,
ataca Eneias, mas não lhe foi dado por sua vez
fixá-la nele e raspou do grande Acates a coxa.
Vem Clauso de Cures, fiado no corpo de idade- 345
primeira, e a Dríope com rígida lança de longe fere
sob o queixo, cravada forte, e de igual, a voz e a alma
de quem fala rouba, perfurada a goela; ora, ele o chão
fere com a fronte e fora da boca sangue espesso põe.
A três, também, da Trácia, de Bóreas da mais alta estirpe, 350
e a três que manda o seu pai Idas e a Ísmara terra,
com mortes diferentes abate; acorre Haleso
e um magote de Aurunca; aos quais segue, filho Netúnio,
Messapo, em cavalos ilustre; tentam ora uns,
ora outros, rechaçar-se: no umbral mesmo Ausônio 355
se luta. Tais quais em largo céu ventos contrários
travam pelejas com denodo e com parelhas forças,
entre si não cedem, não cedem nuvens, nem o mar;
longo tempo incerta a luta, está tudo em resistir:
não de outro modo as Troianas forças e as forças Latinas 360
se batem, prende-se pé em pé, denso corpo a corpo.
Em outro trecho, por onde um caudal longe empurrava
pedras que rolam e às margens arbustos arrancados,
mal Árcades Palante viu, sem costume de pôr tropas
a pé, darem costas a Latinos, perseguidores, 365
pois do local a condição áspera convence-os a
largar os cavalos – o que só resta em apuros –,
já a rogo, já com voz de amargura, ao valor incita:
"Aonde, sócios, fugis? Por vós e feitos de valor,
pelo nome de Evandro, chefe, e suas guerras ganhas, 370
por meu esperar que ora surge rival de glória pátria,

não vos confieis aos pés, há que romper entre inimigos
a trilha. Por onde o montão mais denso de homens vos preme,
por lá a nobre pátria vos reclama e ao chefe Palante.
Deidade alguma nos vexa; mortais, somos vexados 375
por inimigo mortal, iguais temos ânimo e mão.
O mar vos estorva com grande barreira: a água.
Já a terra falta à fuga: ao pélago ou a Troia iremos?".
Tais diz e ao meio de inimigos compactos se lança.
Primeiro, a seu encontro, por fado adverso impulso, 380
faz-se Lago, a quem, tirando pedra de grão peso,
com o dardo atirado vara, por onde a espinha,
ao meio, faz divisão com a costela, e a seta outra vez
pega presa nos ossos; a ele Hisbão não surpreende,
isso ao certo a esperar, pois Palante a ele a investir 385
raivando, absorto com a morte cruel do companheiro,
apanha antes e afunda a espada no pulmão inchado.
Depois assalta a Estênio e, da antiga gente de Reto,
Anquímolo, que ousou da sogra desonrar o leito.
Vós também tombastes sobre as planícies Rútulas, Larides 390
e Tímber, gêmeos, filhos similíssimos de Dauco,
não distinguível pelos pais e deles doce engano,
mas agora dura distinção vos deu Palante,
já que a ti, Tímber, arrancou a cabeça Evândria espada;
Laride, a destra cortada te busca como sua, 390
teus dedos meio-mortos pulsam e o ferro outra vez tocam.
Aos Árcades, tocados pelo ralho a ver os feitos
belos do herói, contra o inimigo marca mágoa e pudor misto.
Então, Palante a Reteu, que em biga foge à sua frente,
transpassa. Este espaço, ou pouco de tempo, bem foi a Ilo, 400
a Ilo, pois de longe apontara haste poderosa
que Reteu, ao meio, interceptou, ó ilustre Teutrante,
ao te fugir e o irmão teu, Tires; do carro abatido,

ceifa quase morto com o calcanhar Rútulas veigas.
E como no estio, a desejo, alçados os ventos, 405
aqui e ali ateia o pastor fogo nas matas;
súbito assaltado o centro, ao mesmo tempo se alastra
o horrível clarão Vulcânio pela extensão dos campos;
do alto, assentado triunfante, vê chamas vivazes:
assim também a força de teus sócios une-se em uma 410
e te apraz, Palante. Mas Haleso, ardente em guerra,
contra o inimigo investe e se abraça com suas armas;
então imola a Ladão, Feretes e Demódoco;
com cintilante espada a Estrimônio corta a destra
erguida à garganta, e a Toante, com pedra face a face, 415
e espalha os ossos mesclados ao cérebro sangrento.
Prevendo o fado, a Haleso o pai em matos ocultara,
assim que, mais velho, à morte pagou branqueados olhos;
sobre aquele as Parcas lançam mão e aos dardos sagram
de Evandro. Ataca-o Palante, rogando assim antes: 420
"Dá agora, Pai Tibre, ao ferro de atirar que vibro
sorte e trajeto do forte Haleso pelo peito,
receberá as armas e despojos do herói teu carvalho".
Essas ouviu o deus: o infeliz Haleso, enquanto cobre
a Imáon, dá o peito sem arma ao Árcade dardo. 425
Mas Lauso, importante peça da guerra, não deixa
com tal matança sua ala se assustar. Primeiro a Abante,
à sua frente, um estorvo e tardança de luta, abate.
Extermina-se gente Árcade, exterminam-se Etruscos,
e também vós, Teucros, vidas não perdidas por Graios. 430
Combatem-se as tropas com chefes e forças parelhas:
os da ponta engrossam o batalhão; armas e alas
mover-se impede o mundéu; aqui, Palante insta, oprime;
Lauso, ali, por sua vez; pouco sua idade se opõe,
notáveis na beleza, mas lhes nega a sorte 435

a volta à pátria. Lutassem eles mesmos entre si,
não deixou, porém, do grande Olimpo o reinante:
breve os fados os aguardam sob maior adversário.
Entanto, a boa irmã, que substitua a Lauso, aconselha a
Turno, que parte ao meio a fileira com carro voador.   440
Mal viu os seus: "É tempo de penar com a batalha,
eu só me proporei a Palante, Palante a mim só
se deve: queria aqui fosse teu pai espectador".
Diz isso e os sócios, à ordem, deixam o campo aberto.
Rútulos saídos, o moço, admirando a insolente   445
ordem, pasma com Turno, e pelo corpo gigante
percorre os olhos e inteiro o rodeia com aspecto feroz,
e com tais ditos opõe-se aos ditos do tirano:
"Ou já me louvarão por ricos despojos roubados,
ou morte honrosa; a uma ou outra meu pai é imparcial;   450
retira a ameaça!". Dito, avança ao centro da planura.
Frio nos Árcades o sangue se gela nas entranhas.
Salta da biga Turno e se prepara a andar como peão,
de perto; e qual leão, quando da alta atalaia viu ao longe
de pé o touro no campo a exercitar-se para a luta,   455
vem voando; não outro é o aspecto de Turno que ataca.
Mal o creu haver de estar perto da lança arremessada,
vai já Palante (se de algum modo a sorte ajuda
o intento de forças desiguais) e assim diz ao nobre céu:
"Por pátrio abrigo e mesas a que, viajante, estiveste,   460
esta empresa enorme, te peço, Alcides, assistas:
que me veja apanhar dele, quase morto, armas sanguentas
e que os olhos morrentes de Turno me sofram, vencedor".
Ouviu Alcides ao jovem e no fundo do peito
forte gemido abafa e derrama lágrimas inúteis.   465
Aí o Genitor fala ao filho ditos de amigo:
"Há o dia para cada um, breve e irrecobrável é o tempo

da vida a todos, mas fama com fatos prolongar,
esta é a obra do valor. Sob altos muros Troicos,
tantos filhos de deuses tombaram. Junto, 'té morreu        470
minha progenitura, Sarpédon; também a Turno os seus
fados chamam, e chegou ao fim de seu tempo dado".
Assim disse e os olhos dos campos dos Rútulos retirou.
Já com grande esforço solta a lança Palante
e do vão da bainha puxa fúlgida espada;                    475
voando, no lugar onde aponta a ponta de proteção
do ombro bate, e forçou passagem pelas bordas do escudo,
ainda enfim raspou no vasto corpo de Turno.
Este um roble, de ferro afiado fixo à ponta,
brandindo há tempo, contra Palante arroja e assim fala:    480
"Repara se acaso meu dardo não é chus penetrante".
Diz, mas ao escudo, embora tanta capa de ferro
e bronze, pele de boi tanta vez dobrada o cerquem,
no seu centro, a ponta com golpe vibrante vara
e as defesas da couraça, e fura o vasto peito.             485
Em vão tira já ainda quente o dardo da ferida;
o sangue e a alma saem por um único e mesmo caminho.
Sobre a ferida contrai-se e, de mais, dão ruído as armas,
e, morrendo, com a boca sangrenta atinge o chão hostil.
Turno põe-se perto, e do alto:                             490
"Estas minhas palavras", diz, "Árcades, lembrados, levai
a Evandro; qual mereceu, Palante reenvio,
toda honra fúnebre, todo consolo de enterrar,
concedo. Caro lhe vai ficar a hospedagem
de Eneias". E dizendo tais, calcou com o pé esquerdo       495
o sem-vida, raptando o boldrié, de peso enorme, dele,
com o crime impresso: em só uma noite nupcial, o bando
trucidado de jovens e seus sangrentos leitos nupciais,
que Clono, filho de Eurite, em bastante ouro gravara,

de qual despojo Turno ora triunfa e possuindo-o, goza.  500
Ó mente humana, insciente do fado e sorte futura;
e de guardar limite, orgulhosa nas venturas!
Virá a Turno um tempo em que há de um Palante querer,
intacto, comprado caro, e esse espólio e esse dia
há de odiar. Por sua vez, com gemido e lágrima os amigos,  505
numerosos, levam, posto sobre o escudo, Palante.
Oh dor, e mais, grande honra, tu que voltarás para o pai!
Deu-te isso o dia inicial na guerra e isso mesmo tira,
quando, porém, deixas de Rútulos pilhas enormes!
Não rumor de tal desgraça, mas seguro núncio  510
a Eneias voa: os seus se acham a leve distância
da morte, hora é de socorrer Teucros debandados.
A todos mais perto à espada ceifa e por larga fileira,
fogoso a ferro abre caminho, a ti, Turno, altivo
por morte recém, a buscar: Palante, Evandro, tudo  515
nos seus olhos está: a mesa primeira, a que, estrangeiro,
foi, e as destras dadas entre si. Por Sulmão gerados,
a quatro jovens, em igual número a que Ufente educa,
pega vivos para por vítima imolar às sombras
e as chamas da pira com sangue escravo borrifar.  520
Depois, funesta lança de longe atira a Mago;
abaixa-se com manha, e a lança por cima lhe voa a vibrar;
e lhe abraçando os joelhos, suplicante, estas fala:
"Por Manes de teu pai e a esperança de Iúlo a crescer,
te suplico salves minha vida para filho e pai.  525
Mansão soberba tenho; enterrados bem fundo talentos
de prata esculpida, libras de ouro acabado
e não-trabalhado; a vitória dos Teucros, aqui,
não se versa e uma só vida não fará tanta alteração".
Dissera. Por sua vez, tais lhe responde Eneias:  530
"De quantos talentos de prata e de ouro me falas!

Guarda-os para teus filhos. Turno, esse tráfico aí
de guerra suspendeu, primeiro, com Palante morto:
ressentem isso os Manes de Anquises; isso, Iúlo".
Fala assim, o elmo prende com a esquerda e, recuando    535
a nuca do suplicante, assenta-lhe a espada ao cabo.
Perto estava o filho de Hémon, ministro de Febo e Trívia,
ínfula as têmporas rodeia-lhe com fitas sacras,
todo a brilhar com suas vestes e armas vistosas;
na luta, o empurra do campo e, em cima do caído,    540
mata e o cobre com a grande sombra. No ombro as
    armas pegas
porta Seresto para ti, como troféu, rei Gradivo.
Fileiras recompões, nado do sangue Vulcânio,
Céculo e Umbrão, que procede dos montes dos Marsos.
Já o Dardânida, se enraiva; a esquerda de Ânxur com
    a espada    545
joga abaixo e, com o ferro, a roda inteira do escudo.
Aquele disse algum alarde e creu que viesse a força
com a palavra, e ao céu levava talvez sua coragem
e a si mesmo prometera velhice e longos anos.
Por sua vez, Tárquito, exultante em armas luzentes,    550
que a ninfa Dríope a Fauno silvícola gerara,
pôs-se ao encontro dele, que esbraveja. Ele, com a lança
recuada, a couraça apara e, de muito peso, o escudo.
A cabeça deste, que em vão suplica e se apronta
a falar muito, derruba ao chão, e o tronco morno    555
rolando à frente, a mais profere com sentimento hostil:
"Jaze aí, digno de espanto, agora; tua boa mãe
não te enterrará ou encherá pátria cova com o corpo;
serás deixado a aves cruéis ou, no mar imerso, a onda
levar-te-á; peixes com fome as feridas lamberão".    560
Sem parar, a Anteu e Lucas, vanguarda de Turno,

persegue e ao valente Numa e o alourado Camerte,
filho do nobre Volscente, que foi em lavra o mais rico
dos Ausônidas e que na taciturna Amiclas reinou.
Qual Egéon, que, tendo cem braços e cem mãos, 565
fogo esparzia das cinquenta bocas e peitos
quando contra os raios de Júpiter fazia ruído,
os escudos, tantos e tantas espadas empunhava:
tal, vitorioso, em toda a planície ira-se Eneias,
logo que a espada uma vez se aqueceu. Eis que até investe 570
contra cavalos de quadriga ou seus peitorais à frente;
e ao vê-lo ao longe vir e terríveis gritos dando,
ao se virarem de susto e galopar para atrás,
seu condutor jogam abaixo e o carro arrastam à praia.
Porém Lúcago se enfia, sobre uma branca biga, 575
entre Líger, o irmão, e o montão; mas nas rédeas o irmão
vira os cavalos, gira ardente a espada ao ar Lúcago.
Não os tolera Eneias com tal furor fervendo,
corre e, lança em riste, surge enorme diante deles.
E Líger: 580
"Não vês os corcéis de Diomedes ou o carro de Aquiles
ou Frígias planícies. Fim da guerra e vida agora
dar-se-te-á nesta terra". De Líger delirante
voam longe coisas ditas. Mas ditos o guerreiro
Troiano, em sua vez, não busca: no hoste joga um dardo. 585
Lúcago vergado, apenso sobre o açoite, com a arma
incita os dois trelados enquanto, à frente pé esquerdo,
se apresta à luta, entra a lança nas bordas de baixo
do brilhoso broquel; a virilha esquerda aí fura;
posto fora do carro, a morrer, rola no campo; 590
com palavras amargas lhe fala o pio Eneias:
"A lerda fuga dos cavalos, Lúcago, não arruinou
teu carro, ou fantasma de inimigo derrubou-te,

tu és que largas as rédeas, ao saltar da biga". E assim falando,
segura os dois trelados. Desditado, o irmão estende      595
as mãos sem armas, do mesmo carro, caído:
"Por ti e por teus pais que tão nobre te geraram,
herói Troiano, poupa esta vida e tem dó de quem roga".
A quem com muitas roga, Eneias: "Há pouco, não tais
palavras soltavas. Morre e, irmão que és, não deixes o irmão". 600
Então com o fio abriu-lhe o peito, esconderijo da alma.
Tais mortes, pela planície, causava o capitão
Dárdano, em furor, como torrente de água de medonho
furacão. Por fim, avançam e deixam os quartéis
o jovem Ascânio e a tropa debalde sitiada.      605
Interpela entanto o próprio Júpiter a Juno:
"Ó irmã e igualmente para mim caríssima esposa,
como crias, Vênus (não te engana tua opinião)
tropas Troicas apoia; em guerra, sem pulso forte
e espírito impulsivo e forte ante o perigo os guerreiros são". 610
A quem Juno, submissa: "Por quê, ó mais nobre esposo,
molestas a mim aflita e a temer tuas tristes predições?
Se eu tivesse influência em teu amor, que um dia tive, e qual
é mister possuir, bem não me negarias o seguinte,
ó Onipotente: poder roubar Turno ao combate      615
e para o pai Dauno conservá-lo são e salvo.
Morra já e pague aos Teucros com sangue pio a vingança;
ele, porém, tira seu nome da minha família.
Pilumno é o tetravô e, muita vez, pródiga mão,
e com ofertas inúmeras encheu os teus portais".      620
Fala-lhe breve assim o rei do Olimpo de céu puro:
"Se prazo se pede da morte que vem e em tempo
ao perecível jovem, e assim entendes que disponho,
tira Turno com fuga e o arranca do fado iminente.
Houve tempo até aqui de abrandar. Se um favor mais alto 625

sob esse pedido se esconde e pensas que a guerra toda
se desvia ou se muda, nutres vãs esperanças".
Juno, a chorar: "Se o que em palavra te pesa desses
em pensamento, e a vida a Turno dada perdurasse?
Inocente, ora um duro fim o aguarda, ou sou, da verdade, 630
iludida? Oh oxalá me engane mais com falso temor
e que tu desvies para melhor teus planos, pois o podes".
Logo que essas deu por ditas, largou-se logo do alto
céu, levando o mau tempo, envolta num halo pelo ar,
e se foi ao exército de Ílio e aos quartéis de Laurento. 635
Então a deusa, no vão de nuvem, forma uma leve imagem
com o rosto de Eneias (portento admirável de ver),
com arremessões Dardânios, e o escudo e o penacho
da divina cabeça imita, empresta-lhe termos vagos,
dá fala sem sentido e lhe finge os passos ao andar: 635
quais a sombras que, se diz, esvoaçam, vinda a morte,
ou sonhos que iludem os sentidos em sono.
E a figura salta alegre em frente da vanguarda
e irrita o guerreiro com dardos, provoca-o com a voz.
Persegue-a Turno e de longe lança soante 645
atira; ela, dando as costas, inverte suas passadas.
Como Turno crê que Eneias, voltado, foge
e furibundo sofre na alma uma inútil esperança:
"Aonde, Eneias, foges? Não deixes bodas tratadas,
desta mão te será dado o chão por mar buscado". 650
Essas a gritar, o persegue e a espada em riste remexe
sem perceber que os ventos levam o que o deixa alegre.
Acaso um navio atado à ponta de alto rochedo,
pairava, com escada fora e prancha já pronta,
por onde o rei Osínio abordou orlas de Clúsio. 655
Daí a imagem ondulante de Eneias que fugia
se joga no escuro; Turno, rápido, perto a segue,

domina barreiras e transpõe a prancha elevada.
Mal a proa atingira, Satúrnia rompe a corda
e arrebata a nau solta pelo revolto plaino de água. 660
Mas o chama à luta Eneias, a ele não-real, 663
despacha à morte muitas vidas de heróis que se opõem.
Então a imagem sem peso esconderijo não quer mais 661
e voando alto se mistura a uma nuvem sombria.
Enquanto a Turno leva um vórtice em plena água plana, 665
olha atrás, insciente do fato e ingrato à salvação,
e ambas as mãos estende aos astros bem com esta fala:
"Pai onipotente, então digno de tamanho crime
me creste e quiseste pagar eu pena tamanha?
Vou aonde, saí de onde? Como quem me trará a fuga? 670
Irei rever muralhas ou quartéis de Laurento?
O que a tropa guerreira, os que me seguem, e as armas,
 dirão?
todos os quais (crime!) à morte inominável deixei,
e ora vejo vagando e o gemido dos que sucumbem
capto? que faço? ou que chão fundo o bastante se abriria 675
para mim? Vós, ventos, mais que tudo, tende compaixão;
em penedos, em rochas (vos peço desejoso),
levai esta nau, jogai em águas revoltas, parcéis,
aonde Rútulos nem minha honra culposa me sigam".
Dizendo isso, no espírito vaga daqui para ali: 680
deve varar-se com a ponta, louco por tanta
vergonha? e pelas costas passar espada em sangue?
ou em meio às ondas lançar-se e à curva da praia tentar
nadando e entregar-se à guerra dos Teucros outra vez?
Três vezes um e outro meio tentou; três, grande Juno 685
o conteve e, compadecida, no íntimo o jovem refreou.
Desliza, cortando o mar fundo, a favor onda e maré;
leva-se abaixo à velha cidade do pai Dauno.

No entanto, por conselhos de Júpiter, Mezêncio, ardente,
faz sua vez no prélio e ataca Teucros triunfantes.  690
Fileiras Tirrenas concorrem, e oprimem um só
com todos os ódios, e um só homem, com armas assíduas.
Como um rochedo que avança na aquosa lisura
de frente à fúria dos ventos e ao oceano exposto,
suporta toda a violência e ameaças de céu, de mar,  695
ficando imóvel. A Hebro, de Dolicáon filho,
abate ao chão; com ele, a Látago e a Palmo que foge:
a Látago, com rocha, isto é, grã racha de monte,
pega a cabeça e a face, de frente; a Palmo, cortado
o jarrete, deixa rolar lento; armas, a Lauso,  700
dá, para usar ao ombro e fixar penachos na cabeça.
Não menos a Evante, Frígio, e Mimante, de Páris
equevo e amigo, a quem numa só noite Teano
pro pai Amico deu à luz e em que, grávida de archote,
a rainha Cisseide, a Páris. Páris na urbe pátria  705
repousa; a Mimante, ignoto, guarda a Laurência orla.
Qual javali, do alto do monte, de cães por mordidas
atiçado, a que o Vésulo pinhoso há muitos anos
abriga e, há muitos, o Laurêncio charco com folhas
de junco alimentou, depois de cair entre redes,  710
estancou e grunhiu ferozmente e arrepiou os seus flancos,
sem ninguém ter coragem de irritar e abordá-lo;
mas de longe o provocam com chuço e gritos seguros;
ele, porém, se opõe sem temor por toda parte,  717
rangendo dentes e as lanças sacode do dorso:
assim Mezêncio, aos quais é motivo de justo furor,  714
ninguém tem peito a lutar com ele, espada em riste,
de longe atiçam-no com dardos e gritos troantes.
Do antigo território de Córito Ácron viera,  719
grego que, fugido, deixou boda inconclusa;

de longe vê a este a desfazer o meio das tropas,
rubro em penas e púrpuras de noiva pactuada.
Qual leão faminto a rodear profundo redil muita vez
(pois enlouquecedora fome o impele), se acaso viu
fugidia cabra ou cervo que se espicha em chifres, 725
folga em horrendo abrir de boca, alça a juba e se agarra,
saltando em cima, às entranhas; banha à bocarra insaciável
negro sangue:
Corre assim, vivaz, Mezêncio ao inimigo apinhado.
É abatido o pobre Ácron e bate com o calcanhar 730
o escuro chão, expirando e ensanguenta a arma quebrada.
Recusou-se a Orodes, que igualmente fugia,
derrubar, nem deu-lhe golpe cego com a lança enviada:
ao encontro lhe corre que vem contrário e homem com
homem se bate, não melhor em manha, em força de armas. 735
Sobre o jogado ao chão, apoiado no pé posto e lança:
"Homens, porção digna da guerra, ao chão, o altivo Orodes".
Aliados gritam, a um, respondendo alegre hurra!
Ao expirar: "Sejas quem for, vencedor, mesmo
eu não vingado, muito não folgarás: um fado igual 740
também te aguarda e logo ocuparás os mesmos campos".
Ao que Mezêncio, a sorrir, com mistura de ira:
"Morre já, quanto a mim, ele, de deuses pai, de homens rei,
há de ver". Dizendo isso, do corpo arranca a lança.
Árduo repouso e sono de pedra apertam-lhe os olhos, 745
o brilho do olhar se fecha para a noite sem fim.
Trucida Cédico a Alcátoo, Sacrátor, a Hidaspes,
e Rapão, a Partênio e a Orses, duríssimo em força;
a Clônio e a Ericetes da Licaônia, Messapo:
àquele, ao chão, por queda do cavalo sem freio, 750
a este, como peão a peão. E Ágis, Lício, se adiantara,
porém a ele, Válero dotado da virtude

dos ancestrais, faz cair, e a Trônio, Sálio e a Sálio, Nealces,
notável por dardo e flecha enganosa à distância.
Já igualava Marte atroz prantos e mortes mútuas;  755
exterminavam de igual modo, de modo igual tombavam
vencedor e vencido, uns e outros desconhecem fugas.
Na mansão de Jove os deuses do inútil furor têm dó
de ambos e de que têm os mortais fainas tamanhas.
Deste lado olha Vênus; do outro, Juno Satúrnia.  760
No meio deles, mil, Tisífone sem-cor se encarniça.
Mezêncio, no entanto, balançando lança enorme,
entra impetuoso no campo. Tal como o grande Oríon
quando avança a pé pelas gigantes poças do meio
de Nereu, abrindo atalho, as ondas supera com os ombros,  765
ou trazendo um velho freixo do alto de montanhas,
anda pela terra, mas enterra a cabeça nas nuvens:
tal se mostra Mezêncio com armas colossais;
contra quem Eneias, o espiando em distante fileira,
se apresta em ir atacar. Aquele sem medo se queda,  770
aguardando o nobre inimigo, ergue-se no seu peso,
e medindo o espaço no olhar quanto baste a sua lança:
"Minha mão destra, um deus, e o dardo que brando lançável
me ajudem já. Do corpo do "saqueador" consagro
a ti envolto do espólio raptado, Lauso, o troféu  775
de Eneias". Disse e de longe a lança silvante
jogou, mas, ao voar, foi pelo escudo rebatida e ao longe
no excelente Antores encravou-se, entre a ilharga e o peito,
Antores, de Hércules parceiro, o qual, de Argos enviado,
a Evandro se apegou, fixou-se em Ítala cidade:  780
com golpe para outro é tombado o infeliz, para o céu o-
lha e, morrendo, de sua suave Argos se relembra.
Joga lança o honrado Eneias; pelo vão do escudo, ela
de dobras triplas brônzeas, pela capa de linho, na obra

trançada de três couros táureos entra, e funda fica 785
na virilha, mas sua força não perfez. A espada Eneias,
contente com a visão de sangue do Tirreno,
saca da própria coxa e ardente se achega ao que estremece.
Pesadamente gemeu pela afeição ao pai querido,
Lauso, isso vendo, e lágrimas rolaram pelas faces. 790
Aqui, a desdita da morte cruel, teus belos feitos
(se algum tempo há de dar fé a tão grande sacrifício),
não ao certo a ti, jovem digno de lembrança, calarei.
Aquele, dando passos para trás, inútil, obstruído,
afastava-se e o chuço hostil com o escudo arrastava. 795
Projetou-se o jovem e se misturou lá com as armas;
de Eneias que se erguia e com a destra golpeava
se pôs sob a ponta da lança e, com retardá-lo,
o susteve: seus pares, com forte grito, o secundam,
até ir-se o pai coberto com o broquel do filho. 800
Atiram armas e à distância agitam o inimigo
com projéteis. Raiva Eneias e põe-se a coberto.
E como quando nuvens, derramado o granizo,
lançam-se e todo lavrador, todo cultivador
foge do campo e o viajor em abrigo seguro se esconde, 805
à margem de rio ou arco de alto rochedo,
enquanto em terra chove para que, de volta o sol,
possam preencher seu dia; assim, sob dardo, em todo lado,
resiste Eneias à nuvem de arma, até toda
parar de trovejar, e a Lauso insulta e a Lauso ameaça: 810
"Aonde é que vais, voas? e podes tentar que mais?
a ti, imprudente, trai o amor filial". Não menos vibra
em desvario, e já mais fundo, desumana,
cresce ira no Dárdano chefe e os últimos fios
colhem de Lauso as Parcas, pois enfia a rija espada 815
no meio do rapaz Eneias e a crava toda aí.

E a parma vara a ponta, arma leve de desafiante,
e a mãe cosera a túnica de ouro flexível;
e o sangue encheu o solo, ainda, pelo ar, aflita,
aos Manes retirou-se e abandonou o corpo. 820
Mas logo que viu do que morria rosto e faces,
o filho Anquiseu, faces pálidas de estranho modo,
gemeu fundo, condoendo-se e estendeu sobre ele a destra
e a lembrança do afeto paterno dele veio à mente:
"O que agora, digno de compaixão, rapaz, por teu valor, 825
que te dará o pio Eneias, por índole tão boa?
Mantém as armas de que te alegraste, e aos Manes e cinzas
de teus avós (se existe tal desvelo) te restituo.
Mas, pobre, disto te consolarás, por triste morte:
do grande Eneias pela destra cais!". Já repreende 830
os seus que tardam e a ele próprio do chão ergue
a sujar de sangue o cabelo à moda penteado.
Nesse ínterim, seu pai às bordas do rio Tiberino
na água estancava as feridas e aliviava o corpo,
em tronco de árvore apoiado; à distância, de galhos 835
pende o elmo de bronze, na relva armas pesadas jazem.
Em volta, em pé, jovens seus de escol; ele, arquejante,
banha o pescoço, a barba solta a pender no peito.
Muitas vezes indaga sobre Lauso, e núncios manda
para o chamarem e levarem ordens do aflito pai. 840
Mas chorando, os sócios trazem, sobre suas armas, sem vida
Lauso forte, mas por golpe forte vencido.
Capta ao longe um gemido, prevendo o mal sua mente:
inunda suas cãs com muito pó e ambas as palmas
estende para o céu e ao cadáver se aferra: 845
"Ah, Lauso, filho, desejo tão intenso de viver
me possuiu que deixasse à mão se sujeitar
quem gerei? por esta ferida então, eu, teu pai, sou salvo,

349

vivo graças à tua morte? ai, já final, em meu revés,
meu triste fim, ora, a dor é-me fundo incutida! 850
Fui o mesmo, filho, que manchei teu nome com desonra,
expulso por meus ódios do trono e do cetro paterno,
castigos eu deveria à minha pátria e ao ódio dos meus,
ah! desse eu mesmo por cada morte a alma culpada;
ora vivo, e ainda não deixo homens e a claridade, 855
mas deixarei". Dizendo isso, já na perna débil
se ergue e, inda que o retarde a força por funda chaga,
nada batido, manda o cavalo trazerem. Glória,
consolo ele era. Com esse, voltava vencedor
de toda guerra. Ao entristado fala, assim começa: 860
"Rebo, largo tempo (se para mortais há longo tempo)
vivemos; ou, hoje espólio famoso, em sangue, vencedor,
e a cabeça de Eneias trarás, e as dores de Lauso
comigo vingarás, ou, se caminho a força faz, não,
como eu, cairás morto, porque não creio, ó meu valente, 865
ordens de outro aturares, nem teres dignos donos Teucros".
Disse e, prendendo-se ao dorso, dispôs costumeiros
os membros, e as mãos, ambas, encheu de dardos
    pontiagudos,
brilho brônzeo à cabeça, peludo em crista equina.
Assim, ao meio galopou, sentimento forte de honra 870
num só peito ferve, misturada à magoa a insânia
e uma paixão por furor mexida e um valor autociente.
Chama a Eneias então três vezes, com voz forte.
Eneias, certo, o reconhece e roga contente:
"Assim faça o grão Pai dos deuses, sublime Apolo, assim: 875
te ponhas a travar combate!".
Só falou e em cima lhe marchou com lança avessa.
E aquele: "ó o mais cruel, por quê, roubado o filho,
me aterras? Foi essa a única forma de destruir-me.

Não tenho horror da morte, ou de algum deus me importo;  880
põe fim a isso, a morrer já venho pronto, mas te trago, antes,
estes presentes". Diz e no inimigo a lança deu;
depois um outro a mais e outro ao mesmo tempo crava, e voa
em longa volta, mas os apara a longa bossa de ouro.
Três vezes em volta cavalga à esquerda a quem 'stá fixo,  885
com arte hastas jogando; três, o Troico herói, em torno,
com a guarda de bronze rebate a mata incomum.
Depois que se cansou de tanta espera, tanto espeto
arrancar, se inquieta em travar-se em luta desigual,
revolvendo muito no íntimo, irrompe enfim e entre o vão  890
das fontes do bélico cavalo uma lança arremessa.
Alça-se empinado o quadrúpede e com as patas o ar
açoita e, ele mesmo indo sobre o montador derrubado,
o estorva e cai de bruços de espádua deslocada.
Troianos e Latinos inflamam o céu com gri-  895
to; Eneias sai voando e arranca a espada à bainha,
e a mais estas: "Mezêncio agora onde está e o seu orgulho
feroz famoso?". O Tirreno, por sua vez, logo que os céus
olhando, o ar aspirou e recobrou a consciência:
"Amargo inimigo, por que me insultas e ameaças morte?  900
Não há crime no matar, nem assim à pugna vim,
mas meu Lauso tratou contigo aliança em meu favor.
Rogo só, se há favor a vencidos inimigos,
consintas meu corpo se cubra de terra; ódio amargo, sei,
dos meus me cerca, aparta esse furor, peço, de mim,  905
deixa-me comparte do sepulcro do filho".
Isso fala e recebe, consciente, na garganta a espada
e a alma com sangue derrama aos borbotões sobre as armas.

# Livro Décimo Primeiro

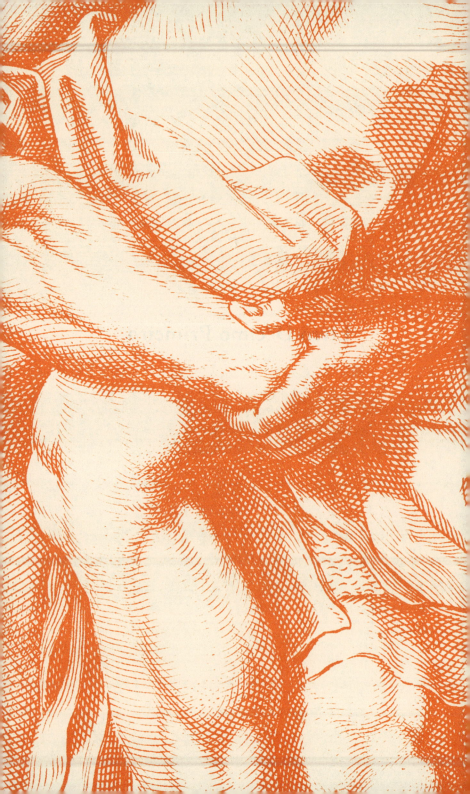

Nesse ínterim, Aurora, surgindo, deixa Oceano.
Eneias, mesmo que, a dar tempo de sepultar os seus,
o apresse o cuidado e a mente se agite pelas mortes,
ao nascer da alva, paga, por vencer, voto aos deuses.
Debastada em volta a rama, põe um carvalho                5
enorme num outeiro, e o reveste de armas fulgurantes,
despojos do chefe Mezêncio, troféu para ti, grande
Belipotente. Ajeita, úmidas de sangue, as cristas
e os dardos rotos do herói e a couraça em doze pontos
atingida e furada, e o escudo brônzeo embaixo prende     10
à esquerda, e ao pescoço pendura a espada de marfim.
Exorta então os seus que o ovacionam, pois toda a grei
densa de seus cabos o envolvia, começando assim:
"Fez-se, homens, nossa maior empresa: fora todo temor
quanto ao que resta; estes os frutos-despojos primeiros  15
de um rei soberbo, aqui eis Mezêncio, por obra de
   minhas mãos.
Temos agora acesso ao rei e aos muros Latinos;
aprestai armas, com gana e esperança a guerra abraçai,
para que atraso algum (logo que os De-Cima concordem
em recolhermos bandeira e os jovens tirar dos quartéis)  20
vos embargue ou, por medo, frouxa decisão retarde.

Entanto, demos os insepultos corpos dos companheiros
à terra, o que é única honra no fundo Aqueronte.
Ide", ele diz, "às almas singulares que com seu sangue
nos granjearam esta pátria, condecorai de homenagens 25
supremas, e à urbe aflita de Evandro se mande
primeiro Palante, a quem, possuidor de brio,
negro dia roubou e afundou em prematura morte".
Assim fala chorando e recolhe seus passos à entrada
onde o corpo posto de Palante sem vida guardava 30
Acetes, já velho, que de Evandro da Parrásia
foi antes escudeiro, mas não de igual, então dado
de guarda ao caro pupilo, estava de agouros propícios.
Ao redor toda a criadagem e a multidão Troiana,
Ilíadas de coma solta por luto ritual. 35
Mas logo que Eneias penetrou por altos umbrais,
gemido forte aos céus elevam enquanto batem
nos peitos; e estronda a real mansão com o triste pranto.
A cabeça apoiada e o rosto do níveo Palante,
por si mal viu e o talho, exposto no liso peito, 40
da Ausônia lança, enquanto lágrimas brotavam, fala assim:
"Então a ti", diz, "lamentável rapaz , mesmo alegre
vindo, a sorte me negou visses o nosso reino
e à paterna casa fosses transportado vencedor?
Não, eu de ti ao pai Evandro essa promessa 45
não dera ao ir-me, quando, abraçando a mim que saio,
mandou-me a império glorioso e temeroso me lembrou
serem guerreiros cruéis; combates, com duros povos.
E agora, ao certo, de vãs esperanças tomado,
acaso faz voto e abarrota altar com oferendas. 50
E nós ao jovem morto, e já aos Celestes nada a dever,
sequitamos pesarosos com inútil honra.
Ó triste, assistirás à pompa atroz do filho!

Esta que é a nossa volta, e nosso triunfo esperado?
Esta é minha crença forte? Evandro, mas não vencido 55
por chaga impune o verás, nem, salvo o filho, como pai,
feio funeral não quererás; ai de mim! quão grande
proteção, tu, Ausônia, e tu, ó Iúlo, quanto perdes!".
Mal chorou isso, ordena que se leve o lamentável
corpo e de todo o exército manda mil guerreiros 60
escolhidos para a honra final lhe sequitarem
e presenciassem as lágrimas de pai, de grande dor
mínimo conforto, mas devido a desditoso pai.
Lestos, outros tecem grade, flexível padiola
com ramos de medronho, e varinhas de carvalho 65
dão sombra a leito armado com capa de ramagens.
Põem o jovem no alto em colcha agreste de palha,
qual a flor ceifada pelo polegar da virgem,
ou de tenra violeta ou de murcho jacinto,
de que ainda não cessaram o viço nem a beleza, 70
mas que já a mãe terra não nutre e provê de vigor.
Então um par de vestes de ouro e rijas púrpuras
expõe Eneias, que, alegre com a tarefa, a própria
Dido de Sídon, com as próprias mãos um dia fizera
para ele e realçara com leve tecido de ouro; 75
das quais, uma ao jovem, como último adorno, triste,
veste e enrola com véu o cabelo que se queimará.
E, além disso, muitos despojos da luta Laurência
empilha e manda que em longa fila tragam as presas;
acresce cavalos e armas de que espoliara o adversário, 80
e amarrara, mãos atrás da costa, os que aos Manes dará,
que com o sangue imolado regarão chamas rituais;
manda que encamisados troncos da arma inimiga
seus próprios chefes retratem, gravem-se seus nomes hostis.
É trazido o triste Acetes, de idade abatido, 85

já o peito com punhos, já o rosto afeando com unhas,
e joga-se ao chão com o corpo todo estirado.
E trazem carros banhados em Rútulo sangue;
atrás, Éton, cavalo de guerra, insígnias tiradas,
vai chorando e molha a cara com lágrimas grossas. 90
Outros portam lança e elmo, pois o restante tem Turno,
vencedor. Então segue enlutada falange, Teucros,
Tirrenos todos e Árcades, armas viradas.
Após toda a fila de séquito ao longe marchar,
para Eneias e isto acrescenta com suspiro fundo: 95
"Destinos iguais de bélico horror, daqui, a lágrimas,
nos chamam, outros. Meu 'salve' eterno, nobre Palante,
eterno adeus!". E mais não dizendo se dirige
às altas muralhas, leva passos aos quartéis.
E núncios chegavam já da cidade Latina, 100
cobertos de ramos de oliva e pedindo permissão:
que os corpos que jazem por campo, a ferro espalhados,
desse de volta e deixasse pô-los sob montes de terra
(luta não há com vencidos e faltos de ar puro);
perdoasse os chamados um dia hospedeiros e sogros. 105
Eneias bom os favorece (o inegável pedem)
com a permissão e por cima acrescenta estas palavras:
"Mas que sorte injusta, Latinos, envolveu-vos
em guerra assim, tanto que nos eviteis como amigos?
Paz para mortos pedis e os por sorte de Marte 110
perdidos? de fato aos vivos também dar quisera;
nem viria se os fados não dessem sítio e morada,
nem faço guerra com o povo. Vosso rei retirou
nossa hospedagem e antes confiou-se às tropas de Turno;
seria melhor à presente morte Turno se opor; 115
se a guerra terminar por força e a Teucros expulsar
se dispõe, convém lutar comigo com estas armas:

viveria aquele a quem deus ou sua mão desse a vida.
Ide agora e jogai em fogueira os pobres cidadãos".
Dissera Eneias, e eles silenciando se pasmaram 120
e entre si mantinham olhar e rosto voltados.
Então, já algo velho, e sempre de afronta odiosa, Drances,
hostil ao jovem Turno, por sua vez, de introdução,
expõe: "Ó tu, grande por fama, maior por armas,
herói Troiano, te igualo ao céu com que louvores? 125
Devo mais te admirar a justiça ou feitos de guerra?
Essa fala, ao certo, à urbe paterna levaremos,
e a ti, se dá os meios alguma sorte, ao rei Latino
associaremos. Busque Turno pactos para si;
até que for prazer erguer dos muros fatais 130
a construção e transportar pedras Troianas no ombro".
Disse e, a uma só voz, a mesma ideia clamam todos.
Por dois vezes seis dias pactuaram. Com a paz de trégua,
por matas Teucro e Latino impunes, mesclados,
vagam em montes. Com o ferro fio-duplo o freixo 135
tine. Arrancam pinheiros alteados aos astros;
não param de talhar carvalho a cunha e o cedro cheiroso
nem de carregar os freixos em carros rangentes.
Já Fama que voa, anunciante de grande pesar,
invade Evandro e de Evandro o palácio e as muralhas, 140
que há pouco, vitorioso, levava ao Lácio Palante.
Árcades acorrem às portas e, ao velho costume,
tomam de fúnebres fachos: clareia-se a estrada em longa
fila de tochas e ao longe demarca as Campinas.
Ao oposto, a turma de Frígios, que vem juntar-se a alas 145
que choram. Depois que as mães os viram se achegando
às casas, acendem a triste urbe com gritos.
Mas força nenhuma é capaz de deter Evandro;
assim, lhes vem ao meio; ao chão posta a padiola, se inclina

sobre Palante e se agarra a ele chorando e gemendo, 150
via à voz, por força, por fim se afrouxou pela dor:
"Essas promessas, Palante, não tinhas dado ao pai,
oh! se mais cuidoso te confiasses á morte cruel!
Não sem saber estava quão grande a glória possa ser
e a honra suavíssima do primeiro combate. 155
Oh deploráveis primícias juvenis, ó árduo ensino
de próxima guerra, ó meus votos e preces de deus
nenhum ouvidos! E tu, ó consorte mais honrada,
feliz por tua morte e não reservada à dor presente!
Quanto a mim, ao viver, venci meu fado pra ficar pai 160
sobrevivente. Se seguisse armas Troicas aliadas,
cobrissem-me Rútulos de dardo! Eu mesmo daria a alma,
e essa turma à casa me traria, não Palante.
Não vos censurarei, Teucros, o pacto e as mãos unidas
por hospitalidade. Esse destino era devido 165
à minha velhice. Assim, se a morte prematura
aguardava o filho, mortos antes mil Volscos,
agradar-me-á ter morrido ao levar Teucros ao Lácio;
de mais, não te honraria, Palante, com outra pompa,
com o devotado Eneias e os nobres Frígios e os 170
capitães Tirrenos, todo o exército Tirreno:
trazem os ilustres troféus, os que tua destra à Morte deu.
Também quedarias enorme tronco com armas
Se tua idade fosse igual e o mesmo vigor de anos,
Turno. Mas por quê, infeliz, Teucros à luta atraso? 175
Ide e, lembrando-a, a vosso rei levai esta mensagem:
porque, morto Palante, retardo a vida odiosa,
a causa é tua destra, que vês dever Turno ao filho,
bem como ao pai; esta condição única a ti dá margens,
e à sorte, de ganhos. Não busco a vida e os prazeres, 180
nem posso, mas no fundo inferno ao filho dá-los".

Aurora, no entanto, aos pobres mortais a claridade
benfazeja pôs fora, repondo trabalho e aflições.
Já o Pai Eneias e Tárcon, na curva da praia,
armaram piras; para aí cada qual os corpos dos seus 185
trouxe, ao modo dos avós, e, sobposto um fogo negro,
pelo fumo espesso, some-se em trevas o alto do céu.
Três vezes contornam a pé fogueiras ateadas,
cingidos de armas faiscantes; três, o triste fogo
funéreo percorrem em cavalo e gritam com força. 190
E molha-se a terra de lágrimas, molham-se as armas,
vai ao céu grito de homens e som possante de tubas.
Uns jogam no fogo despojos pegos de Latinos
mortos: capacetes, espadas decoradas, freios
e rodas em brasa; outros, oferendas rotineiras, 195
os escudos dos seus e os dardos deles infaustos;
perto, imolam-se à morte muitas cabeças de bois,
e decepam sobre as chamas cerdosos porcos, gado
miúdo, em todo campo apanhados, e em toda a praia
ficam vendo os seus que ardem, e observam os semimortos 200
braseiros, sem se arredar, até que, úmida, a noite
inverta o céu preso por estrelas fogosas.
Não menos tristes, os Latinos, em ponto afastado,
montaram várias piras e, em parte, à terra dão muitos
corpos de guerreiros e, em parte, àqueles que carrearam 205
levam a campos vizinhos ou os voltam à urbe.
Aos demais, grande monte de mortos misturados,
sem contagem, sem honras, cremam. Em todo canto, largos,
à porfia, fulgem campos em fogos frequentes.
A alva terceira do céu tirara o escuro glacial. 210
Tristes, mexem as camadas de cinza e os dispersos
ossos no borralho e os cobrem com montes mornos de terra.
Ora, é na urbe, em paço do mui rico Latino

o zunzum principal e a mor parte de longo pranto.
Aqui, desditosas mães, noras; aqui, ternos peitos 215
de irmãs que se lamentam, e crianças privadas de seu pai;
a bárbara guerra e as bodas de Turno odeiam,
impõem que ele mesmo por arma, espada, decida,
pois reclama para si o reino de Itália e o primado:
o que o cruel Drances agrava, e afirma que só Turno 220
é chamado, só ele desafiado à luta.
No entanto, há muita opinião, com asserções diversas,
pró Turno, e o nome ilustre da rainha o escuda,
a fama espalhada em dignos troféus apoia o herói.
Entre essa agitação, em pleno calor de motins, 225
eis que, ademais, da grande urbe de Diomedes legados,
pesarosos, trazem resposta: fez-se nada a todo
custo de tamanho esforço, nada, ou dons, ou ouro,
não valeram preces de peso, outras armas por Latinos
se busquem ou se peça a paz ao rei Troiano. 230
Definha o próprio rei Latino ante a grande aflição.
Trazido é Eneias fatal por claro poder do deus:
lembra-lhe a ira dos deuses e as covas recéns à vista.
Grande reunião, pois, faz de seus próceres, por ordem
chamados adentro do palácio deslumbrante. 235
Em grupos vêm e acorrem à casa real por ruas
repletas. Senta ao meio, maior por idade e primeiro
em realeza, com ar nada alegre, Latino.
Depois, aos núncios enviados da Etólia urbe,
manda falem o que têm a expor e cobra respostas 240
de tudo, na ordem devida. Então se calam os falantes
e, obediente à ordem, Vênulo assim começa a falar:
"Vimos, cidadãos, Diomedes e o Argivo acampamento
e, percorrendo o caminho, vencemos cada risco
e a mão tocamos pela qual a terra de Ílio sucumbiu. 245

Famoso herói, ergueu a urbe Argiripa, do nome
de seu país, nos campos do Gargano Iapígio.
Entrando e dada a licença de à frente lhe falar,
oferecemos dons e informamos nosso nome e pátria,
quem nos trouxe guerra, a causa que a Arpos atraiu-nos.  250
Ouvidos, estas com ar sereno respondeu-nos:
'Povo afortunado, reinado de Saturno,
antigos Ausonianos, que sorte a vós, pacatos,
tortura e incita a causar guerra de que nada sabeis?
Sendo quem quer que os campos Ílios com o ferro violamos  255
(passo o sofrido com a guerra sob os altos muros,
heróis que o Símois escondeu), tormentos sem nome
    em terras,
todas as penas de crime expiamos: tropa, até para
Príamo, lamentável; sabe-o o Minérveo astro infando
e os rochedos da Eubeia e o vingador de Cafareu.  260
Na famosa expedição, idos à praia oposta,
Menelau, Atrida, até as colunas de Proteu
foi exilado, Ulisses viu os ciclopes do Etna.
Ou sobre o reino de Neoptólemo e os tombados Penates
de Idomeneu? Os Locros, que habitam a Líbica beira?  265
Até o general Miceneu dos ilustres Aqueus,
por mão de vil esposa, ante a soleira da casa,
sucumbiu: um adúltero emboscou a Ásia vencida.
Não me invejaram deuses, voltado às aras paternas,
que eu visse as desejadas bodas e a bela Calidão?  270
Perseguem-me até então prodígios de aspecto arrepiante,
bem como os sócios, largados, foram-se em penas ao céu,
e pelos rios vagueiam como aves (ai! os castigos
cruéis para os meus) e enchem rochedos com pios chorosos.
Desde tal tempo essas coisas, para mim, são de esperar,  275
quando, alucinado, agredi um corpo celeste, isto é,

profanei com um ferimento a mão direita de Vênus.
Não me forceis mesmo a tais combates. Comigo,
guerra alguma com Teucros depois que arrasada foi
Pérgamo, nem me lembro ou me alegro de antigas desditas.   280
Os presentes que me trazeis de vossas plagas pátrias,
a Eneias voltai; em pé estivemos contra armas rijas
e travamos mãos: crede em mim, que o provei, quão potente
no escudo se mostra; com que vigor vibra sua lança.
Se, o que é mais, a terra do Ida tivesse gerado dois   285
heróis iguais, Dárdano, antes, atacaria as urbes
Ináquias e, inverso o fado, a Grécia choraria.
Quanto se tardasse ante os muros da firme Troia,
foi das mãos de Heitor e Eneias que a vitória dos Graios
dependeu e até o décimo ano prolongou seu trajeto;   290
ambos briosos, ambos na luta, que excede, exímios;
este, em piedade, maior. Unam-se em aliança as destras,
como se der, mas temei travar armas com armas'.
Ouviste de uma voz qual seja, ó ótimo rei, do rei
a resposta e seu juízo sobre a grande guerra".   295
Mal essas do arauto, e eis que rápido andou no ar perturbado
dos Ausônidas sussurro incerto. Qual quando um rio
voraz prendem pedras, há um rumor no caudal preso
e as margens próximas, com as ondas ruidosas, estouram.
Já abrandado o ânimo e quietas as bocas que mexiam,   300
rogando antes aos deuses, fala o rei do alto trono:
"Certo, antes decidir a causa mais grave, ó Latinos,
quereria e seria melhor: reunir o conselho
em tal situação quando os muros nos cerca o inimigo.
Guerra danosa a um povo de deuses e invictos   305
guerreiros, cidadãos, fazemos; a eles esfalfa
combate algum e, até vencidos, não se abstêm de armas.
Se tendes esperança em armas Etólias, juntas,

tirai-a; a cada um sua esperança, e essa vedes quão parca.
Tudo o mais, com que perda do império jaz abalado              310
no chão, está ante vossos olhos e entre vossas mãos.
E a ninguém acuso. Todo valor que pôde haver
houve, lutou-se com a totalidade do reino.
Assim, que projeto tem minha mente vacilante
vou expor e em breves termos (dai-me atenção) vou explicar.    315
Tenho uma antiga herdade próxima ao rio Toscano,
estendida ao poente e até além das fronteiras Sicanas.
Auruncos, Rútulos plantam-na e à relha os rudes morros
amanham e em pontos mais áridos dão pasto.
Toda essa região e a parte de pinho de alto monte              320
deem-se como atenção por Teucros, leis justas de pacto
fixemos e os chamemos para aliados do reino:
se fixem, se forte é o desejo, e elevem muralhas;
mas se há intenção de procurar outros territórios, outras
populações e precisam sair de nosso solo,                      325
armemos duas vezes dez naus de Ítalo carvalho,
ou mais, se podem equipá-las: há, à beira da água, ao chão,
toda a madeira; eles mesmos a quantidade, as medidas
das quilhas deem; nós demos moeda, mão de obra, estaleiro.
De mais, para que levem nossos termos, firmem pactos;          330
me apraz que vão cem legados, da melhor linha,
e que apresentem ramalhetes de paz diante de si,
ao portarem presentes, talentos de ouro e de marfim,
e a cadeira curul e a toga, marcas do reino;
consultai o bem comum e provede ao fraco Estado".              335
O mesmo hostil Drances, a que a glória de Turno
vexava com inveja de través e agudos ferrões,
de ampla riqueza e, em língua, melhor, cuja destra é frouxa
em guerra; tido como conselheiro sério em parecer;
influente em motins; a quem a nobreza da mãe dá ilustre        340

estirpe, trazia do pai incerta a procedência,
se ergue e acusa com estas, e faz crescer-lhe as iras:
"Consultas, bom rei, assunto encoberto a ninguém
e de meu parecer carente; todos confessam
saber o que a sorte do povo requer, mas se calam. 345
Dê liberdade de falar e abata a empáfia
aquele por cujo auspício infeliz e mau caráter
(direi sim, mesmo que com armas de morte me ameace)
vemos tombarem tantas vidas de chefes e a cidade
toda parar de luto, enquanto os Troicos quartéis 350
assalta, confiante em fuga, e assusta os céus com armas.
E um só a teus presentes, que numerosos mandas
enviar e anunciar aos Dardânidas, um, ótimo rei,
acrescenta e que, de ninguém, a ti vença a violência;
além de que, a filha a genro ilustre e a dignas bodas 355
dês como pai e que a paz religues com fixa aliança.
Pelo que, se um tal pavor domina mente e peito,
roguemos-lhe em pessoa e imploremos dele a graça:
ceda e conceda um direito de vida ao rei e à pátria.
Por que tanta vez lanças os pobres cidadãos em perigo 360
exposto, ó fonte e causa dessas desditas para o Lácio?
Salvação não há na guerra! a paz todos pedimos
a ti, Turno, com o penhor único intocável da paz.
Eis-me, eu, o primeiro, que tens por antipático a ti,
e não me oponho a ser, súplice venho, apieda-te dos teus. 365
Depõe o rancor e, expulso, vai-te; vencidos, vimos
mortes demais, despovoamos estas vastas terras.
Ou se a glória te excita e tal rijeza no peito
conténs, e se a tanto o palácio dotal tens a peito,
ânimo! e, fiado, dá, contra o inimigo, o peito. 370
Pois sim! para que caiba a Turno a esposa real, nós,
vidas sem valor, ralé não enterrada e chorada,

tombemos nos campos. Mas quê? se algum brio tens,
se tens seja o que for de teu pai Marte, olha-o em face a
te chamar!".
Pegou fogo a fúria de Turno com essas palavras;
dá um gemido e do peito, fundo, jorra estes termos:
"Sempre exuberante, Drances, sim, teu poder de falar;
sempre que guerras cobram mãos, senadores chamados,
chegas primeiro: mas cúria não se enche com ditos,
que voam nobres, de ti, no abrigo, enquanto impede o hoste
massa de muros e em sangue os fossos não se banham.
Troveja, pois, com a fala, habitual a ti, me acusa de medo,
tu, Drances, já que tantos montes de morticínio
de Teucros tua mão causou e aqui e ali ornas de troféus
as planícies! O que possa teu vivo vigor
te é dado provar: pois longe de nós os inimigos
não se busquem; de todo lado cercam muros!
Contra eles marchamos? te quedas por quê? ou Marte
nessa língua fanfarrona e nesses pés fujões há de
sempre ficar?
Expulso, eu? alguém me acusará com razão expulso,
infame, se vir o Tibre aumentar-se, engrossado de Ílio
sangue e toda a casa de Evandro com sua estirpe
sucumbir e aos Árcades de suas armas despojados?
Assim não me provaram Bítias e Pândaro enorme.
E os mil que, ao vencer, mandei ao Tártaro num dia,
em muros preso e rodeado de hostil trincheira.
'Salvação não há na guerra!' Canta essas balelas, louco,
ao chefe Troico e para ti. Não cesses, pois, com grande
terror tudo agitar e enaltecer os valores
do duas vezes vencido e humilhar armas Latinas.
Já os maiorais dos Mirmidões tremem ante tropas Frígias,
ora também Tidides e Aquiles Larisseu.

O rio Áufido ante as águas do Adriático reflui.   405
Mesmo agora o perverso finge-se medroso diante
do meu censurar e com medo agrava minha acusação:
jamais perderás essa vidinha (não te inquietes)
com esta mão; more contigo nesse peito vil.
Agora, ó Pai, volto-me a ti e a teus graves desígnios.   410
Se em nossas armas não pões mais uma esperança,
se estamos sem amparo assim e batida a tropa de vez,
perdidos de tudo, e a sorte não tem regresso, imploremos
a paz e estendamos nossas mãos sem armas.
Mas, oh, se algo houvesse de nosso valor habitual,   415
mais que todos para mim é ditoso em suas desgraças,
e de nobre caráter, quem, pra não ver estas coisas,
prostrou-se morrendo e uma vez por todas mordeu a poeira.
Mas se nos restam meios e uma juventude ilesa
e em nosso valimento cidades Ítalas e povos,   420
e aos Troianos com muito sangue veio a glória,
se têm lá seus funerais, e idêntico flagelo passou
por todos, por quê, ó vergonha, diante dos umbrais
falhamos? por que o medo toma os membros diante da tuba?
Dias em série e aflições várias de um tempo que se muda   425
deram em melhoria: a sorte que volta alternada
zombou de muitos e os pôs outra vez em segurança.
Não nos hão de ser de auxílio nem Etólio nem Arpos,
mas Messapo o será e o propício Tolúmnio e aqueles
capitães que tanta gente nos mandou, nem tardia   430
seguirá a glória os que escolheu o Lácio e o chão Laurêncio.
Há também Camila, da insigne raça dos Volscos,
ante a ala de cavaleiros e pelotões bronze-luz.
Pois se é a mim só que exigem Teucros para a pugna,
e isso satisfaz e de tal forma obstruo o bem comum,   435
nem a tal ponto escapou destas mãos vitória odiosa,

que algo negue tentar por tamanha esperança.
Lhe irei contra animoso, exceda até ao grande Aquiles
e vista armas parelhas às feitas por mãos de Vulcano
mesmo assim. Esta vida a vós e a meu sogro, Latino, eu, 440
Turno, em nada inferior em valor a nenhum dos avós,
votei. Só a mim provoca Eneias; provoque, peço.
Nem melhor, Drances com a morte, se há ira dos deuses,
pague, se lhe é honra e glória, não a roube de mim."
Entre si, de tais assuntos vários resolviam 445
em disputa, Eneias movia quartéis e batalhão.
Um arauto em grande bulício, pelo palácio real,
eis se lança e enche a cidade com enorme pavor:
Teucros em fila de ataque a partir do rio Tibre
e tropa Tirrena descem por todos os campos! 450
Logo se agitam mentes, e os corações do povo
abalam-se e a raiva se atiça por rijos aguilhões.
Com pressa pedem armas às mãos, grita o jovem por armas.
Tristes, plangem pais, rosnam; grito alto em toda parte
com desarmonia vária se levanta aos ares: 455
assim, no fundo de um bosque, quando acaso um bando
de aves pousa, ou na água de peixes do Padusa
dão brado por laguinhos ruidosos rouquenhos cisnes.
"Vamos, cidadãos," diz Turno, aproveitando o instante,
"reuni o conselho e sentados elogiai a paz, 460
com armas correm contra o reino." Não mais falando,
mexeu-se e, do fundo do paço, veloz se retirou.
"Manda, Vóluso, manípulos de Volscos se armar,
Leva Rútulos também", diz, "Messapo, Coras, com o irmão,
espalhai pelo amplo campo a montaria armada. 465
Uns firmem as portas da cidade e tomem as torres;
comigo, a tropa restante, aonde mandar, leve armas."
Logo, de toda a cidade, corre-se às muralhas.

Latino mesmo, Pai, larga o conselho e os grandes planos
e inquietado pelo impasse aflitivo os adia, 470
muito se acusa que não aceitou livremente
o Dardânio Eneias e associou-o genro à cidade.
Outros cavam em frente às portas, e pedras e estacas
carregam. Dá o sinal cruel da guerra a rouca
trombeta. Mães e crianças numa coroa de cores 475
rodearam muralhas. A prova final chama a todos.
A rainha ao templo e alto baluarte de Palas
leva-se também por grande turma de mulheres,
portando oferta, e a acompanhante, donzela Lavínia,
causa de mal tamanho, que ao chão os olhos belos põe. 480
Chegam-se as mães e defumam de incenso o templo
e do alto do umbral soltam este triste canto:
"Poder-de-arma, dona-de-guerra, virgem Tritônia,
com a mão, rompe o dardo do Frígio predador; vergado,
prostra-o no chão e o derruba ante estas altas portas". 485
Já Turno se cinge ao combate, furioso à porfia
e, já posto em couraça cor de fogo, se eriçava
de malhas brônzeas e já enfiara no ouro as pernas,
nas têmporas nu ainda e, havendo preso ao lado a espada,
fulge, de ouro, ao descer correndo o alto baluarte, 490
pula por dentro e, no aguardo, antecipa o inimigo:
tal foge do cercado, desfeitas as amarras,
livre por fim o cavalo e, dono da várzea aberta,
ou se dirige ao pasto ou ao rebanho das éguas,
ou, afeito em banhar-se em sabido curso de água, 495
alta fora dele e, nuca no alto empinada, rincha,
extravasando, e ao colo, às espáduas, jogam-se as crinas.
A, seguindo-a o exército dos Volscos, Camila
acorre ao umbral mesmo, do cavalo a rainha
se apeia; imitando a quem, toda a coorte, abandonados 500

os cavalos, se escorrega ao chão. Fala então estas:
"Turno, se com razão o valente tem confiança em si,
contra o esquadrão de Enéadas ouso e prometo avançar
e eu, só, resistindo, ir contra os cavaleiros Tirrenos.
Deixa-me tentar à mão os primeiros riscos da guerra; 505
de peão te estaca aos paredões e guarda a cidade".
A isso, Turno, fixando o olhar na arrepiante virgem:
"Ó virgem, glória da Itália, que graças em te mostrar
ou pagar igualo? Ora, porém, já que sobre tudo
está tua coragem, divide comigo a tarefa. 510
Eneias, qual dá por certo o boato e os batedores
que enviei, impostor, mandou tropa leve, de antemão,
de montadores bater campo. Indo além da montanha
por cumes desertos se avizinha da cidade.
Armo ardil de guerra em trilha escarpada da mata 515
para ocupar com um troço armado o duplo estreito;
pega os cavaleiros Tirrenos, tropa com tropa;
ter-se-á contigo o bravo Messapo e hostes Latinas,
e as tropas de Tiburto, e assume a função de general".
Assim fala e, com ditos iguais, incita Messapo 520
à luta e os chefes aliados e vai-se ao inimigo.
Há um vale de curvo desvio, próprio a embuste
e bélica cilada, a que com densas folhagens
de um lado e outro escura encosta aperta; aí dá fina trilha;
aí leva cerrado corredor e entrada acanhada. 525
Em cima, em mirantes, na parte mais alta da serra,
jaz plataforma inexplorada e remanso seguro,
ou se se quer atacar por esquerda ou direita
ou ameaçar das pontas e rolar pedras graúdas.
Para aí segue o jovem num percurso conhecido, 530
toma posição e fixa-se em mata acidentada.
No entanto, nas paragens de cima, a Ópis ligeira,

uma de suas virgens amigas e sacro cortejo,
Latônia interpela e com ênfase profere estas
tristes palavras: "Camila vai-se à guerra impiedosa,   535
ó virgem, e em vão de nossas armas se cinge,
ela a mim cara mais que as outras, pois esse amor não
    há pouco
surgiu e ao coração comoveu com súbita doçura.
Expulso do reino por ódio e seu soberbo poder,
Métabo, ao sair da antiga cidade Priverno,   540
em fuga entre atuantes da guerra, a um bebê, companheiro,
traz do exílio consigo e pelo nome da mãe, Casmila,
a chamou, mudado um componente, Camila.
Levando-a à frente, no colo, ia para os longes picos
de bosques desertos. De todo canto horríveis dardos   545
os vexam. Soldados à vista, revoam Volscos.
Eis que, em meio à fuga, transbordando, o Amaseno
    espumava
alto nas beiras: tal das nuvens despencara
o temporal. Disposto a nadar, de amor pelo bebê,
se tarda, pois teme pela carga preciosa. Em tudo   550
pensando consigo, este súbito intento assentou:
enorme dardo que, guerreador, acaso traz na mão
robusta, inteiro de nós e roble temperado:
presa a filha na casca, cortiça silvestre,
liga aí, quer dizer, cômoda, a amarra ao meio da lança.   555
Balançando-a com a forte mão, assim fala ao éter:
'Boa virgem Latônia, amante da mata, esta como
serva te consagro, seu próprio pai; segurando as primeiras
hastes, rogante, escapa do inimigo; toma-a, atesto,
como tua, deusa, que ora se entrega ao vento incerto'.   560
Disse e, puxado o braço, o projétil despedido
soltou; soam as águas. Sobre o curso que arrebata,

no arremesso sibilante foge a infeliz Camila.
Já Métabo, apertando-o mais de perto o denso bando,
dá-se ao rio e a haste com a virgem, vitorioso, 565
dádiva da Trívia, arranca do torrão graminoso.
Cidade alguma o aceita em casa ou entre os muros,
nem se entregaria ele mesmo, por suas asperezas;
levou vida de pastor em montes sem gente.
Nutria a filha aí, em moitas, arrepiantes 570
tocas, a mamar de uma égua de manada, e a leite
de fera, ordenhando as tetas com seus lábios tenros.
Mal a infante apoia os primeiros passos nas plantas
dos pés, carregou o vão das mãos com o dardo pontiagudo,
flechas e um arco do ombro da tão pequena fez pender. 575
Em vez de áureo grampo e veste de pala,
pele de tigre cai-lhe da cabeça pelas costas.
Já então, com a delicada mão, jogou dardos infantis,
girou pela cabeça a funda de correia lisa
e pôs por terra um grou de Estrimão ou um branco cisne. 580
Por cidades Tirrenas muitas mães a quiseram
por nora, em vão; contentando-se apenas com Diana,
amor sem fim por armas e pela virgindade,
sem contatos, preza; a quereria não tomada tanto
fosse por coisas de guerra e dada a Teucros atacar, 585
cara a mim, e agora fosse uma de minhas companheiras.
Mas, vamos, já que há pressão dos destinos rigorosos,
desce da abóbada, ninfa, e vai ver terras Latinas,
onde se trava luta infausta por funesto agouro.
Toma esta e tira da aljava a seta vingadora; 590
por qual, quem quer que ofenda com ferida o corpo sacro,
Troico ou Ítalo, a mim pague igual sua pena em sangue.
Depois, dentro de um nimbo, da lamentável, corpo e armas,
sem despojos, vou levar a um túmulo e a reporei à pátria".

Disse, e aquela, caindo, por brisas sem peso, do céu,  595
soltou um som, cercado seu corpo em vórtice escuro.
No entanto, o pelotão Troiano achega-se às muralhas,
chefes Etruscos e o exército todo em cavalos,
dispostos por número em turmas. Relincha em todo
    o plaino,
saltante, o tropeador, luta ao aperto das rédeas,  600
pra lá, pra cá virado. Ao longe a seara de ferro
de hastes se frisa, e flameja o campo de armas alçadas.
Por sua vez, também Messapo e os lépidos Latinos,
Coras com seu irmão e a ala da donzela Camila
surgem na planície em face e, recuando as destras,  605
apontam ao longe lanças e empunham dardos.
O avanço de homens quanto o rincho dos cavalos crescem;
e ambos, progredindo, já num lance de dardo,
estacaram. Súbito, rompem com gritos, e com fúria instigam os cavalos; de todo lado, se entornam  610
dardos densos qual neve, e o céu tampa-se de sombras.
Logo, Tirreno e o ardente Aconteu, firmes em lanças
viradas, se atacam entre si e, primeiros,
sucumbem com forte estrondo, e dos quadrúpedes, peito
com peito chocados, se rompem; ejetado, Aconteu,  615
como um raio ou por balista de carga atirada,
se arroja longe e dispersa nos ares sua vida.
Turbam-se já as fileiras e os Latinos, virados,
dão pernas à costa e voltam aos muros os cavalos.
Troicos avançam; à frente esquadrões leva Asilas  620
e às portas já chegam; de novo os Latinos erguem
gritos e para trás dobram os colos macios.
Aqueles fogem e andam pra trás com as rédeas todas dadas:
tal quando o mar, fluindo com corrente alternada,
ora se lança a terra e ondas atira sobre os rochedos,  625

espumoso, e com o volteio molha a ponta da areia;
ora, rápido em ré, reapanhando os seixos rolados
pela maré, foge e deixa a praia na onda que escorre;
bis o Tusco empurra ao Rútulo, de costa, aos muros;
bis recuado, armicobrindo a costa, olha pra trás.    630
Mas depois de juntos a um terceiro ataque, as linhas
todas se enrolam entre si, homem a homem pega;
aí, gemido de quem morre e, em camada de sangue,
armas e corpos; e, em matança de homens misturados,
cavalos rolam meio-mortos; cresce amarga a luta.    635
No corcel de Rêmulo, a quem treme de horror de atacar,
Orsíloco atira uma haste e na orelha deixa o ferro;
o pé-de-som, com tal golpe, em pé fúria e roja no alto,
sem tolerar a ferida, com o peito em prumo, as patas.
Aquele, ejeto, rola ao chão. Catilo a Iolas, grande    640
por brio, e a Hermínio, notável em massa e espáduas,
derruba; este que tem no topo seu uma alourada
cabeleira e ombros nus. Mesmo assim, não teme as pancadas,
tanto às armas se expõe! Pela vasta espádua, jogada,
a lança treme e, o perfurando, dobra de dor o herói.    645
Por tudo se esparrama sangue escuro e, em luta, geram
morte com o ferro e buscam morte honrosa, em feridas.
Em meio à matança exulta a Amazona Camila,
com aljava e, para o combate, um peito retirado.
E ora, espalhando à mão, arcos flexíveis concentra,    650
ora, incansável, toma com a destra a forte bipene;
áureo seu arco, suas armas Diânias da espádua ressoam.
Embora, rechaçada às vezes, ande de costas,
dispara retesado o arco, projéteis que se perdem.
Mas, perto, escolhidas parceiras: virgem Larissa,    655
Tula e Tarpeia, que brande uma bronzeada secure,
Itálicas, que a mesma divina Camila se escolheu

para paz e guerra como honra e boas serviçais:
quais as Trácias Amazonas quando tocam água
de Termodonte e pelejam com armas mosqueadas,   660
ou em volta de Hipólita ou quando Pentesileia,
filha de Marte, volta em carro, e com grande assuada
    de berros
alas femininas exultam com peltas lunares.
Qual o primeiro ou o último, rude donzela,
abates com dardo? ou quantos corpos morrendo esparzes no
    chão?   665
Logo a Euneu, de pai Clítio, de quem, a vir contra,
transpassa o peito desnudado com longo abeto;
jorros de sangue vomitando, ele cai e morde a terra
sangrenta e, ao morrer, vira-se sobre o próprio ferimento;
então, a Líris e a Págaso, a mais, dos quais, as rédeas   670
ao puxar, um rola atrás, varado embaixo o cavalo,
o outro, ao se achegar, e dá a mão sem força ao que cai,
cabeça para baixo e juntos caem; aos quais acrescenta
Amastro Hipótades; de longe persegue com a lança
a Tereu, Arpálio e também Demofoonte e Crômis.   675
E quantos dardos disparados a virgem mandou,
tantos guerreiros Frígios tombaram. Vai Órnito, caçador,
com estranhas armas e sobre um cavalo Iapígio:
largos ombros cobre pele tirada a um novilho
de briga; à enorme cabeça tampa uma goela aberta   680
e uma mandíbula de lobo com alvos dentes,
e um dardo de caça equipa-lhe a mão. Bem ele é que faz
vaivém entre alas e as supera com toda a cabeça.
Pego à parte (pois não houve esforço, com a ala em fuga),
ela o transpassa e por cima diz estas com ânimo hostil:   685
"Pensaste, Tirreno, estar atrás de feras nas matas?
Chega o dia que vossas injúrias terá objetado

com armas feminis. Mas nome nada fútil aos Manes
de teus avós dirás: morreste por arma de Camila".
A seguir, a Orsíloco e a Butes, altíssimos ambos 690
entre os Teucros, só que a Butes, à frente, com a lança
fura entre couraça e elmo, onde do cavaleiro
há um claro, e o escudo pende do braço esquerdo;
a Orsíloco, fugindo e em grande roda se movendo,
engana com giro mais dentro e segue a quem a segue. 695
Então a sólida secure entre armas e ossos do herói,
que, mesmo que rogue e muito suplique, erguida mais,
dispara; a ferida rega o rosto com miolos quentes.
Dá sobre ela – e da visão súbito aterrado – para
morador do Apenino, guerreiro filho de Auno, 700
dos Lígures não o último, até o fado deixar falsear.
Mal vê que, correndo, não pode da luta fugir,
nem a rainha evitar que vem em seu encalço,
dando-se a revolver ardis com plano astucioso,
estas começa: "Que há de especial em fiar, como mulher, 705
num robusto cavalo? Deixa a fuga e em terreno igual
dá-te comigo mão a mão, dispõe-te à luta a pé,
e saberás a quem causará mal vã empáfia".
Disse, e ela, furiosa e de forte raiva inflamada,
entrega o cavalo à parceira e se detém, com armas iguais, 710
a pé, espada nua, sem tremor, só de escudo.
Mas, é claro, o jovem, pensando vencer com manha, voa
de brusco, virada a rédea, pronto a fugir, se subtrai;
ao quadrúpede veloz com espora férrea aflige.
"Lígure impostor, tomado em vão de ânimo arrogante, 715
em vão tentaste, evasivo, de tua terra as manhas,
a Auno falso não te levará salvo a trapaça."
A virgem diz tais e, com fogo, com céleres pés,
no correr transpõe o corcel e, pegos os freios,

de frente ataca e cobra o castigo ao sangue funesto.  720
Quão fácil, ave sacra, o gavião, do alto do rochedo
pega através da pena a pomba no alto na nuvem
e a mantém presa e desentranha com as patas ganchosas,
e lá do céu puro cai sangue e as penas arrancadas.
E não com neutros olhos o criador de homens e deuses,  725
mirando essas coisas, se assenta altivo no alto Olimpo;
ao Tirreno Tárcon o Gerador à luta cruel
instiga e com duros aguilhões lança-lhe dentro as iras.
Entre, pois, matança e pelotões recuantes, Tárcon
passa a cavalo e com diversos tons incita as alas,  730
por nome a chamar cada um, repondo à luta os dispersos:
"Que medo, Tirrenos, nunca prontos a se doer, sempre
inertes, que grande frouxidão no ânimo veio?
Mulher vos obriga a dispersar, voltar fileiras?
Aonde o ferro ou pra que temos armas vãs nas mãos?  735
Mas não moles para Vênus, e, à noite, as batalhas,
ou, mal a flauta curva indicou os coros de Baco,
esperar manjares e copos de mesa farta:
eis a paixão e o gosto! até que o áugure, fausto, as festas
sacras diga e gorda vítima chame ao fundo dos bosques".  740
Dito isso, açula o cavalo ao meio deles, ele mesmo
pronto a morrer, e vai-se agitado; contra Vênulo,
derrubando-o do cavalo, cerca o inimigo à mão,
e, revolto, o puxa com força intensa contra o peito;
ao céu vai-se um vozear e voltam os olhos todos  745
os Latinos: voa, fogoso, Tárcon no plaino, as armas
e o herói levando; então com a ponta da lança deste
rompe o ferro e procura em pontos descobertos
onde dê o golpe mortal. Aquele, resistindo,
sustém do outro a mão na goela e com força evita.  750
Tal quando, voando alto, a águia flavescura a uma cobra

que pegou leva, e em que enlaçou garras e prendeu
    com unhas;
mas a serpente ferida revira as roscas tortuosas,
crespa-se de altas escamas e silva forte,
erguendo-se altiva; aquela a aperta, mesmo a relutar,   755
com o recurvo bico, e ao mesmo tempo fere o ar com as asas:
assim, presa do batalhão, a Tibúrcio Tárcon
traz triunfante. Ao exemplo e êxito do chefe, atacam
os Meônidas. Arunte, aguardado por fados,
superior por sua grande astúcia, à veloz Camila   760
rodeia e sonda qual seja a mais propícia situação;
por onde quer que impetuosa vá a donzela em pleno
    esquadrão,
por lá segue Arunte e em silêncio passa os passos dela;
de onde volta vencendo, isto é, retorna do inimigo,
de lá, furtivo, o jovem desvia as rédeas velozes;   765
ora percorre esse acesso, ora já outro e em todo lado
cada volta e brande sem cessar lança certeira.
Acaso Cloreu sagrado a Cíbelo, antes ministro,
chamando a atenção brilhava ao longe em armas Frígias.
Pica o espumante corcel que cobre, tecido em ouro,   770
xairel de malhas brônzeas em forma de plumas;
ele, luzente em púrpura estrangeira azul escuro,
movia dardos de Gortina com arco da Lícia;
soava do ombro um carcás de ouro e um elmo, próprio
    de adivinho,
de ouro; a mais, clâmide açafrão e pregas ruidosas de linho   775
ligara em nó com pregador de ouro amarelado;
túnica bordada e cobertura estrangeira de pernas.
Não vista, a virgem caçadora o segue – ou para
pregar em templo armas Troicas, ou mostrar-se em ouro
prisioneiro – a ele só, de cada lutador   780

da batalha; e por todo o esquadrão desprevenida,
ardia em feminil desejo de presas e espólios.
É quando Arunte a um dardo, apanhado enfim no instante,
de emboscada impele, e assim pede aos De-Cima em alta voz:
"Deus maior, Apolo, guarda do sacro Soracte, 785
que mais veneramos, por quem o fogo píneo em montão
se nutre; firmes em tua devoção, pisamos pleno fogo
nós, teus adoradores, sobre bastante brasa;
dá, ó Pai onipotente, apagar esta desonra
com nossas armas. Ex-pertences, troféus ou despojos 790
da donzela, uma vez atingida, não peço; trar-me-ão glória
outros feitos: contanto que este mal terrível caia,
com meu golpe, ferido; inglório volto à urbe paterna".
Febo atendeu e, com saber, fez parte do voto
ter sucesso, outra parte espalhou nos ventos volúveis: 795
de abater com súbita morte a inflamada Camila,
com o pedinte concordou, sua alta terra o ver de volta
não deu; e a borrasca converteu sua voz em vendaval.
Assim, mal a lança por mão mandada ruído fez pelo ar,
mudaram o ânimo áspero, e os olhos voltaram, todos 800
os Volscos à rainha. Ela mesma nada atenta
ao vento, ao ruído ou ao projétil que vem pelo ar limpo,
até que a haste, translata, na mamila tirada
cravou-se e, atirada fundo, bebeu virgíneo sangue.
Correm juntas, tremendo, as parceiras e a ama que desaba 805
acolhem. Foge, assustado mais que todos, Arunte,
alegria a medo mista, e já não se atreve a confiar
em sua lança ou em ir contra os dardos da donzela.
E como um lobo, antes que armas inimigas o persigam,
sem trilha, no alto de uma montanha, logo se esconde, 810
depois de morto o pastor ou um belo novilho,
consciente da façanha audaz, dobrando o rabo

com medo, o jogou sob o ventre e correu para o mato:
não de outro modo, Arunte, inquieto, safou-se dos olhares
e, contente com a fuga, em meio aos guerreiros se mesclou. 815
Ela, com a mão, morrendo puxa o dardo; entre os ossos, porém,
está lá bem dentro do corte a ponta do ferro.
Sem sangue, larga-se, largam-se frios de morte
os olhos: a cor purpurina de outrora deixa as faces.
Expirando, a Aca se dirige assim, das suas 820
a mais fiel que outras, única com quem se dividiam
as agruras de Camila, e assim estas fala:
"Até aqui, Aca irmã, resisti; agora, a aguda chaga
me consome e, em volta, tudo em trevas se preteja;
vai-te daqui e leva a Turno este último anúncio: 825
renda-me em luta e afaste da urbe os Troianos;
e agora, adeus!". Junto com tais ditos largava as rédeas,
deslizando ao chão, sem o querer. No corpo todo
gelada, aos poucos se livrou, e o pescoço bambo e a
cabeça presa da morte ao chão pôs, deixando as armas, 830
e a alma foge num gemido esbravejando pelas sombras.
Foi quando um grito, crescendo, fere enorme os astros
de ouro; tombada Camila, recrudesce a luta:
densos, investem o exército todo dos Teucros,
juntos, chefes Tirros e alas Árcades de Evandro. 835
Mas há muito Ópis, guardiã da Trívia, no alto, em cima
do monte senta e sem temor assiste os combates.
Logo que ao longe em pleno clamor de jovens furiosos
avistou Camila punida de morte cruel,
suspirou e pôs do fundo do peito estas palavras: 840
"Ai, é demais, atroz demais é a pena que expiaste,
donzela, por tentares com guerra Teucros desafiar!
Deixada em matagais, tampouco te ajudou a Diana

ter honrado ou nos ombros carregado nossa aljava.
Mas não te deixou sem glória tua rainha, justamente 845
na hora final de morrer, nem sem fama entre os povos, tal
morte será, ou sofrerás de não-vingada a afronta,
por que quem quer que com ferida o corpo sacro ofender
vai, com o devido fim, pagar". Há sob alto morro, enorme
túmulo, de montão de terra, do antigo rei 850
Laurêncio Derceno, e oculto por fosca azinheira:
lá, a belíssima deusa logo em rápido voo
se detém e atalaia Arunte do alto dessa elevação.
Mal o viu de armas brilhante e encher-se em vaidade,
"Por quê", diz, "vais-te afastando? os passos dá para aqui, 855
prestes de morrer, vem aqui, a ganhar o justo prêmio
de Camila; ora, morrerias sob dardos de Diana?".
Disse, e a Trácia, da aljava dourada, a seta voadora
fez sair e com ódio retesou aquele arco,
e muito o puxou, até se encontrarem entre si, 860
curvadas, as pontas, e no mesmo nível as mãos, tocar,
de esquerda, a ponta férrea, de destra, a corda e a mama.
Já, já Arunte ouviu, juntos, sussurro de seta
e os ares soando, e no corpo se fincou o ferro.
A ele a expirar e o último sopro dar, parceiros, 865
esquecidos, deixam no escuro pó do campo.
Com asas Ópis se retira ao Olimpo etéreo.
Foge primeira a ala de Camila, fora a chefe;
fogem os Rútulos confusos, foge o impetuoso Atinas.
Chefes dispersos, manípulos deixados buscam 865
proteção e, voltados, vão em cavalo às muralhas:
ninguém, aos Teucros que atacam e trazem a morte,
pode sustentar e a eles, com armas, resistir.
Mas em ombros inertes levam de volta arcos frouxos,
e o casco bate a planície poeirenta em marcha a quatro pés. 875

Para as muralhas um pó turvo rola em nuvem negra,
e as mulheres, das atalaias, batendo nos peitos,
erguem aos astros do céu feminil gritaria.
Quem primeiro entrou correndo em porta aberta,
a este bando hostil, mescladas as fileiras, abate;   880
não evitam deplorável morte e, na própria entrada,
sob os pátrios paredões e entre o abrigo de seus lares,
traspassados, expiram. Uns tantos fecham portões,
nem ousam abrir passagem para os seus ou acolhê-los,
que imploram, nos muros. Começa tristíssima matança   885
de quem com armas veda entrar e em armas se joga.
Outros, impedidos, sob o olhar de seus pais que choram,
em fossos escarpados, empurrando-os o choque,
rolam; outros, perdido o controle, cegos, pulsos,
arietam portões e duros umbrais com ferrolho.   890
Até as mulheres, em máximo ardor, dos muros
(puro amor pátrio as anima), assim que viram Camila,
inquietas, à mão lançam dardos (e armas de ferro imitam
com paus e varas de duro roble queimadas na ponta),
de cima pra baixo, e ousam morrer primeiro ante os muros.   895
No entanto, na mata, a cruelíssima notícia
pega Turno em cheio, e Aca ao jovem conta o grande alarme:
arrasadas as tropas dos Volscos; Camila tombou;
inimigos, destruindo, atacam e, Marte a favor,
tomam conta de tudo, e às muralhas o pânico já vai.   900
Ele, iroso (e exige, assim, de Júpiter poder cruel),
deixa o morro que sitiou, larga a mata escabrosa.
Mal de sua vista saíra e atingia a planície,
o Pai Eneias, entrando a garganta franqueada,
tanto ultrapassa o pico quanto sai da escura brenha.   905
Assim, vão lestos ambos aos muros e com todo o
corpo de tropa, entre si não distam longos passos.

Mal Eneias avistou de longe desprenderem
os campos poeira e viu os esquadrões Laurêncios,
reconheceu Turno a Eneias, duro em armas, 910
e ouviu chegada de pés e bafo de cavalos;
e em luta já estariam e tentariam choques,
se Febo róseo os cavalos cansados no Ibero mar
não banhasse e reenviasse a noite, com o dia caindo.
Põem quartéis ante a urbe e trincheira em muralhas. 915

# Livro Décimo Segundo

Turno, ao ver fraquejando os Latinos, abatidos
com um Marte contrário, ora cobrarem-se suas promessas,
ser alvo de olhares, logo se inflama, implacável,
e os ânimos alteia. Qual em Púnica várzea,
ferido ao peito de grave corte de caçadores, 5
mexe enfim o leão sua arma e se apraz dos membros crinudos
no cachaço e sem medo quebra o dardo, do atacante,
fincado, e lhe faz rugir sanguinolenta sua boca:
não de outro modo cresce em Turno irado a violência.
Fala assim ao rei, ou começa assim, transtornado: 10
"Tardar nenhum em Turno; nada há por que se retratem
os Enéadas covardes ou recusem o pacto.
Lutarei, ó Pai, faze um culto, conclui um tratado;
ou que mande eu com esta destra ao Tártaro o Dardânio
desertor da Ásia (se assentem e assistam os Latinos) 15
e a ferro, só, refuto a queixa geral de mim,
ou os julgue vencidos, Lavínia passe a esposa".
Respondeu-lhe, espírito sereno, Latino:
"Ó jovem que excede em valor, quanto mais te alças por ti
com bravo vigor, tanto é mais justo com mais zelo 20
deliberar e receoso assumir todos os riscos.
Tens os reinos do pai Dauno, tens várias fortalezas

ganhas com luta, e Latino tem ouro e sentimento.
Outras donzelas há no Lácio e nos campos Laurêncios
em raça não inglórias. Deixa-me isto, não fácil de falar, 25
explicar, tirado o rodeio, e de igual, ouve isto atento:
dado não me era dar a filha a antigos pretendentes,
e tal vaticinavam todos os deuses e os homens.
Vencido por tua estima e por sangue afim vencido,
por choro de esposa magoada, todo liame rompi, 30
do genro a prometida tirei, profana arma tomei.
Desde então, quais males, Turno, quais guerras me vês
perseguindo, primeiro a sofrer tamanhas privações.
Bivictos em grande batalha, mal na urbe
vemos Ítala esperança; a água Tibrina inda se aquece 35
com nosso sangue e os longos campos de ossos alvejam.
A cada hora aonde vou? que furor muda meu pensar?
Se Turno morto, dou-me a chamá-los como aliados,
por quê, ele salvo, com mais razão não suspendo as lutas?
O que os Rútulos do mesmo sangue dirão, e a Itália 40
restante, se eu te expuser à morte (a sorte os ditos
meus desvie!), que pretendes a filha e nossa aliança?
Olhando atrás, vê as mutações na guerra, tem dó do pai
idoso, a quem, ora triste, a Árdea pátria distante
separa". De modo algum, o ímpeto de Turno dobra- 45
se com a palavra, cresce mais e piora com o remediar.
E mal pôde falar, começou, enfático, assim:
"A atenção que mostras por mim, homem bom, peço:
    por mim,
põe de lado e deixa a morte trocar-se por glória.
E tanto, Pai, com esta mão, dardos, duro ferro 50
espalhei, quanto de meus ferimentos brota sangue.
Sua diva mãe longe estará pra cobri-lo com nuvem
de mulher e a si mesma ocultar com refúgio inútil".

Mas, temendo o novo acaso da luta, a rainha
chorava e, disposta a morrer, continha o genro exaltado:  55
"Turno, por estas lágrimas e o afeto, se o há que toca
teu coração (tu, única esperança e paz agora
da triste velhice, em ti o império glorioso de Latino,
sobre ti se apoia toda nossa pátria em declive),
só isto rogo: cessa de combater os Teucros;  60
qualquer sorte que te aguarda nesse combate, a mim,
Turno, aguarda; ao mesmo tempo deixarei, odiosa, esta
luz, nem verei Eneias como genro, prisioneira".
Em lágrimas Lavínia ouviu essa fala da mãe,
molhada nas faces em fogo, ela a quem o rubor,  65
muito, trouxe um ardor e percorreu o rosto aquecido:
como se houvesse alguém manchado com púrpura encarnada
o marfim Indu, ou quando branco lírio se avermelha
com muitas rosas; cores tais mostra no rosto a virgem.
A paixão o turva e os olhos crava na donzela,  70
arde mais pela guerra e a Amata interpela, com poucas:
"Por favor, não me sigas com choro ou forte agouro,
a mim que marcho para a luta do implacável Marte,
Mãe, pois não se dá a Turno o livre retardo da morte.
Leva, arauto Ídmon, este aviso meu que não vai agradar  75
ao tirano Frígio: assim que ao céu Aurora de amanhã
se avermelhar carregada por seu rosado carro,
não leve Teucros contra Rútulos, descansem armas
Teucros, Rútulos, findemos com nosso sangue a guerra:
ganhe-se naquela arena a esposa Lavínia".  80
Mal essas proferiu e ligeiro reentrou na morada,
pede os cavalos e folga de os ver à frente, a fremir;
deu-os a Pilumno como honra a própria Orítia;
venceriam na alvura a neve, na corrida os ventos.
Cercam-nos cocheiros, lestos, mãos em concha acarinham  85

os peitos, batendo-os e os pescoços sedosos penteiam.
Ele mesmo, frisada com ouro e com branco latão,
rodeia a couraça ao ombro e ajusta a espada, também,
para o uso, e o escudo e a cimeira de crista vermelha,
espada que o próprio deus Potente-em-fogo fizera 90
pro pai Dauno e banhara, candente, na água Estígia.
Depois, agarra firme a forte lança encostada,
em pé, à enorme coluna no meio do palácio,
despojo de Áctor de Aurunca, e a sacode, ela que vibra,
gritando: "Já, ó jamais negada a meus apelos, 95
lança, a hora já chegou; a ti, o poderoso Áctor,
ora leva a mão de Turno, dá-me o corpo prostrar
e despedaçar, arrancando-a, com mão forte, a couraça
do Frígio efeminado e sujar no pó os cabelos
frisados a ferro quente e de mirra molhados". 100
Com tal furor vibra, e de toda sua boca, em frenesi,
saem chispas, chamas piscam nos olhos brilhantes seus:
qual, em primeira luta, o touro solta terríveis
mugidos e procura enfurecer-se pelos cornos,
apoiado em tronco de árvore, e fustiga os ventos 105
com chifradas ou, mexendo a areia, ensaia briga.
Não menos, no entanto, terrível com as armas maternas,
Eneias afia Marte e se incita com ira,
contente em findar-se a guerra com o pacto dado.
Conforta os parceiros e o medo de Iúlo entristecido, 110
expondo as predições, manda os guerreiros levar ao rei
Latino a decisão certa e condições de paz ditar.
Mal a luz seguinte exposta inunda alto de montes,
ao se alçarem logo do fundo pego os cavalos
do Sol e das largas narinas soltarem clarão, 115
soldados, Rútulo e Teucro, preparam o campo,
marcando-o, sob os muros da alta urbe;

e, entre eles, fogueiras e aras de relva para os deuses
em comum; outros traziam água de fonte e fogo,
de avental sacro, e envoltos de alecrim nas fontes. 120
A legião dos Ausônidas avança, alas com pilos
jorram por portões apinhados. Lá todo o Troico
e Tirreno exército rompe com armas variadas,
armados de ferro, como se horrível batalha
de Marte os chamasse. Em meio aos milhares os capitães 125
mesmos, em ouro e púrpura garbosos vão marchando,
tanto Mnesteu de Assáraco quanto o valente Asilas,
Messapo de cavalos domador, Netúnio filho.
E assim que, dado um sinal, cada qual retorna a seu posto,
fincam lanças no chão e pousam seus escudos. 130
Mulheres que afluíram por gana e a plebe sem armas,
como os velos frágeis, tomam conta de torre e tetos;
os demais se postam junto aos portões elevados.
Mas Juno, ao longe, olhando de alto outeiro, Albano
ora tido (então nome, honra, fama o morro não possuía), 135
atenta observava a planície e ambos os exércitos
de Laurêncios e Troicos e a urbe de Latino.
Logo fala assim a deusa à deusa irmã de Turno,
a qual preside aos lagos e ruidosas correntes;
o augusto rei do éter, Júpiter, lhe consagrou essa 140
honraria em paga de sua tirada virgindade:
"Ó ninfa, adorno dos rios, tão grata a nosso coração,
sabes, como única em muitas quaisquer Latinas,
que ao odioso leito do nobre Júpiter subiram,
te preferi e pus de bom grado em região do céu. 145
Aprende, não me culpes, com teu penar, Juturna,
no que o rosto quis aturar e as Parcas deixaram
dar-se os fatos para o Lácio; guarda Turno e teus baluartes:
vejo agora o jovem competir com destinos desiguais,

e chega o prazo das Parcas e uma força contrária.  150
Com meus olhos não posso ver a batalha e esse acordo.
Se ousas por teu irmão algo de mais eficaz,
vai à frente, está bem. Virá algo melhor aos desditosos".
Mal essas diz, Juturna faz lágrimas dos olhos rolar
e o belo peito com a mão feriu três ou quatro vezes.  155
"Tal não é hora de lágrimas", diz Juno Satúrnia,
"apressa-te e, se há alguma forma, tira o irmão da morte
ou causa uma guerra e abala o tratado concluído:
instigo-te a ousar." Exortando assim, a deixou
incerta e confusa com a negra mágoa de alma.  160
Mas quanto aos reis: Latino, de enorme corpulência,
vai em carro de quádrupla trela; as fontes faiscantes,
raios dourados as envolvem duas vezes seis,
emblema do avô Sol; anda Turno em biga cor branca,
remexendo dois dardos de ferro longo nas mãos.  165
Lá, o Pai Eneias, origem da Romana raça,
cintilante em escudo estrelado e em armas divinas;
junto, Ascânio, esperança segunda da alta Roma;
dos quartéis avançam. Alva roupa, um ministro
trouxe filhote de espinhosa porca e ovelha sem-  170
tosa e fez andar esse gado para o altar aceso.
Eles, olhar voltado ao sol nascente, com as mãos
põem os cereais salgados e em cima marcam com
ferro as fontes das reses e com páteras libam o altar.
O pio Eneias, sacada a espada, assim suplica:  175
"Para mim que invoco, Sol, sê testemunha, e esta terra
pela qual pude aturar tribulações tamanhas,
ó todo-poderoso Pai, e tu, Juno esposa, já
rogo, deusa, já mais propícia, e tu, Marte famoso
que, a teu poder, todas as guerras, Pai, desencadeias,  180
vós também, fontes e rios e qualquer ser sagrado

do alto ar puro, e divindades que estão no oceano azul:
se por sorte a vitória se encaminhar para Turno,
é pacto: os vencidos voltam à urbe de Evandro,
sai Iúlo do país e os Enéadas rebeldes não          185
trarão armas ou a ferro atacarão este reino:
mas se Vitória nos consentir Marte propício
(como mais creio e antes confirmem com seu poder
   os deuses),
não mandarei que Ítalos a Teucros obedeçam,
nem reino exijo pra mim; com leis iguais os dois povos,   190
não vencidos, se ponham em aliança sem fim.
Darei deuses e cultos, o sogro Latino tenha as tropas,
o sogro, o mando legítimo. Teucros erguerão pra mim
fortalezas, e Lavínia à cidade dará nome".
Assim, primeiro, Eneias; segue Latino após assim,   195
olhando o céu e estende aos astros sua direita:
"Juro, Eneias, por esta mesma terra, mar e os astros,
pelos dois filhos de Latona e Jano dois-rostos,
pelo poder dos De-Baixo e templo de Dite cruel:
essas ouça o Gerador, que sela alianças com o raio.   200
Toco esta ara e atesto sua chama neutra e as deidades:
nenhum dia a paz e a aliança, por Ítalos, romperá,
seja o que acontecer e força alguma, em meu querer,
me afastará, nem que verta em águas a terra,
em dilúvio as misturando e torne em Tártaro os céus;   205
tal este cetro (acaso tinha à destra um cetro)
jamais dará brotos de ramo tenro nem sombras
desde que um dia, talhado em mata em baixo tronco,
não tem mais pau, largou ramagem e galhos pelo ferro,
árvore outrora, agora a mão do artista, em bronze belo,   210
o encerrou e o deu de levar por patriarcas Latinos".
Com tais termos, consolidam entre si a aliança

em meio aos maiorais presentes. Por culto sagradas,
degolam reses sobre a chama. Delas, vivas, tiram
as entranhas e fartam as aras de travessas cheias.  215
Mas ao Rútulo parece desigual essa batalha,
há muito, e as almas se movem com paixões incertas;
mais então: ao verem de perto as forças desiguais.
Ao que acresce, avançando em andar silencioso e as aras
venerando suplicante, Turno, olhar abaixado,  220
seu rosto abatido e a palidez em corpo juvenil.
Rumor esse, que mal Juturna, a irmã, notou ficar
mais frequente e da gente oscilar o espírito incerto,
no meio do exército, tomando o aspecto de Camerto
(deste era nobre a linhagem ancestral e famoso o  225
valor do pai, e, de mesmo, valentíssimo em armas),
no meio das tropas se lança, ciente de seu feito,
e voga vários boatos, falando estas palavras:
"Não peja expor, Rútulos, por tantos de tanta monta
uma só vida? Não estamos em número e forças  230
desiguais? Eis que aqui, Troicos e Árcades, estão todos,
e as tropas dos destinos, a Etrúria hostil a Turno:
mal teríamos um, se atacássemos dois a dois.
Há de ao certo chegar aos De-Cima ele que a seu altar
se consagra e, vivo, é transportado pelas bocas.  235
Obrigar-nos-emos, perdida a pátria, a sujeitar-nos
a altivo dono, ora inertes, quedos em campos".
Com tais ditos fica inflamada a vontade dos jovens
mais e mais, e pelos batalhões se insinua um murmúrio.
E mudam-se, até os Laurêncios, até os Latinos,  240
que já a cessação do combate e a salvação de apuro
esperavam, já armas querem e rogam pelo pacto
já extinto e se doem da injusta sorte de Turno.
A isso Juturna ajunta algo mais grave, e no alto

do céu mostra um sinal: que isso, nada mais forte 245
perturbou e logrou com fascínio Ítalas mentes;
pois, voando a amarelada ave de Jove no céu roxo,
praieiros pássaros caça, um bando ruidoso de alada
fileira, quando súbito, sobre as ondas despencada,
ávida agarra com as curvas patas soberbo cisne. 250
Ao que os Ítalos atentam. As aves todas tornam
em fuga gritando (coisa espantosa de se ver),
tapam o alto céu com as penas e pelo ar perseguem,
feito um toldo, o inimigo, até que, vencido à força
e o próprio peso, se abate e a ave, da garra, joga 255
a presa no rio e fugiu totalmente entre nuvens.
É quando os Rútulos saúdam com gritos o agouro,
aprestam-se à luta, e Tolúmnio, o adivinho, o primeiro:
"É isto, é isto", diz, "que sempre em promessas pedi,
decifro e vejo os deuses. Por mim, por mim guia, tomai 260
de armas, dignos de dó, que o estrangeiro falso apavora
com a guerra, qual a aves fracas, e pilha as vossas praias
com violência; no alto-mar procurará fuga e dar-se à vela
bem longe; unidos, engrossai esquadrões, e vosso rei
tirado a vós à força defendei com luta". 265
Disse e correndo avante lançou nos inimigos
de frente um dardo. O pilriteiro um ruído siflante faz
e certeiro corta o ar. Junto, junto, um grande grito e todos
os renques se agitam, caloram corações em tumulto.
A haste, ao voar, pois acaso se opõem os corpos de nove 270
belíssimos irmãos, que, só, fiel esposa Tirrena
em tal número gerou para Gilipo, Arcadiano;
a um deles, ao meio, onde o boldrié cosido se roça
pelo ventre e onde a fivela prende a junção dos lados,
rapaz notável por beleza e fulgurantes armas, 275
vara, às costelas, e na amarela areia o prostra.

Já os irmãos, batalhão fogoso e enraivado pela dor,
cerram uns longa espada em mão; outros ferro de atirar
agarram e às cegas correm: adiantam-se-lhes contra
filas de Laurêncios; reespalham-se compactos,  280
Troicos, Agilinos e Árcades de armas pintadas.
Um só querer invade a todos, decidir com o ferro.
Pilharam as aras; vai por todo o céu escura
borrasca de dardos e desce chuva de ferro;
levam crateras e fornos; o próprio Latino foge,  285
portando os deuses, chocados pela aliança não feita.
Outros atrelam carros e arremetem os corpos
sobre os cavalos e se postam com desnuda espada.
Messapo a Auletes, rei Tirreno e que de rei
traz emblema, amedronta com o cavalo à sua frente,  290
por desmanchar a aliança sequioso: indo pra trás, ao chão
cai e, por mal, rola de costas, sobre o altar defronte,
sobre a cabeça e os ombros. Impetuoso, por sua vez, voa
Messapo, e embora este bem rogue, com um dardo
quase-trave, altivo o fere do alto do cavalo e assim fala:  295
"Isso é que recebe vítima melhor dada aos grãos deuses".
Ítalos vêm-lhe sobre e seu corpo inda quente despojam.
Defronte, Corineu pega da ara um tição tostado
em volta, e ao rosto de Ébiso que investia e dava um golpe
atinge com chamas. Deste, a longa barba brilhou  300
e, em fogo, exalou assado. Ainda o seguindo, também
pega com a esquerda a madeixa do inimigo tonto,
e firmado com o joelho apertado o prende ao chão.
Bate-lhe assim o flanco com o duro da espada. Podalírio a
Also, pastor, que da vanguarda sai entre dardos,  305
se sobrepõe, espada nua, atrás puxando a secure,
abre o meio da testa e queixo dele à sua frente
em dois e molha armas com sangue borrifado ao longe:

árduo repouso e sono de ferro apertam-lhe os olhos,
do olhar o brilho se fecha para a noite sem fim;
mas o pio Eneias já estendia a mão sem arma,
cabeça descoberta, enquanto chama os seus num grito:
"Aonde correis? que desavença súbita surge?
Refreai a ira, a aliança é já concluída e todas
as regras, pactuadas; para mim só, é justo lutar,
deixai-me e afastai temores, eu é que cumprirei com mão
firme o tratado. O rito já me destina a Turno".
Em meio a sua fala, entre palavras tão sérias,
contra o herói escapa seta com asas, a zunir,
pulsa, é incerto, por que mão, com que força arrojada;
quem honra tal a um Rútulo, o ocaso, um deus teria
trazido? A notável glória do feito se abafou
e ninguém se ufanou da ferida de Eneias.
Turno, mal viu Eneias saindo da fileira e os
capitães revoltos, de súbita esperança ateou-se:
cavalos e armas pede ao mesmo tempo, e a um salto sobe,
empertigado, sobre o carro e nas mãos força as rédeas.
Indo lá e cá, dá à Morte muitos corpos robustos de heróis;
meio-mortos, muitos rola ao chão, e alas com o carro
atropela e aos que fogem lanças que lhes roubou atira.
Qual quando junto às correntes do frio Hebro, provocado,
com o escudo sangrento Mavorte atroa, e promovendo
guerra, solta os cavalos furiosos; por campo livre
voam na frente de Zéfiro e Notos; retumba à batida
dos pés a ponta da Trácia; à sua volta galopam
vulto do Medo negro, Iras, Embustes, cortejo do deus:
tal ligeiro entre os guerreiros Turno impele seus cavalos
que fumegam com suor, impiedoso os inimigos
ceifados pisando; o casco veloz esguicha gotas
de sangue e, misto de areia, se amassa o sangue bruto.

E num instante, Estênelo, Tâmiras, Folo entrega à Morte,
a este e ao outro, corpo a corpo, àquele, longe, e longe
os dois filhos de Ímbraso, Glauco e Lades, Ímbraso aos quais
criou em pessoa na Lícia e equipou de armas parelhas,
para à mão pelejar ou a cavalo vencer ventos. 345
Noutro trecho, Eumedes entre combatentes deixa-se ir,
famoso por guerra, filho do antigo Dólon,
a lembrar no nome o avô, bem o pai, por feitos e coragem,
que, um dia, para chegar como espião aos Dânaos quartéis,
se atreveu a pedir em paga o carro de Pelida 350
Tidida o mimoseou por tamanha ousadia
com outro prêmio e os cavalos de Aquiles já nem quer mais.
Assim que Turno o viu longe na campina aberta,
acertando-o antes com dardo leve por longo vazio,
para os dois cavalos trelados e salta do carro e 355
vem sobre o semimorto e caído, e pressionando com o pé
o colo, arranca-lhe da destra a espada e a molha,
a fulgurar, fundo na garganta e, a mais, diz estas:
"Cá, os campos e a Hespéria que em guerra buscaste,
Troiano, mede, morto: esta paga leva quem a mim 360
ousou com ferro assaltar, funda assim fortalezas!".
Manda-lhe de sócio, com o lanço de armas, Ásbites,
Clóreas e Síbaris e Dares e Tersíloco e Timetes,
da nuca do cavalo que se inclinou, tombado.
E como o sopro do Bóreas do Édon, quando ressoa 365
no fundo do Egeu e as vagas vão-se para o litoral,
no ponto onde caem ventos, nuvens fogem pelo céu:
tal, de Turno, por onde atalhe, os pelotões recuam;
viradas, fogem tropas; seu próprio ímpeto o leva
e, o carro contra a brisa, mexe o penacho voante. 370
Não o suportou Fegeu, chegando e urrando de paixão:
deu-se ao carro e as bocas espumantes nos freios

dos velozes corcéis com a mão virou para o lado;
puxado e pendente da trela, sem proteção, colhe-o
larga lança e, enfiada, rasga a couraça de-dois-fios 375
e, numa ferida, roça a ponta do corpo;
mesmo assim, escudo à frente, voltado ao inimigo,
atacava e, com a espada puxada, pedia ajuda;
então roda e eixo, impulso pelo avanço, de cabeça
pra baixo o cospem e ao chão o estendem. Turno,
    o seguindo, 380
entre a base do elmo e as bordas do alto da couraça,
decepa a cabeça com a espada e deixa à areia o tronco.
E enquanto, vencedor, nos campos Turno faz mortes,
por ora, a Eneias, Mnesteu, o fiel Acates
e o parceiro Ascânio põem de pé, sangrento, nos quartéis, 385
a firmar em longa lança o alternar dos passos.
Enraiva-se e luta por extrair o dardo de haste
quebrada e solicita o meio mais fácil para a ajuda:
que cortem com larga espada a ferida e que rasguem
a parte oculta da seta e à guerra o reenviem. 390
E já chegava Iápix, caro a Febo mais que os outros,
filho de Iásio, por qual, tomado de forte amor,
um dia o próprio Apolo concedia sua habilidade,
os dons, poder de profecia, a cítara e as setas velozes.
Para prolongar a vida do pai estirado, 395
preferiu saber o poder das plantas e o uso
da cura e exercer sem glória uma obscura profissão.
Em pé, rangendo cruezas, em lança enorme firmado,
Eneias, não comovido pela grande afluência
de jovens e lágrimas de Iúlo aflito. O outro, já velho, 400
com roupa arregaçada, para trás virada à Péon,
em vão com a cirurgia e as eficazes ervas de Febo
muito se agita, em vão remexe a farpa com a destra

e muitas vezes prende o ferro com a pinça que aperta.
A sorte não lhe trouxe um meio e em nada Apolo, inspirador, 405
lhe socorre. E cada vez mais nos campos triste terror
aumenta, e mais perto está o desastre. Cobrir-se
de pó veem o céu; chega a cavalaria, densos em pleno
acampamento caem dardos, vai ao céu triste grito
de jovens guerreando e sob duro Marte tombando. 410
É então que Vênus, mãe que é, chocada da injusta dor
do filho, recolhe do Ida Creteu o dictamno,
haste de penugentas folhas frondosa e, vermelho
vivo, a flor, gramínea comum para as cabras selvagens,
sempre que setas voadoras se grudam em seu dorso. 415
Isto é o que Vênus, envolta no rosto em negra nuvem,
trouxe; isso, que afunda em água de rio vazada em
tina luzente, curando-o a furto, e o cobre com suco
da ambrosia saudável, com a cheirosa panaceia.
Com tal poção, o idoso Iápix fomentou a chaga, 420
sem saber, e de fato súbito sumiu toda a
dor, do corpo, e no corte fundo estancou todo o sangue;
e seguindo fácil a mão, ninguém forçando, a seta
saiu e, novas, voltam as forças ao estado antigo.
"Rápido! apressai armas para o herói! por que parais?" grita 425
Iápix, é quem mais contra o inimigo o ânimo incita:
"Não de humanos recursos, de perícia magistral,
isso vem, pois não é minha mão, Encias, que te salva,
maior é o deus que age e a tarefas maiores te remete".
Ardente por combate, cercara de ouro as pernas, 430
de ambos os lados; detesta a espera e brande a lança.
Depois de ajeitando ao flanco o escudo e às costas a couraça,
braços alargados, num círculo encerra a Ascânio,
roçando beijo pelo elmo, com a ponta dos lábios, diz:
"De mim, rapaz, aprende o valor e o justo esforço, 435

com outros, a sorte. Ora vai minha destra deixar-te
defendido na guerra e levar-te a ricos prêmios;
procura tu, quando em breve a idade madura aumentar,
isso reter; e para que relembres no íntimo exemplos
dos teus, tanto um pai Eneias quanto um tio Heitor
    te animam". 440
Mal essas proferiu, enorme, saiu pelos portões,
a agitar lança colossal; juntos, fileira cerrada,
Anteu se arroja e Mnesteu; quartéis deixados, exflui
todo o esquadrão; numa poeira de cegar, o campo
some, e treme a terra das patas que batem tocada. 445
De uma trincheira oposta Turno viu quando chegavam,
viram Ausônios. O âmago dos ossos percorre pavor
de gelar. Juturna, primeira de todos, ouviu
e reconheceu o ruído e retirou-se assustada.
Voa ele e negro exército traz pelo campo aberto. 450
Tal quando, de repente rompida a tempestade,
vai a nuvem por mar alto às terras; ai!, prevendo ao longe,
treme o peito do pobre lavrador: ela vai causar
estrago às plantas e seara, arruinará tudo amplamente,
antes dela voam ventos e levam seu ruído às praias: 455
tal contra inimigos à frente o general Reteu
leva o batalhão; todos em cunhas juntas compactos
se emaranham. Timbreu, à espada, fere o pesado Osíris;
enquanto Mnesteu abate a Arquécio; Acates, a Epulão;
Gias, a Ufente. O adivinho Tolúmnio também cai, que foi 460
o primeiro a atirar dardo ao inimigo à frente.
Ergue-se um rumor ao céu; por sua vez, voltando,
em fuga poeirenta os Rútulos por campos dão as costas.
Não se digna ele mesmo aos de costas dar a morte
– nem vai contra os que lutam em igualdade – ou mandar 465
rojões: só a Turno, na espessura da má visão,

rastreia olhando, a ele só reclama à luta.
Tal medo em mente a tocando, a heroína Juturna
empurra, em plenas rédeas, o cocheiro de Turno,
Metisco, e resvalado o lança longe do carro; 470
ela própria o monta e à mão vira as rédeas flutuantes,
tudo fazendo, a voz, o corpo, e as armas de Metisco.
Feito escura andorinha ao voar por bela mansão de amo
rico e ao percorrer com as asas o pórtico elevado,
catando migalha, o sustento dos filhotes que piam, 475
e trissa ora em vãos do pórtico, ora em torno de tanques
com água: assim, Juturna por entre inimigos se deixa
levar por cavalos e a voar tudo passa com o carro veloz;
e ora aqui, ora ali mostra o irmão triunfante,
sem deixar que ele entre em luta, e sem rumo vai lesta, longe. 480
De igual, Eneias, ao encontro dele, pega voltas
e rastreia o herói e entre pelotões dispersos chama-o
aos gritos; quanta vez lançou no inimigo os olhares
e procurou em sua fuga os cavalos asas-aos-pés,
tantas vezes Juturna os desviando, os afastou. 485
Ai! que fazer? Mexe-se em vão na inquietação do incerto,
dão a mente aflições dispersas a lados opostos.
Messapo, por levar acaso na esquerda dois dardos
flexíveis, com férrea ponta, veloz na corrida,
lançando, um lhe aponta com golpe certeiro. 490
Deteve-se Eneias e se encolheu sobre as armas,
dobrando-se o joelho, mas a haste impulsa pegou o topo
da cimeira e jogou fora a ponta do penacho.
Então lhe sobe a ira e, constrangido pelo ardil,
ao notar, indo em contrário os corcéis, levar-se o carro, 495
Jove e suas aras do pacto violado atestando,
lança-se enfim ao bloco inimigo e, Marte a favor,
promove, aterrador, carnagem cruel, sem distinção

alguma, e solta todas as rédeas de sua fúria.
Que deus tanto horror, quem, meu poema agora me contaria, 500
os massacres em partes diversas, morte de chefes,
que agora Turno, agora o herói Troiano faz por todo o
campo? Então te agradou, com choques tais, lutarem povos,
Júpiter, se mais tarde em paz firme ficariam?
Eneias ao Rútulo Súcron (tal primeiro embate 505
fixou num ponto assaltos de Teucros), que pouco o impediu,
surpreende na ilharga e, por onde é mais breve a morte,
    em sangue,
faz varar a espada as costelas, grades do peito.
Turno, a pé, fere a Ámico, derrubado do cavalo,
e ao irmão Diores: a um que vem de lança comprida, 510
ao outro, de espada, e no carro as cabeças dos dois
cortadas pendura e as leva gotejantes de sangue.
Aquele à Morte Tálon, Tânais e o valente Cetego,
três, num só encontro, manda e o contristado Onites,
nome de família Equiônio, e prole de Perídia, mãe. 515
Este, aos irmãos vindos da Lícia, dos campos de Apolo,
e ao jovem Menetes, em vão odioso de guerra;
Árcade, sua arte fora à beira do Lerna, cheio
de peixes, e pobre a família e desconhecida dos
grandes a casa, o pai semeava em terreno arrendado. 520
Quais labaredas de partes diversas mandadas
à mata seca, a brotos que estalam no loureiro,
ou quando, na veloz descida do alto da montanha,
dão ruído espumosos cursos e correm às planícies,
cada qual desbravando seu caminho: não menos lento 525
Eneias, Turno, os dois rompem, contra guerreiros, já,
já mexe a ira dentro e se abrem, ignorantes do
perder, os peitos, vai-se já ao ferir com forças totais.
Aquele, a Murrano a gabar avós e velhos nomes

de avoengos e toda a casta feita por reis Latinos,   530
tomba, cabeça abaixo, com rocha ou rojão de imenso
calhau e o joga ao chão; debaixo da correia e trela,
rodas rolam-no à frente; o casco, a mais, propulso
pelo bater constante dos corcéis que ignoram o dono, o pisa.
Este corre sobre Hilo, que ataca e horrendo urra de ira,   535
e despacha um dardo em suas têmporas douradas
através do elmo; fica a lança nos miolos varados.
Nem tua destra, ó Creteu, mais valente dos Graios, roubou-
te a Turno. Nem a Cupenco seus deuses propícios
protegeram, vindo Eneias sobre ele; o peito ao ferro expôs,   540
sem ser útil ao coitado a barreira do escudo de bronze.
A ti também, Éolo, os campos Laurêncios viram
perecer e cobrir extensa terra com tuas costas:
cais morto tu que as falanges Argivas não puderam
derrubar, nem Aquiles, destruidor do reino Priameu;   545
aqui era o marco de tua morte: bela mansão sob o Ida,
bela mansão em Lirnesso, tumba no chão Laurêncio!
Todos, se opõem os exércitos, todos os Latinos,
Dardânidas todos, Mnesteu e o vivo Seresto,
Messapo domador de cavalos e o bravo Asilas,   550
a falange Tusca e as alas Árcades de Evandro.
Guerreiros, cada um por si, com grande empenho dão-se
nem pausa, nem paz, seguem com devastador combate.
De Eneias a mãe belíssima deu-lhe uma ideia:
ir rumo às muralhas e voltar mais cedo à urbe o   555
batalhão, com súbita derrota enlear os Latinos.
Como, buscando a Turno por dispersos esquadrões,
pôs em volta o olhar aqui e ali, vê a cidade livre
de tamanha guerra e impunemente tranquila;
clareou-se-lhe já de maior batalha a concepção:   560
convoca Mnesteu e Sergesto e o valente Seresto,

chefes, alcança uma colina, a que vai a restante
legião de Teucros, compactos, sem que escudo ou dardo
deponham. De pé, ao meio, do alto morro fala:
"Minhas ordens se apressem, conosco Júpiter está, 565
ninguém me aja mais lento porque decidi de repente;
causa de guerra, hoje a urbe e até o reino de Latino:
vencidos, se não dizem acatar a sujeição,
destruirei e ao nível do chão porei casas fumegantes.
Aguardo, pois, até que agrade a Turno a luta aceitar 570
e deseje outra vez combater, uma vez vencido?
Lá o começo, cidadãos, lá o fim da guerra hedionda.
Trazei tochas depressa e exigi o tratado com o fogo".
Disse e todos com ânimo combativo, ao mesmo tempo,
formam cunha e se vão, massa compacta, às muralhas. 575
Subitamente aparecem escadas e fogo;
correm uns às portas em grupo e aos da frente esmagam,
outros lançam ferro e o céu anegram com projéteis.
Eneias mesmo, entre os da frente, estende a mão sob
paredões e acusa Latino com voz alta 580
e atesta os deuses de outra vez ser coagido ao combate,
Ítalos contra, duas vezes, pacto rompido outra vez.
Em meio aos agitados cidadãos brota a discórdia:
uns dizem de desferrolhar a urbe e abrir os portões
aos Dardânidas e trazem o próprio rei aos muros, 585
outros portam armas e vão defendendo as muralhas,
tal quando um pastor encontra abelhas em porosa
rocha presas e a enche de irritante fumaça;
nervosas, desandam dentro de alvéolos de cera
da colmeia e aguçam sua fúria com forte zunzum; 590
acre cheiro rola no abrigo; com ruído abafado
dentro a rocha ressoa e a fumaça sai ao vão do ar.
Aos Latinos exaustos inda ocorreu esta sina

que abalou fundo toda a cidade, com luto:
mal a rainha vê do paço o inimigo chegar,                    595
muros se assaltarem, fogo voar aos telhados,
nenhures arma Rútula e defesa e alas de Turno,
a infeliz creu que o jovem se acabou num combate
da guerra, e a mente confusa da dor repentina,
grita-se causa, pretexto, origem da desgraça,                600
muito a falar fora de si num funesto furor,
disposta a morrer, rasga nas mãos as vestes purpurinas,
e ata de alta viga um nó de morte deformante.
Depois de ouvirem tal desastre os pobres Latinos,
logo a filha Lavínia, com a mão, dilacera os flóreos        605
cabelos e róseas faces; então o grupo restante,
em volta, se alouca; ao longe, a casa aos gritos ressoa.
Percorre toda a cidade o rumor infeliz:
peitos se abatem; veste rota, vai Latino,
pasmado com a morte da esposa e a ruína da cidade,           610
enxovalhando as cãs, em que espalhou pó imundo;
muito se acusa que não aceitou livremente                    614
antes o Dardânio Eneias e o associou como genro.
No entanto, o guerreiro Turno no extremo da planície
persegue uns poucos dispersos já algo lento e cada
vez menos satisfeito já com a marcha dos cavalos.
Trouxe-lhe o vento este alarido misto de medo
incerto, e seus ouvidos atiçados toca                        620
ruído de urbe revolta e um melancólico sussurro.
"Ai de mim! Por que choro tal perturba as muralhas?
que grito tão forte sai de pontos vários da urbe?"
Fala assim e em desvairo para, puxando as rédeas.
E a irmã, que posta na forma do cocheiro Metisco,            625
comandava seu carro, os cavalos e as correias,
se lhe achega com estas: "Por cá, Turno, acossemos

filhos de Troia onde primeira dá a via a vitória;
há outros que possam defender o lar com as próprias mãos.
Ítalos ataca Eneias e aflige os combatentes,   630
mas nós, com as próprias mãos, demos dura morte aos
    Teucros;
nem em número ou glória sairás inferior do combate".
A tais, Turno:
"Reconheci-te há muito, irmã, primeiro no quebrar
do pacto com astúcia e ao te dares a tal guerra,   635
e agora em vão me iludes, deusa. Mas quem, mandando-
te do Olimpo, quis que passes tamanhas provações?
Ou então pra veres do mísero irmão morte cruel?
Pois que faço, isto é, que sorte garante a salvação?
Eu mesmo vi ante meus olhos, clamando em alta voz,   640
Murrano, mais caro do que quem, outro não me resta,
perecer, forte, mas por forte golpe vencido.
Caiu morto Ufente, infeliz, para não contemplar
nossa ignomínia. Os Teucros se apossam de seu corpo e armas.
Que casas se arruínem (dos fatos, este só faltou!)   645
deixarei? Nem negar com a mão palavras de Drances?
Darei as costas e esta terra verá Turno fugir?
Acaso é triste a tal ponto morrer? Sede-me propícios,
ó Manes, pois Deuses de-Cima têm intenção contrária.
Alma pura e inconsciente mesmo de tal delito,   650
desço a vós, nunca indigno dos gloriosos avós!".
Tais mal falara, eis que dentre inimigos vem Saces voando,
por cavalo baboso trazido, ferido ao rosto
por frontal seta e cai, suplicando Turno por nome:
"Turno, em ti, nosso último amparo, tem piedade dos teus!   655
Eneias fuzila com armas e ameaça pôr no chão
e dar por destruídos nossos mais altos refúgios,
e tochas voam já aos telhados. A ti os Latinos

dirigem rosto e olhar. O próprio rei Latino hesita
que genros convidar e para que pacto se inclinar. 660
Além disso a rainha, tão fiel a ti, com as próprias mãos
matou-se e fugiu horrorizada desta claridade.
Sozinhos, Messapo e Atinas fogoso, ante os portões,
sustêm alas; em volta, em todo lado falanges
cerram-se e uma messe férrea de espadas erguidas 665
se encrespa, e volves o carro na relva distante!".
Pasmou-se, pelo quadro instável dos fatos perturbado,
Turno e ficou de olhar silencioso, grande senso de honra
ferve num só peito, misturada à magoa a insânia,
e paixão mexida por furor e um valor autosciente. 670
Mal dispersa a sombra e de volta a luz a sua alma,
virou as órbitas fogosas do olho às muralhas,
transtornado, e do carro olhou para a grande cidade.
Um rolo, rodado em chamas entre os andares, eis
ondulava rumo ao céu e tomava a torre, 675
torre que ele mesmo erguera com vigas juntadas,
sob que pôs rodas e, em cima, estendeu altas passagens.
"Já, já, irmã, vencem os fados, para de deter-me,
aonde um deus ou a sorte amarga chama, sigamos.
Fixo está com Eneias lutar, qualquer dissabor 680
sofrer com a morte. Nem mais, irmã, a mim vergonhoso
verás, me deixa, suplico, antes furiar este furor."
Disse, e bem veloz dá um salto do carro no terreno
e por adversários e armas rompe, e a irmã magoada
deixa, e vara em corrida ligeira batalhões ao meio. 685
Tal quando pedra, do alto do monte posta abaixo,
cai, arrancada por vendaval, se chuva forte
a rola ou o tempo passado com os anos a solta,
com grande choque o bloco incomum dá-se ao abismo
e repica no chão, levando plantas consigo, 690

reses e gentes: por batalhões dispersos, Turno
se arroja aos muros da urbe, onde a terra, em tantos pontos,
molha-se em sangue vertido e o ar range de projéteis;
dá um sinal com a mão e ao mesmo tempo começa em
    alto tom:
"Parai já, Rútulos, e vós, suspendei armas, Latinos;   695
seja qual for a sorte, é minha; mais justo é que eu só
por vós expie o pacto e a ferro decida a questão".
Dispersaram-se todos do meio e deram-lhe espaço.
E o Pai Eneias, tendo o nome de Turno ouvido,
deixa as muralhas, o alto da fortaleza deixa,   700
joga abaixo qualquer atraso, acaba toda ocupação,
de alegria exultando e, arrepiante, troveja armas.
Alto quanto o Atos ou quanto o Érix ou o Pai Apenino
mesmo, quando com cintilantes azinheiras zune
e se folga com o pico nevado erguendo-se aos ares.   705
Com empenho, até os Rútulos quanto os Troianos
e os Ítalos todos volvem o olhar, e os que o alto guardam
do forte, e os que embaixo dão com o aríete em muros,
pondo dos ombros as armas no chão. Mesmo Latino pasma-
se que homens imensos, nados de pontos distintos   710
do mundo, entre si se encontrem e se batam com o ferro.
E, ao se abrir em toda sua extensão livre a campina,
em curso veloz, jogadas as lanças de longe,
partem para Marte com broquéis de bronze soante.
Dá a terra um som surdo. Então com espadas redobram   715
sucessivos golpes; sorte e valor funde-se em um.
E, como na Sila extensa ou no alto do Taburno,
dois touros, virados os cachaços, para um confronto
hostil se arremetem, os guias se afastam, de susto;
para toda a grei, de medo muda, murmuram vacas:   720
qual vai mandar no pasto, a qual todo o rebanho seguir;

misturam golpes em grande violência entre si
e, um noutro firmes, enfiam chifre e em sangue farto
molham pescoço e espádua; ao ruído retumba toda a várzea.
Não de outra maneira, Eneias Troiano e o Dauno herói 725
se embatem com broquéis; um forte estrondo enche o
    alto espaço.
Jove mesmo sustém os dois pratos da balança, o fiel
em nível e aí põe os fados opostos de ambos,
que prova lese a quem, com qual peso a morte penda.
Então salta, crendo impunemente, e com todo o corpo 730
se alça Turno com a espada suspensa no alto,
e bate. Gritam Troianos e Latinos, inquietos,
em suspenso tropas de ambos ficam, mas traiçoeira
rompe-se a espada e em pleno golpe o deixa desejoso.
Só se a fuga vier em ajuda: mais que Euro, fugiu veloz, 735
mal olhou o cabo estranho e sua mão desarmada.
Diz-se que, ardoroso, montando os corcéis com trela
para o primeiro combate, deixada a pátria espada,
ao se apressar, pegou a arma do cocheiro Metisco;
por bom tempo esta, enquanto Teucros dão costas dispersos, 740
bastou, mas ao vir sobre a arma Vulcânica do deus,
mortal metal, como gelo fundível, com o golpe,
se espedaçou, os fragmentos fulgem no pardo areal.
Tonto, pois, Turno em fuga quer pontos vários do plaino,
e ora cá, ora lá, dá voltas indecisas: 745
em rodas compactas, de todo canto o põem Teucros,
e ali charco extenso, aqui o cercam muros escarpados.
Mas não deixa Eneias de o seguir, embora o tardando
a seta, o joelho às vezes o embargue e recuse correr,
e, arrebatado, encosta o pé no pé daquele amedrontado: 750
tal a um cervo, preso por rio e enleado de medo
de penas vermelhas, quando um cão de caça alcança

na corrida e com latidos dá de cima dele;
mas aquele, aterrado por redes e a alta beira,
foge e refoge por trajetos mil, mas o Úmbrio, ágil,   755
cola-se nele, boca aberta, e o pega, qual se o pegasse,
dentes estala e se engana com mordida irreal.
É quando se ergue a gritaria e as margens e as poças
ressoam perto e todo o céu retumba ao barulho.
Ao mesmo tempo, ao fugir, insulta os Rútulos todos
    também,   760
cada um chamando ao nome, e exige a espada notória.
Ameaça Eneias, por sua vez, de morte e pronto
fim, caso alguém venha em socorro, e aos medrosos alarma,
ameaçando arrasar a urbe e, ferido, ataca.
Cinco voltas dão correndo e igual tanto refazem   765
de lá pra cá, pois prêmios sem valor não se procuram
ou brinquedo, mas lidam vida e sangue de Turno.
Acaso oliva de folha amarga, sagrada a Fauno,
aqui se ergue, um dia pau de devoção de marujos,
onde, salvos de onda, pregar ofertas costumavam   770
ao deus Laurêncio e pendurar vestes votivas.
Mas sem distinção, Teucros tiraram o tronco
sagrado, para poder lutar em campo livre.
Firme aí, a haste de Eneias, seu arrojo aí
a pôs fincada, e se prende na raiz flexível.   775
Dobrou-se e quis com a própria mão arrancar aquele ferro
o Dardânida e, com o dardo, acossar a quem, correndo,
não pode alcançar. Fora de si de pavor, Turno:
"Fauno, te rogo", diz, "tem piedade, e, Terra tão boa,
retém o ferro, se é que sempre honrei os vossos rituais,   780
que os Enéadas, porém, com a guerra profanaram".
Disse, e não em vão com votos chamou a ajuda do deus,
pois bom tempo a penar e deter-se ao tronco mole,

com nenhuma força fender a pressão da madeira
não pôde Eneias. Enquanto, tenaz, se firma e dobra,  785
a deusa Dáunia acorre, mudada outra vez no aspecto
do cocheiro Metisco e entrega ao irmão a espada.
Com o que ser dado à ninfa ousada, indignada, Vênus
se aproxima e arranca a lança da funda raiz.
Eretos, eles em armas e ânimo refeitos,  790
um fiado na espada, o outro ardente e altivo com a lança,
põem-se de frente na luta de um Marte estafante.
Nesse ínterim, o rei do Olimpo onipotente a Juno
fala, que assiste os combates de nuvem brilhante:
"Qual será o resultado enfim, esposa, o que resta?  795
O indígite Eneias, sabes bem e o afirmas saber,
destinar-se ao céu e por fado alçar-se aos astros.
Que tramas? A que esperança em fria nuvem te apegas?
Acaso com ferida mortal foi bom violar-se um deus?
E a espada (aliás, que valeria Juturna sem ti?)  800
tirada, dar a Turno e vigor a vencidos?
Vamos, desiste e dobra-te por fim a meus pedidos;
dor tamanha não te consuma calada, e muitas vezes
não me voltem de teu doce olhar tristes cuidados.
Chegou-se ao final. Atormentar por terras e ondas  805
os Troicos pudeste, e atear inominável guerra,
infamar um lar e transtornar bodas com luto.
De mais tentar proíbo". Começou Júpiter assim;
por sua vez, a deusa Satúrnia assim, de olhar baixo:
"Como essa tua vontade me era bem conhecida, ó potente  810
Júpiter, deixei a contragosto a Turno e a terra,
nem me verias a sós, nesta aérea paragem,
coisas boas, más passar, mas de chamas rodeada
pôr-me-ia até em tropa e daria Teucros à luta hostil.
A Juturna, confesso, persuadi de socorrer o  815

pobre irmão e, por viver, lhe aprovei ousar mais;
mas não para lançar dardo ou estender um arco,
juro pela fonte de água Estígia que não se aplaca,
esse único escrúpulo deixado aos deuses cá de cima.
E agora, sim, me retiro e deixo, odiosa, as batalhas, 820
e o que não se fixa em lei alguma do fado,
te suplico pelo Lácio e a majestade dos teus:
já que com felizes bodas, seja assim, vão compor
a paz, já que vão associar leis de um contrato,
e não mandes que mudem seu nome antigo os Latinos 825
indígenas, nem virem Troicos, nem se chamem Teucros,
cidadãos mudarem língua nem trocarem trajo;
seja Lácio, sejam por séculos reis Albanos,
haja a nação Romana, potente no Ítalo valor:
Troia se acabou, permite que, com seu nome, se acabe." 830
Sorrindo-lhe, o inventor dos homens e do universo:
"És de Jove irmã e segunda prole Satúrnia,
volves dentro do peito ondas tamanhas de ódio!
Mas eia, abate esse furor que começaste em vão:
o que queres dou, vencido, e com gosto me entrego. 835
Ausônios manterão a pátria língua e seus costumes;
qual é, será o nome, e, só no conjunto mesclados,
Teucros se extinguirão. Modo e formas dos cultos
eu darei e a todos, Latinos, de um só falar farei.
Daí um povo, que misto com o sangue Ausônio sairá, 840
verás se sobrepor aos homens, aos deuses em virtude,
e nação alguma honrará teu culto de igual modo".
Nisso Juno assentiu e, alegre, mudou na intenção.
Nessa hora apartou-se do céu e deixou a nuvem.
Passado isso, o Gerador volve consigo outra coisa 845
e dispõe-se a tirar Juturna da luta do irmão.
Contam que existem duas pestes, por nome Fúrias,

às quais e à Megera Tartárea gerou a Noite
profunda, num só e mesmo parto, e as revestiu de anéis iguais
aos de cobra e lhes deu asas como de vento.  850
Elas se veem ante o trono de Jove e no umbral do rei
sinistro e excitam o terror aos torturados mortais,
quando o rei dos deuses a morte horrenda e as doenças
causa ou com a guerra aterra as merecedoras urbes.
A uma delas, veloz, do mais alto céu, fez descer  855
Jove e mandou, como um presságio, ir a Juturna.
Ela voa e se leva à terra num vórtice veloz,
qual a seta impulsa por corda através da nuvem,
que, preparada com o fel de poção violenta,
um Parto ou um Cidão – dardo irremediável – lançou  860
zunindo e, não percebida, vara as sombras ligeiras:
tal a filha da Noite conduziu-se e veio à terra.
Assim que vê o exército de Ílio e os batalhões de Turno,
recolhendo-se súbito na forma de avezinha,
que às vezes, em túmulos ou telhados ermos,  865
pousando à noite, uiva funesta fora de hora às sombras.
Mudada em tal forma, a peste, ante os olhos de Turno,
vai-se e volta chiando e fustiga o escudo com suas asas.
Modorra estranha lhe bambeia os membros de pavor,
de horror alça-se o cabelo e a voz na goela agarra.  870
Mal notou de longe o zumbir das asas da Fúria,
a infeliz Juturna rasga os cabelos soltos
[irmã que fere as faces com unhas, com o pulso, o peito]:
"Em quê, Turno, essa tua irmã pode agora te ajudar?
Que agora resta a mim, malvada? Com qual artimanha  875
te alongo a vida? Acaso posso opor-me a monstro tal?
Deixo a luta já. Não me assusteis, já tenho medo,
aves sinistras; reconheço o bater das asas
e o zumbido mortal. Não me enganam mandos cruéis

de Júpiter magnânimo, isso é o que ele dá por ser virgem? 880
Pra que deu vida sem fim? Por que excluir da morte
a obrigação? Pudesse já findar pelo menos
tamanha dor e ir sequaz do pobre irmão pelas sombras.
Imortal, eu? Ou algo terei de agradável entre os meus
sem ti, meu irmão? Oh que bastante funda se me rache a 885
terra e me mande, embora deusa, ao mais baixo dos Manes!".
Dizendo isso só, cobre a cabeça em verde manto
a deusa, a gemer muito e se meteu no fundo rio.
Quanto a Eneias, se aproxima e brande o dardo
gigante, qual árvore, e assim, alma em fúria, fala: 890
"Que demora é essa? Por quê, Turno, te retrais?
Não correr: é lutar junto, com duras armas.
Muda-te em qualquer forma e te concentra em tudo que
podes em coragem e ardil; deseja aos altos astros
ir com asas, ou preso te esconder no vão da terra!". 895
Ele, a mexer muito a cabeça: "Tuas vozes violentas
não me assustam, cruel, assusta-me deuses, Jove hostil".
Não mais dizendo, olha em volta uma pedra imensa,
velha pedra, imensa, que acaso em campo estava,
posta, em lavra, de marco, pra solver lide em terrenos; 900
mal duas vezes seis, de escol, à nuca a poriam,
massas de homens, tais quais agora a nossa terra produz.
Pega com a mão a tremer, alçando-se mais e, impulso
com a corrida, o herói famoso a lança no adversário.
Mas nem a correr não se sentiu, nem a caminhar 905
ou erguer com as mãos e mexer o bloco gigante:
bambos os joelhos, gelado de frio, o sangue coalha.
Mesmo a pedra do herói, lá pelo espaço vazio rolando,
não andou toda a distância, nem completou seu golpe.
E qual em sonho, quando amolecedor repouso à noite 910
pesa os olhos, em vão prolongar sequiosa corrida

parece querermos, mas em plena tentativa, aflitos,
caímos, nossa língua não tem força, e as forças comuns
no corpo não bastam, não saem voz e palavra:
assim, a Turno, a buscar meios com todo vigor, 915
nega sucesso a deusa cruel. No coração sensações
várias se volvem. Para os Rútulos olha e a cidade;
de pavor hesita e põe-se a tremer, a arma em riste,
aonde fugir, com que força ao inimigo ir,
não vê e em parte alguma o carro e o cocheiro, sua irmã. 920
Ao que hesitava, Eneias brande a lança fatal,
no olho pondo o ponto da sorte, e com todo o corpo
de longe a lança. Assim jamais, pedra atirada por
terror de muralhas, zune, ou estouram estrondos
por um raio; voa à maneira de turbilhão mortal 925
a haste a dar dura ruína e abre as bordas da couraça
e do escudo sete-dobras as lâminas finais,
sibilante vara-lhe o meio da coxa. Golpeado, o
gigante Turno, dobrado o jarrete, cai no chão.
Num murmúrio os Rútulos coerguem-se. Todo o monte 930
troa em torno, retumba longe o fundo do bosque.
Ele, humilde, rogante, os olhos, bem a mão que implora,
estendendo: "Bem mereci, não me escuso", diz, "usa
de tua condição. Se o desvelo por desventurado
pai te pode comover, peço (e até tiveste um tão grande 935
pai, Anquises), da velhice de Dauno te apieda;
a mim, se preferes meu corpo privado de luz,
devolve aos meus. Venceste, e o vencido estender as mãos
contemplaram os Ausônios. Lavínia é tua esposa,
não leves o ódio além". Ficou parado, severo, Eneias 940
com as armas, rolando os olhos e conteve a destra:
e a fala a abrandá-lo cada vez mais na hesitação
começava, quando, infeliz, sobre o ombro surge o boldrié

e faiscou a cilha com as bulas conhecidas
do jovem Palante, a quem, vencido, Turno a um golpe 945
abatera e ao ombro leva o desastroso distintivo...
Aquele, após absorver no olhar a lembrança da dor
atroz, os despojos, fervente em fúria, e de dar medo,
pela ira: "Então, vestido do espólio dos meus, depois
te livrarás de mim? Palante, Palante, em meu golpe, 950
te sacrifica e vinga esse teu sangue criminoso!".
Dizendo isso, enfia o ferro no peito à frente,
com ardor. E os membros desse amolecem, de frio,
e a alma foge num gemido esbravejando pelas sombras.

\* \* \*

Termina o canto 12...
termina a Eneida...
termina o trabalho...
termina o demorado prazer...
começa um novo demorado prazer...
(Traduziu do latim para o português, de 08.02 a 21.09.2008,
J.C.M.M.)

# Notas de tradução

## Livro I

1.83: Este "suflam" fica por conta de "aflar", "inflar", "deflação", etc., ainda mais que *sufflare* também corresponde a "soprar sobre" (caso em que *sub* se emprega em lugar de *super*).

1.174: "Já", valendo por "logo": é como por vezes encaramos *primum* narrativo, equivalente a "quanto a", quando não em confronto explícito com outro advérbio.

1.267: Iulus (trissílabo, com o "i" breve) é a forma mais comum. Ocorre, assim sempre, na *Eneida* (35 vezes); deste modo, foi sempre empregada a tradução também de um trissílabo, em port. Em nossa língua, pois, deve-se acentuar, para se desfazer o possível ditongo crescente ("yu"), igualmente como se acentuam "miúça", "miúdo", "miúla", "miúro", "ciúro", etc.

1.333: "Impelidos à frente".

1.367-368: Diz em *Eneida,* Tradução e Notas de Odorico Mendes, Luiz A. M. Cabral: "Birsa: o nome da cidadela de Cartago provém do fenício *bosra,* que significa 'fortaleza'. Segundo uma outra etimologia, proposta a partir do grego, a palavra significaria 'couro de animal' e pode estar na origem do território demarcado com tiras de couro de boi" (p. 273). Ora, em grego, temos byrsa (βυρσα), pele, couro; tambor.

1.412: Pode-se considerar aqui tmese de "circum (dea) fudit"

(elemento prepositivo composicional) ou "circum dea fudit" (advérbio).
1.430: Primavera.
1.444: Substantivação de adjetivo referente a 'cavalo brioso".
1.505-6: Equivalência interpretada de: "...então [passando] pela entrada, pelo centro da cúpula do templo da deusa [vem] cercada de guardas e, no alto do trono firmada (=sentada), se detém".
1.538: Com base em "compelir, expelir, impelir, repelir".
1.636: De *dies* (dii é forma arcaica).

**Livro II**

2.59-61: Entre "se" e "obtulerat": 11 palavras! A propósito, alguns outros circuitos frasais (não todos, entretanto) em que termos, intimamente ligados, se separam muito e, várias vezes, drasticamente: 1.677-8 (regius puer); 1.728-9 (grauem pateram); 2.94-6 (me ultorem); 2.446-7 (se defendere e his telis); 2.460-464 (turrim conuellimus); 2.604-6 (omnem nubem); 3.201-2 (ipse Palinurus); 3.377-9 (multis dictis e pauca expediam); 3.381-3 (Italiam diuidit); 3.448-50 (eadem uolitantia); 3.616-8 (me deseruere); 4.495-7 (arma imponas); 5.26-30 (ulla tellus); 5.178-9 (grauis Menoetes); 5.259-262 (huic uiro); 5.468-71 (illum ducunt e aequales ducunt); 5.548-51 (Ascanio dic); 5.609-10 (illa uirgo); 6.129-31 (pauci geniti); 6.756-9 (prolem expediam); 7.64-6 (summum apicem); 7.99-101 (nepotes uidebunt e omnia uidebunt); 7.142-3 (ardentem nubem); 7.236-8 (multae gentes e nos adiungere); 7.440-1 (te exercet); 7.531-3 (iuuenis sternitur); 7.611-3 (has reserat); 7.612-3 (ipse consul); 7.678-80 (fundator quem); 7.678-81 (fundator Caeculus); 7.725-6 (populos qui); 7.752-4 (Umbro qui); 8.10-13 (petat et edoceat); 8.58 (ut, deslocado p/ a 5ª. posição!); 8.82-3 (candida sus); 8.505-6 (ipse Tarchon); 8.600-1 (Siluano deo); 9.69-71 (classem inuadit); 9.120-2 (uirgineae facies); 9.679-81 (aeriae quercus); 10.305-6 (uiros quos); 10.324-5 (dum, em quinto lugar); 10.356 (ceu, em sexto lugar); 10.364 (ut, em sexto lugar); 10.366 (quando, em sexto lugar); 10.482-4 (clipeum medium); 10.636-8 (dea ornat); 10.707-8 (ille aper); 10.848 (tua uulnera); 11.73-5 (quas fecerat); 11.174(si, em sexto lugar); 11.557-6 (hanc famulam);11.612-3 (aduersis hastis); 11.636-7 (Remuli equo); 11.638-9 (alta crura); 11.659-60 (Threiciae Amazones); 11.696 (ualidam securim); 11.696-8 (ualidam congeminat); 11.712 (iuuenis ipse); 11.778-80 (hunc unum); 11.778-81 (hunc sequebatur); 11.809-11 (ille lupus, separado por 14 palavras!); 12.92-3 (quae hastam, ainda com inversão de antecedente e relativo!); 12.134-6 (summo tumulo); 12.270-6 (hasta transadigit: a maior distância de todos os casos); 12.473-4 (nigra hirundo); 12.488-9 (duo hastilia); 12.488-90 (huic dirigit); 12.509-11 (Turnus ferit); 12.529-31 (Murranum praecipitem); 12.529-32 (Murranum excipit); 12.684-5 (ueluti cum); 12.701-3 (ipse pater); 12.715-6 (cum, em sexto lugar) e 12.901-2 (ille heros).

2.27: Cacófato de que Virgílio não pôde se dar conta: "Dorica castra" (= cacas, "defecas"). O caso se repete em 2.462: Acaicha castra.

2.91: Ou seja, aqui, "terrena" (em oposição a "inferis oris, [ou] plagis" = subterrânea).

2.134: Para não perder a inusitada separação do pronome e seu verbo.

2.149: "-que" = "sed".

2.161: Os "si" não são conjunções aí; estão empregados na modalidade primordial do termo, ou seja, na forma derivada de "sic", este, por sua vez, proveniente da raiz i.e. *seu. Dito de outra forma, "si" era usado, a princípio, em orações coordenadas, com o sentido de "assim". Um ex. qualquer: "Faço isso, assim me vou"; daí se estendeu ao uso subordinante: "Faço isso se me vou".

2.183: Um sentido não registado em dicionários em geral: "em paga de", "em compensação por".

2.194: Do v. 185 ao 194, a predição de Calcas é exposta por Sínon; por isso, os futuros do infinitivo.

2.196-7: Há um verbo não expresso ("sunt"), ligado a "capti", cujo sujeito seria "illi", forma essa complementada por "quos".

2.248-9: Por total impedimento métrico, reduzimos "dos deuses" a "divos"; a "com grinaldas festivas cobrimos", fizemos corresponder "ornamos com ramos gaios".

2.333-4: Duas "liçenças" aqui: "lúzia" (termo antigo); "mortipronta", à Mendes via Haroldo de Campos.

2.354: Embora com o empobrecimento da carga semântica do substantivo, em face da verbal, aqui buscada, consola-nos que O. Mendes teve que recorrer quase a dois decassílabos, para a mesma ideia. Oferecemos também como outras opções: "Só um salvar ao vencido: nada esperar do salvar"; "Vencido, uma salvação: salvação nula esperar".

2.358: Aqui, um pouco distante do sentido primário de "hostis", tentamos incorporar, também, ao termo, a noção de tropa (pelo contexto, "inimiga"), metonímia que, entretanto, traz à baila, por força de nosso vocábulo "hoste", uma acepção atual.

2.401: Outra vez, recurso à versão erudita, agora à de "conhecido".

2.443: As partes em relevo da gigantesca porta.

2.461: Infinitivo de narração.

2.477: Na base de "flor" = juventude, assumimos aqui "vigor", por juventude, também.

2.627: "-que" não aditivo, mas explicativo.

2.675: Aqui o "et" é reforço da oração principal; logo, valor temporal e não adicional.

2.784: Lit.: "pela pele (=pessoa) de Creúsa".

# Livro III

3.71: No sentido de "tirar navios do estaleiro", "fazê-los sair da beira" (como poderia ser, p. ex., "derripar" ou "debordar", etc.

3.211: Escansão "irregular": "Insul<u>ae</u> Ionio in magno, quas dira Celaeno". Ditongo – longo – da terminação nominal, abreviado (caso raríssimo entre os mais raros), além de hiato obrigatório entre "insulae" e "Ionio". A ligação "Ionio" com "in" é normal.

3.284: De um ano, em sua extensão, pois aí "magnus" equivale a "longus".

3.311: Fixamos para todo o texto, quando preciso, "deonato" (nascido de um deus) e "deanato" (nascido de uma deusa).

3.363: Para reerguer, como às vezes costuma acontecer com "soer", um termo clássico interessante.

3.405: Dado o pleonasmo "cobrir com véu, tampado na cabeça", optamos por um reforço de "cobrir-se", mediante um advérbio.

3.512: Por "impulsionada", "impelida".

3.525-6: Abrimos exceção de não atrelar "ornar" com "coroa", porque já é expressão "teúda e manteúda" o coroar-se o vinho.

3.545: Acusativo de relação (à maneira grega): no que diz respeito à cabeça.

3.561: "Primus" tem às vezes por acepção, não dicionarizada, "(o fazer) antes, (fazer) à frente de", o que se aproxima também da ideia de "(fazer) imediatamente, (fazer) logo"; "o mais à frente", mais adequadamente, pode traduzir esse superlativo.

3.588: "Primus", aqui, diria respeito ao nosso "aos primeiros albores (da aurora)"; é, de certa forma, intraduzível, mas como está em superlativo, o "bem" ajudaria para uma melhor equivalência.

3.662: A falta de revisão da Eneida deixou, por certo, inadvertidamente trocada a sequência temporal "veio e tocou" por "tocou e veio".

3.663: Parece que não se comentou, em nenhuma tradução, a incoerência temporal entre o vazamento do olho do gigante e sua lavagem em ondas ("sangue que flui"), como se tais acontecimentos tivessem ocorrido com grande proximidade, quando, na verdade, passaram-se "três luas cheias" desde o incidente na caverna e dita lavagem.

## Livro IV

4.1: Tentamos revitalizar "coita", já em outras obras e aqui, por sua ligação com o verbo "cogito" (pensar, cuidar) frequentativo de "cogo" (obrigar), sob o aspecto de 'se ver forçado a (sofrer)', ideias que se coadunam com a de cuidado, desvelo, preocupação (com o sujeito amado). "Coitado", tão vivo hoje, expressaria o "amante (sofredor)", ou, simplesmente, o "sofredor" (parece que essência do amante!). Assim, "coita", que produziu "coitado", voltaria forte à cena... amorosa.

4.15-9: "Potui", pret. perfeito, é quebrado em sua harmonia, por 2 imperfeitos e 1 mais-que-perfeito do subj. Mas aí reside aquele algo inerente ao poético.

4.62: Sentido amplo de "pinguis": "cheias", "tomadas, molhadas de sangue".

4.132: Para imitação do final do verso, foram acionados um dissílabo e um monossílabo, com pausa forçada na leitura; com o que se aproxima um pouco mais dos penúltimo e último pés latinos.

4.164: Aproveita-se a noção de "voar", figurada, com base justamente no sentido primitivo ou primordial de "peto" ("tender voando a"), a que se prende "petna" > "penna" [> pena, asa].

4.168: Neologismo que achamos o melhor caminho para unir "urrar" (de alegria) com "hurra", também de alegria, e triunfo.

4.207: Dá-se a oferenda lineia (=do vinho); com a expressão "à Lineu", não se perde o valor semântico adjetival ligado a culto.

4.247-8: A repetição de "Atlas" estabelece o jogo de palavras entre monte e herói, feito por Virgílio.

4.249: Postulamos "pinhoso", com base em <u>vinhoso</u> e <u>linhoso</u> e por acharmos normal e adequada a sufixação.

4.254: Para se ler: "igual a ave" porque não é "igual ave".

4.266: O neologismo "com intenções de se casar" pelo menos se assemelha ao original, quanto à formação léxica.

4.370: Dido se dirige a Eneias, em 3ª pessoa.

4.410-1: Sem perder a imagem, colocamos uma expressão tal, que evite, como no original, na mesma frase, "ver" e "diante dos olhos";

4.438: Concordamos o sentido de "portar" com o de "levar", por força de seu composto que logo se lhe segue e que traduz o jogo fonossemântico de "fertque, refertque".

4.453: Dado que a própria palavra "incenso" é de uma raiz i.e. que se refere ao ato de "acender", "incendiar", recriamos, modificando em quase nada seu sentido dicionarizado, como adjetivo, a forma aqui empregada, para também fugir de render, com um latinismo, seu correspondente português (turícremo), conforme observado na Introdução.

4.522-8: a) O verso, possivelmente interpolado [528], o foi, contudo, em ligação com "homens", do v. 522; b) outro neologismo, de aspecto apenas semântico e não lexical, para o verbo "lenibant".

4.545: A oração "quos...reuelli" se prende a um implícito "ego" (que se opõe ao explícito "agam"); daí, o infinitivo reuelli parecer solto.

4.567: Para melhor render "collucere", a reunião, e confusão, do brilho de tochas: mais um neologismo.

4.584: Outra vez "prima" como equivalente de "logo, já".

4.675: "O de antes", no sentido de "aquilo (que maquinavas)".

4.690: Sintetizados dois verbos sinônimos, redundantes, em um só. Teríamos: "Três vezes se alçando e, apoiando-se nos cotovelos, ergueu-se".

4.703: Com supressão ("clássica") do verbo "ser".

## Livro V

5.4: Empregado como adjetivo, que o é de fato. Houaiss o toma como advérbio, nos exs. arrolados em "2", erradamente

(p. 321). "Assim" não se refere a um verbo, mas a um nome (nesse caso, <u>sempre</u> posposto). "Assim", além de corresponder a "de igual natureza", "semelhante", conota implicitamente uma intensidade, própria de "tantum".

5.72: Nem que só para fins desta tradução, postulamos "mátrio", sobre "pátrio".

5.118: Entenda-se, por zeugma: "e Gias leva à frente a Quimera".

5.119: Lit.: "obra (de) cidade" (= construção (do tamanho de uma) cidade). Hipérbole.

5.165: Lit.: do "pego", isto é, o mar considerado sob o aspecto de sua profundidade.

5.173: <u>Iuueni</u>, em dativo "grego".

5.259: Se existe "bifilar", por que não "trifilar"?

5.260: Como "Demoleos" tem a sílaba "le" breve, o normal seria "Demóleo", mas "Demoleu" é variante consagrada. V. Intr.

5.267: "Naveta", embora seja a tradução literal de "cymbium" (em grego, "naviozinho"), não é termo adotado nesse sentido. Preferimos o aportuguesamento, mesmo, da forma original.

5.298: Subentendido "seguiram".

5.329: Uso não comum de "ut" em lugar de "ubi". Cf. Catulo, 12, v. 3).

5.368: Ocorrência de 2 termos de perfeita equivalência semântica (= pleonástica).

5.407: "Pondus" tomado no sentido mais concreto possível: "aquela massa ali".

5.447: "Ipse" funciona às vezes como reforço da característica relativa ao nome ou pronome a que se prende.

5.450: Verbo que desejaríamos introduzir e enfatizar, mesmo não consignado, modernamente, por Aurélio ou Houaiss.

5.481: A virgulação, especialmente depois de "boi", procura o efeito que imite o mais possível a disposição de palavras e o ritmo originais.

5.490: Há um sorteio de nomes dos que atiram setas, para definir suas posições.

5.524: Em "terrifici" a referência é mais para as predições do que para os adivinhos (= hipálage).

5.645: Para acentuar o ritmo, a suspensão.

5.654-6: Infinitivo de narração, sem formas finitas acompanhantes, que se complementa com o "cum" tipicamente narrativo, no v. 657.

5.754-5: a) "Corroído por chamas"; b) deve-se ler a sílaba "ssa" de "massame" com a nasalização que "-me", no início do verso seguinte, confere a "massa-".

5.816: Valor causativo do adjetivo, frequente em qualificativos com traços + humano ou + inanimado.

5.866: "Sempre", como adjetivo.

# Livro VI

6.24: Supposta: termo eufemisticamente colocado, traço marcante de Virgílio, sempre discreto.

6.44: Neologismo exigido.

6.121-2: Foi como para dar uma ideia melhor do "alterna morte": os gêmeos alternavam, dia sim, dia não, a ida ao Averno.

6.138: "Abaixo da terra" ou, literalmente, "infernal".

6.209: Em razão do "estridente" "crepitabat bractea".

6.230: Impossíveis, 14 sílabas: por isso, a transformação do gerúndio em substantivo e uma absorção vocálica exigida entre a desinência fonética de "alecrim" e o "e" da conjunção seguinte.

6.268: Hipálage por "iam silenciosos na noite escura".

6.361: Outro recurso extremo ao adjetivo erudito: "sem (o) saber".

6.421-2: "No ar" substitui "lançado", que, se usado, carregaria de pleonasmo a sequência do trecho, isto é: "ela (o naco) lança, ele (o) pega lançado".

6.436: Quer dizer, na terra, em oposição ao mundo inferior, o do Averno. Cf. n. v. 138, deste Livro.

6.439: Lit.: 'escorrido nove vezes entre (suas fozes)'.

6.444: V. nota do v. 1, do Livro IV.

6.502-3: A última noite de Troia. V. Livro II.

6.532: Impelido.

6.567: Por razão métrica, o poeta inverteu a ordem lógica dos fatos (castiga e ouve). Em traduções, em geral, não se nota isso ou se recorre a subterfúgio conciliador de sentido.

6.569: Inversão nossa de "expiações cometidas", isto é, "delitos cometidos (dignos) de expiação". Aí, "expiatórias" equivale a "que são para se expiar".

6.570: Cingida.

6.572: Pois as Fúrias estão todas reunidas aqui.

6.608-9: a) Dada a não-relevância da oração temporal (com "dum"), ela foi reduzida ao essencial; b) pais, em plural, porque "parens" pode ser pai ou mãe.

6.640-1: Estranhamente, "campos" está inserido na 1ª. oração (nominal) e não na 2ª. (verbal), pois seria "campos (que) reconhecem...".

6.646: As sete diferentes notas da escala musical.

6.655: Não é para se esquecer que, mesmo nos Campos Elíseos, as almas estão debaixo do 'campo' normal de cima, o da Terra.

6.719-20: "Elevar-se" engloba "ire" e "sublimes" ("que vai para cima", sentido este que, por sua vez, decorre do étimo 'para cima, a partir da lama'.

6.796: Hendíadis: "rotas do ano e do sol".

6.800: a) "Turbare", como intransitivo, tem sentido muito próximo ao de "trepidus"; b) "septemgemini" se tornou verdadeira locução adverbial, e não deixou de reforçar a curiosa imagem de todo o verso.

6.864: Nossa sintaxe à grega, para enfatizar o aspecto da nobreza, isto é, "a alguém da nobre extirpe dos descendentes".

6.890: No mesmo verso, dois advérbios de sentido praticamente idênticos: "exin" e "deinde".

6.894: As almas do Averno em geral.

6.896: "Céu" se refere à superfície terrestre, lugar acima do Tártaro, ou do Averno, como já comentado.

## Livro VII

7.28: Na extensão lisa, e branca, das águas.

7.40: Sob o aspecto etimológico, sinônimo de "reuocare" (relembrar, fazer vir de novo, etc.) e, ao mesmo tempo, alusão à própria fala épica, que é recitar...

7.69-70: Para a mesma, e do mesmo, das abelhas...

7.73-8: Do v. 73 ao 78, tudo em infinitivo, dependente de "uisa".

7.93: Ovelhas de dois anos, sacrificadas ritualmente. Lit.: "de dois dentes" em relação à dentição, que se processa de ano em ano.

7.115: O bolo sacrificial era de forma quadrada e servia de prato e às vezes de mesa. Cf. Saraiva, 9. ed., p. 986.

7.118: Aqui temos "prima", numeral, e superlativo de "pris", desusado, e que procede da raiz i.e. *per-II, numeral funcionando como advérbio; sentido não registrado em dicionários.

7.140: Pais, os deuses maiores, os de cima e os de baixo.

7.162: "Na flor primeira da idade".

7.171: Neologismo para "situado no alto de uma cidade".

7.188: Pequeno escudo ("ancile") tido como caído do céu.

7.213: Impelidos.

7.217: Para não dificultar a compreensão, foi transposto "maior", que pertence à relativa seguinte, para a oração de part. passado "pulsi".

7.222-7: O trecho é certamente o mais intrincado da obra. Para maior clareza, acrescentamos, no final da sequência (v. 222 a 227), "terrestres", por ser muito específica a expressão "quatro regiões" e não haver, no original, melhor esclarecimento ou indicação precisa.

7.226: Rat diz tratar-se, especificamente aqui, de um rio (Océano); por isso, a maiúscula.

7.282: Apolo.

7.283: Lit.: "da mãe (= fêmea) posta por baixo", para o acasalamento.

7.308: Outro neologismo (que não sabemos por que já não tenha sido tentado): "não ousado".

7.320: V. Rat, v. II, p. 345, n. 177 e 179.

7.330: Para fugir da disposição original: "com estas palavras e fala tais (palavras)".

7.350: Preferimos dar mais a sugestão do movimento da cobra, mas sem perder a equivalência dos "ff"do texto.

7.363: Páris.

7.463: "Suggero" (sub + gero) é basicamente "colocar por baixo de"; por isso, "costis" se verteu por <u>fundo</u> e não <u>flanco</u>, mesmo porque não é do lado que se acende fogo num caldeirão.

7.470: Há aqui quase um discurso indireto livre.

7.540: Com vantagem igual de combate.

7.550: V. verso 540, acima.

7.566: Por "(que se estende) de ambos os lados".

7.566-7: O trecho tem um "et" que entrava a tradução, e é "engolido", por Rat, p. ex. Quanto a Mendes, nada a dizer, porque sua tradução se faz por síntese e não verso por verso, exatamente.

7.570-1: Eufemismo: é um consolo para habitantes do mundo e do céu.

7.593: O patriarca Latino.

7.606: E seguir rumo ao Oriente.

7.634: Caso único na obra: 1 só dátilo para 5 espondeus, não sendo o 4º pé, por lei métrica, um dátilo, pois o 5º é um espondeu também.

7.674: V. Rat, II, p. 353, n. 300.

7.716: Arcaísmo semântico em "classes" (tropas).

7.725: Se fosse tradução em prosa, aqui caberia "arregimentar às pressas", por "rapit", isto é, "recolhe e leva às pressas".

7.728-9: Dado o contexto, "ribcirinhos" sc aclara: habitantes da beira do...

7.775: "Et" especificativo.

7.786: Neologismo calcado no latim, em oposição a "insuflar".

## Livro VIII

8.16: A repetição do nome de Diomedes, em port., em relação a "Diomedis" do v. 9 e "Aenean", do v. 11, se faz necessária, enquanto para o latim o "ipsi" só pode se referir ao primeiro dos dois.

8.28: Do Tibre.

8.40-1: "Furor" é sinônimo de "ira", mas pode também significar "agitação (não-física)"; preferimos então o par sinonímico.

8.48: a) "Brilhante" se liga à própria ideia básica de "brancura"; b) Alba se relaciona com a variação b/v, em port., ocorrendo vocábulos com a raiz alb- e com a raiz alv-, além do fato de que <u>albor</u> é variante de <u>alvor</u>.

8.77: V. Rat, II, p. 365, n. 449.

8.86: No sentido básico de "agitada", "turbulenta".

8.89: Aos remadores.

8.104: Por se tratar de culto, entende-se então "bosque sagrado".

8.110: Latinismo proposto para a ideia de "erguer-se ao mesmo tempo".

8.114: Isso, ao pé da letra; aí o "de" equivale a "quanto a" = "qual é vossa raça?".

8.149: O Adriático e o Tirreno, respectivamente.

8.271: Daí o nome de Ara Máxima.

8.283-4: Vinho e frutas, como segundo serviço.

8.286: "Coroados nas têmporas".

8.293: De "Invicto" até o v. 302: vozes de um coro.

8.305: Neologismo dispensável, mas posto para melhor impressão "acústica".

8.322-3: Explicação do nome do Lácio como se derivado de "lateo" ("esconder").

8.390: Outro neol., para maior força de expressão.

8.466: a) O latim às vezes inverte nossa ordem costumeira. "huic" (= a este) se refere a "aquele", e vice-versa; b) com "seguidor", suprime-se "ibat".

8.484: "A ele" substitui "capiti", que justamente quer dizer, também, "homem, pessoa".

8489: A transitividade do verbo nos pareceu lícita e até interessante.

8.493: Impossível fazer a equivalência entre o infinitivo arcaico latino e o nosso.

8.552: Mantivemos "fulva", aliás introduzida eruditamente em port. Seria "amarelada"; também, para fazer par com o ful- de fulgir.
8.576: "A ele abraçar-me".
8.599: Por "abeto". Forma que, aportuguesada com o acento, reproduz o nom. sing. do termo latino.
8.626: Começa a descrição de cenas representadas pelas gravações no escudo.
8.652: Na parte superior do escudo.
8.671: Sempre sob a perspectiva das cenas esculpidas.
8.675: No centro das figuras representadas.
8.686: Do Mar Vermelho.
8.695: a) Por "avermelha-se"; b) "netúnia seara": o mar.
8.710: "A cizelara".
8.728: V. n. 714, p. 390, do v. II de Rat.

## Livro IX

9.7: "Voluenda" não é um gerundivo propriamente dito, mas, como na língua arcaica, vale por um part. pres. Usou-se uma relativa, com o mesmo valor.
9.106: Dizer que sim com a cabeça está em "annuit" e "nutus".
9.112: Os coros do Ida também pareceram atravessar.
9.154: Para o correspondente futuro arcaico "faxo".
9.156: "Diei" (trissílabo), arcaico, sem correspondente em port., como a maioria dos arcaísmos latinos.
9.181: Inversão de "que sinaliza o rosto imberbe com a primeira juventude"; "vigor", por "juventude".
9.184: "Um ardor como este meu".
9.209: Qualquer deus.
9.231: Outro infinitivo arcaico.
9.241: Supino arcaico, valendo por "ad" + inf. ou a "ut" + subj.
9.287: "Quodcumque" funciona como um advérbio, equivalente a "multum", "penitus", etc.
9.288: Tmese: "in (que) salutatam" por "et insalutatam".

9.323: "Vasta dabo" = "uastabo", à maneira dos cômicos, que empregavam "do" + particípio. "Aqui", porque "haec" subentende "spatia", temos lit.: "vou dar desbastado este espaço". E "uastus", primariamente, denotava passividade; depois evoluiu para outros sentidos.

9.325-6: Um tom cômico perpassa o fim do v. 325 e o 326 todo. "Pro-" tem valor de intensificador.

9.334: Um verbo da área semântica de "neco" (matar) foi subentendido, pelo contexto.

9.336-7: Isto é, por grande quantidade de vinho.

9.339: Para não deixar dúvidas quanto a que tipo de animal é atacado, e porque não temos um equivalente certo para "ouile", "curral de ovelhas".

9.354: Por "desejo excessivo de matança".

9.361: Por direito de hospitalidade.

9.403: A Diana, a invocação.

9.448: Em vez de "a família de Eneias".

9.464: Comandante ou capitão.

9.508: Linha de circunvalação cuja forma se assemelha a uma coroa; logo, circular.

9.518: Vale mais ou menos por "brigar sob um obstáculo (= carapaça) que esconde".

9.518: Início da Ilíada é a lembrança feita por Virgílio.

9.548: Liso, sem gravações; por fim, "inglório".

9.556-7: Destrinchamento de uma possível expressão "por entre os inimigos, todos eles armados".

9.564: A águia, também símbolo do deus. Porque consagrado a Marte.

9.588: Crença da antiga balística quanto ao chumbo lançado em grande velocidade.

9.602: Lit.: "fingidor do falar (ou da fala)", dada a força nominal do gerúndio.

9.605: "Venatu", em dativo, em lugar de "uenatui".

9.629: Mesmo verso da Écloga III, 87.

9.634: Por sua origem, "uirtus" significa "macheza".

9.634: Vozes, por "palavras, ditos" e para aliterar mais ainda o verso, à Virgílio.

9.642-3: a) "bem" = com justiça, de acordo com o certo, o bom; b) "vindouras (ou que acontecerão de acordo com os destinos").
9.643: Adjetivo criado a partir de Assáraco. V. Intr.
9.648: Lit.: "guarda fiel diante da soleira". "Ad" + termo em acus. indica cargo ou profissão.
9.653: Embora controversa a grafia, adotamos Aeneide.
9.670: Júpiter significa, aqui, tempo atmosférico, "céu".
9.676: a) Infelizmente, eliminou-se "ultro" (por si, por conta própria); b) outra vez, necessidade da "intradução" (cf. Introdução) de "hostis" = "inimigo", termo arcaico em port.
9.693: Ousamos a forma apocopada, mesmo como adjetivo.
9.706: Impulsionada.
9.766: Como se disséssemos: provocando, querendo briga.
9.777: Não se pode deixar despercebido o trecho metalinguístico alusivo à própria Eneida!
9.791: "Hoc", às vezes, como é o caso, é expressão de teor conclusivo.
9.798: Porque "ex-", em composição, também confere ideia de ênfase.
9.805: "Ni", muito próprio da linguagem coloquial, no contexto (vv. 802-805) traz à degustação outro raríssimo caso de possível discurso indireto livre na Eneida.

## Livro X

10.18: Reunidas, exatamente nesse contexto, as noções de "figura ilustre" e "progenitor". Cf. a Intr.
10.86: uno, reportando-se a expressões de Vênus, muda a característica apontada de Pafos (a de ser elevada) para Citera: ou Virgílio se enganou ou fez de propósito...
10.148: Ingredi" + dat.: uso poético.
10.154: uer dizer: "fere (= imola) [vítima em celebração d] a aliança (feita)".

10.157: Lit.: (navio) acrescentado por baixo, no esporão, de leões frígios desenhados.
10.176: Em lugar "de animais em geral".
10.195: Entenda-se: o navio Centauro tem pintado justamente um centauro sob a proa e esta figura é representada como a querer jogar uma pedra nas ondas.
10.205: "Em embarcação".
10.208: "(Da sua superfície) de mármore".
10.232: Turno.
10.237: "Por causa da guerra".
10.247: Lit.: "de seu (-s) limite (-s)".
10.256: a) "et" = "sed"; b) "reuoluta": part. pass. com ideia de presente.
10.258: "Principio" diz respeito, aqui, mais à noção de prioridade do que à de anterioridade.
10.272: Poetizado, excepcionalmente, em advérbio, da mesma forma que "forte, feio", etc.
10.297: "Recuso": o pres. do ind. também faz as vezes de futuro do condicional.
10.299: Para não perder o "con-" de "consurgere": ao mesmo tempo, juntamente.
10.301: Dois tempos verbais diferentes dependentes da mesma conjunção (muito comum em poesia em geral: a métrica exige – tenent e sedere (= sederunt).
10.316: Risco de ferro: do fórceps.
10.321: Tmese: "usque (graues) dum".
10.345: Preferido o "sabor" original ao de "juventude".
10.365: "Latinos", por "Lácio".
10.365: "Quis", arcaico, por "quibus". Sem equivalência em port.
10.372: Caso raríssimo de inversão da negativa em imperativo, além do "habitual" imperativo poético.
10.377: "Maris", em relação a "obice": aposto ("com o obstáculo da água" = com o obstáculo água), mesma função observada, p. ex., em "Rua dos Tupis" e "Rua Tupis". A propósito, teoricamente assim se distinguem: "pontus": o mar quanto à profundidade; "mare": a massa de água.

10.380: Impelido.

10.418: Certamente quer se dizer "pálpebras brancas, encanecidas" (de um morto).

10.432: O que se segue contrasta com o que foi dito, mas, enfim, "epos epos est", diremos, isto é, epopeia epopeia é.

10.441: "Pugnae", em dativo, à imitação poética do grego, que, todavia, aqui emprega o genitivo: αφισταμαι.

10.458: "Ire", infinitivo de narração.

10.476-7: Na parte superior da couraça.

10.481: "Chus (<plus) forma arcaica de "mais"; é o que "mage" é em relação a "magis", correlativamente, e não morfologicamente. O disparate e a ousadia ficam por conta do tradutor.

10.481: "Penetrabile", de voz passiva, funciona como termo ativo.

10.493: "Quisquis" em vez de "quicumque" ou "omnis": emprego arcaico, sem equivalente em port.

10.533: "Ista" carrega toda uma expressão de negatividade e desprezo.

10.577: Só pondo "Lúcago" no final, abrandamos um pouco o cacófato, já por si, inevitável.

10.583-5: a) "Ligeri", à moda helênica, é dativo com a função de agente da passiva de "dicta", particípio passado de "dico". Virgílio faz então trocadilho com "dicta", substantivo; b) "hoste" é outra vez a latinização (nosso "intradução", cf. Intr.) obrigatória, de "hostis"= inimigo.

10.586-7: a) pendente sobre; b) cavalos com trela; c) v. obs. do v. 577, aqui.

10.592: Caso em que "nulla" funciona simplesmente como negação, na forma de um pronome.

10.657: Para o caso, a noção de "escuro" parece não só traduzir a de esconderijo, mas até ser mais rica em conotação.

10.686: "Animi" em lugar de "animo": expressão não tratada por gramáticos ou especialistas, coloca um caso raro de "locativo de sentido figurado", ou "locativo abstrato", como passamos a chamá-lo, particularmente.

10.690: Substitui a Turno.

10.708: V. 4.249.

10.712: Embora não consignado por nenhum dicionário, "irascor" aqui é transitivo direto e teria o mesmo caso pedido por "accedo"; "Cuiquam", em dat., não é OI de "irascor" (regência registrada nos livros) e, sim, de "fuit" (subentendido), predicado de uirtus.

10.745: Outro "olli" arcaico.

10.764-5: Nereu como o mar. "Gigantes poças de Nereu" é perífrase para "pelo grande mar".

10.776: É a proporção ou "regra de três" linguística: sibilar: sibilante: silvar: silvante (mais o fato de que ambos vêm, por formas diferentes, do mesmo latim "sibilare").

10.794: Tmese: "in" (que) "ligatus" = inligatus, illigatus,

10.817: Justamente porque a parma era um pequeno escudo arredondado.

10.819-20: Inversão na sequência de ações, devida a um empecilho métrico momentâneo, e não afastado, ou à falta de não se limar a obra, como tantos versos inconclusos metricamente o demonstram de sobejo.

10.827: Propexus", lit. "penteado para frente", quer dizer, a que se passou a mão ou se alisou, com a mão, à frente, na direção do pelo; mas também traduz a ideia de "pendente", "longo", no presente caso.

10.860: Dos poucos momentos, em Virgílio, de leve humor, embora com o precedente de Homero, para o caso: homem e cavalo. Há semelhante relacionamento e comportamento em D. Quichote de la Mancha.

10.864: Para melhor aproximação vocabular, semântica e fônica, colocou-se vírgula depois do verbo, para jogar sobre ele a carga de pronunciação, ou de prolação, do final do verso.

10.869: Isto é, peludo com penacho (crina) de cavalo.

10.885: O apóstrofo é só para lembrar que há elisão; de fato, em leitura métrica, o "e" de está se amalgama ao ditongo nasal do termo anterior.

10.886: Não se trata de jogar lança com a mão, mas com domínio, jeito de mão; logo, com destreza.

10.887: a) Trad. ao pé da letra de "silua" (selva, floresta, também ambas em port. na acepção figurativa de grande quantidade); b) para fugir a qualquer possível sinônimo de "grande" ou "espantoso", um adjetivo que, na verdade, parece participar das duas noções.

10.898-9: Rat confunde detalhes aqui. "Aurae" equivale a céus, ares; "Coelum" é ar, aragem, atmosfera. Mendes deu a entender que os compreendeu.

10.903: É belíssima a tmese, retardada por seis vocábulos ("peroro" : "per...oro"), qual um equivalente (absolutamente esporádico e só poético) de um verbo alemão prefixal, mas ao inverso, como, p. ex., em "Das Flugzeug fährt um sieben Uhr von Rio ab" (O avião parte do Rio às sete horas).

## Livro XI

11.1:   V. Livro IV, v. 129.

11.22:  Por "aos companheiros e seus corpos não enterrados".

11.35:  Ocorre propriamente o seguinte: "as descendentes de Ílio...soltas, quanto aos cabelos de luto, conforme o costume", ou já aportuguesado: "...de cabelos soltos por causa do luto, conforme o costume".

11.39:  Por "o rosto cor de neve de Palante".

11.43:  Lit.: "te olhou mal (eficazmente) em meu favor". E o ponto de partida semântico do verbo é "olhar (mal) sobre > olhar mal contra > olhar mal a > invejar".

11.52:  Neologismo, porque "comitor", aqui, não é só "acompanhar", mas acompanhar em séquito fúnebre.

11.53:  Transitivo, praticamente, no Brasil, relembramos.

11.110: Pela inevitabilidade de uma guerra.

11.112: Local, lugar, região, etc.

11.115: À de Palante, recém-ocorrida.

11.122: Por "ódio e acusação".
11.130: Por "a construção fatal (ou do destino) das muralhas".
11.149: "Sed" sem força contrastiva: perdeu-a pela outra adversativa antecedente, "at".
11.153: "Ut" arcaico; usado aqui como interjeição. Sem correspondência em port. arcaico.
11.161: O particípio equivale a uma oração concessiva.
11.163: Em lugar de "cortejo", "séquito", "procissão".
11.172: Subentende-se na or. relativa o pronome "illorum" ("daqueles"); logo, seria: "...troféus, daqueles que tua...".
11.181: Outra vez, no sentido de região subterrânea, como no Livro VI.
11.188-90: a) Contorno a pé diz respeito a infantaria, ação a que se acrescenta a de contorno a cavalo; b) "ore ululare" só se pode referir a seres animados, enquanto "ululare", sozinho, diz respeito a coisas ou a ambientes. Não há pleonasmo, como em outras diversas fraseologias, mas sim, já salientado, denotação de intensidade, reforço, ênfase, etc. "Ore fari", em poesia, p. ex., indica falar em voz clara, com insistência, com marcação expressiva qualquer. "Os", a propósito, não significa apenas "boca", mas o rosto, o semblante, a fisionomia, o aspecto, a postura, etc.; em última instância, a *forma* como se fala.
11.193-5: "Alii", reforçado de "hinc", se completa com "pars", em lugar do arranjo normal "alii, alii", ou, às vezes, "hinc, hinc".
11.201-2: Ver Livro II, v. 250.
11.224: "Multus", aqui, carrega um sentido bem latino de "multiplicação".
11.237: Cf. Livro IX, v. 693.
11.234-5: Por "assembleia e os principais entre os seus".
11.236: Outro "olli" arcaico, sem correspondente.
11.242: "Farier", arcaico, por "fari"; sem correspondente.
11.246-7: Trocamos "vencedor" por "herói".
11.254: "Guerra ignorada", apenas, não satisfaz porque só diz

respeito à guerra em si e não põe em evidência o interesse, ou não, de quem a faz.

11.256: Por "guerreando", isto porque, seja relembrado, o gerúndio é reputado como forma nominal do verbo.

11.269: Há aqui um infinitivo narrativo inserido, por sua vez, numa interrogativa.

11.348: Por "com armas e morte", isto é, "com armas para me matar".

11.364-5: Quer dizer: "e não nego que o seja".

11.373: Força polissêmica excepcional de "uis", no verso: coragem, virilidade, eficiência, valor...

11.402: a) "Vencido" é usado em caráter geral, mas se aplicando, contextualmente, à gente troiana; b) "Latinas" refere-se, aqui, a uma entidade única e discriminada como o rei chamado Latino; c) "contra" ("por outro lado", "por sua vez") teve que ser suprimido, sem perda de informação.

11.406: "Mesmo agora" traduz o arcaico "uel cum", evidentemente sem correspondência em port.

11.472: Na verdade, "deu-lhe a cidadania em sua cidade".

11.474: Lit.: "para a guerra", dativo de finalidade.

11.517: "Postas de lado as bandeiras (de facções contrárias)", isto é, em batalha travada, em batalha campal.

11.574: Em vez de "palmas" ou de "mãos" simplesmente, com o intuito de realçar a abertura delas para receber a coisa pedida.

11.600: Neologismo proposto porque 1) calcado em tropear, tropeado (com seus cognatos troar, tropel, tropelia, tropeliar); 2) significa justamente "o que faz ruído com os pés" (diz-se de cavalo).

11.622: Dos cavalos.

11.623: Em latim, "estes" porque não se considerou, nesse caso, o sujeito da última oração.

11.629-30: Em lugar de "duas vezes": ousadia tradutória "lexicogênica" da <u>generalização</u>, em port., de seu sentido latino normal para qualquer ambiente oracional em que <u>bis</u> sempre significa "duas vezes", independentemente de seu uso restrito a certas expressões.

11.630: "Protegendo com armas".

11.633: "Altus" quer dizer aqui "profundo"; logo, em grande quantidade, e a percepção real é do concreto e não do abstrato: por isso, "camada".

11.635: "Surgo" é aqui (não registrado assim oficialmente) um verdadeiro verbo predicativo: tornar-se, virar, passar a, transformar-se em, etc. Mas, ainda assim, por amor ao original, mantém-se "crescer", que, por sinal, é também um predicativo em português.

11.638: No v. 600, acima, a nuança enfatizada era a do movimento; aqui trata-se mais da caracterização do animal em si quanto ao ruído que provoca com as patas, na corrida.

11.638: Postulamos "furiar(-se)", não só por se calcar em "enfuriar-se", mas por apresentar expressividade *sui generis*, à parte, bem como formação vernácula (cf. lamúria/ lamuriar) e mesmo por sua deficiência facilmente solucionável.

11.640: Ejetado. De "eiectus", part. pas. de "eiicio" (jogar, lançar fora, fazer sair, expelir, etc.).

11.652: Neologismo, por "de Diana", deusa da vida selvagem, da caça (e também identificada com a lua).

11.667: Lança de abeto, de pau semelhante ao pinho.

11.674: Como "sequor" é parcialmente sinônimo de "incumbo", só comparece um termo, relativo, no caso, a "sequor".

11.680-2: a) "Texere", em correlação estreita, diegeticamente falando, com "operit", anterior, e "armat", posterior – e ambos os vizinhos no pres. do ind. –, é um pret. perf. "métrico", como inúmeros outros casos de tempos verbais de substituição, nesta obra como em todas da latinidade poética; b) "goela aberta" é forma para o literal "abertura da (de) boca".

11.693: Curioso notar o i.e. *leuk- (ideia de brilho) nos cognatos latinos lux, lucere, lumen, etc., e com sua ligação superinteressante com nosso "claro", substantivado.

11.704: Por "com intento e astúcia".

11.712: Assim entendemos aqui o "ipse": uma ênfase sobre a forma como o guerreiro se encontrava naquela situação.

11.713: Ao contrário de especialistas ferrenhos contra galicismo, no caso de "brusque", há um colorido especial na acepção de repentinidade e, além do mais, apresenta-se, quem sabe feliz, a expressão "de brusco" (p/ "haud mora", aqui).

11.739-40: "Sagrados", como as ofertas ou sacrifícios.

11.751: Amarelo-escura.

11.754: V. obs. no Livro IV, v. 681; Livro VI, v. 247.

11.772: Hendíadis e hipálage; lit.: 'claro em (cor) azul escuro e em púrpura', ou seja, devem-se ligar dois núcleos de nome substantivo, "ferrugine" e "ostro".

11.774-6: Concretizamos "em ouro" em "pregador de ouro", por maior clareza, para consolidar ainda mais a ideia enfatizada do metal presente nos v. 774 a 776.

11.777: Isto é, calções ou bragas exóticos porque não-itálicos.

11.785: Por "maior dos deuses", expressão dirigida também a outros grandes deuses, que não Júpiter, ao qual, devidamente.

11.803: Lit.: "levado de um ponto a outro", "que atravessa de lá para cá". "Ille", aqui com sentido indeterminado (= art. indefinido).

11.812: Hipálage de "lupus" para "caudam", em relação a "pauitantem" (espavorido). A seguir, a expressão que traduz o nosso "meter o rabo entre as pernas".

11.822: a) Na oração relativa constituída de "quicum partiri curas": a) "quicum" é pronome relativo arcaico, invariável; b) infinitivo de narração em plena oração relativa, como que fazendo um corte na descrição do presente, e indicando hábito no passado!

11.837: V. 11.53.

11.889-90: Sem falar no uso de "pulsos" por "impelidos, empurrados à frente" (< concita), pareceu-nos fundado o neologismo do v. seguinte.

11.895: "Praecipites", um adjetivo que também funciona como o advérbio "praeceps" ("de cima para baixo").

# Livro XII

12.1: Com a sorte contrária na guerra.

12.2-4: Por meio de "nunc" ("agora"), mistura-se o discurso do narrador com o do personagem, pois seria de se esperar "tunc" (então): há, pois, mistura de estilos.

12.34: A partir de "invicto" e por extrema necessidade – mesmo consciente de sua má sonoridade -, forjamos "bivictos" ("vencidos duas vezes").

12.61: Tmese: "quicumque" > "qui (te) cumque".

12.88: Dativo, em lugar de "ad habendum".

12.92-3: Fortíssima, e única, sínquise em que o relativo "quae", além de distante do seu <u>antecedente</u> "hastam", por dez palavras, ainda o precede!

12.95: Para não perder o belo efeito de "nunc, o nunquam".

12.108: Exercita sua maneira de lutar.

12.120: O part. pas. "uelati" se inclui em "de avental sacro"; sacro porque usado só para sacrifícios.

12.161: O v. 161 é único. É como se Virgílio, fazendo um corte na narrativa, se lembrasse de repente dos personagens principais: venho mostrando isso, a seqüência de incidentes, mas agora vamos falar dos reis, ou seja, a seguir nomeados: Latino, Turno e Eneias. A "reges" não se liga nenhum outro termo, e "reges" se visualiza como um aposto curto, ou melhor, uma indicação sintética do quadro que vai desfilar ante nossos olhos.

12.183: Forma semanticamente original de "cedo" ("andar, caminhar"), conquanto signifique também "acontecer", "caber a", por extensão.

12.187: "Propício" é o sentido que assume o pron. poss. "nostrum", um latinismo.

12.204: É claro, o "Genitor", ou o "Gerador", Júpiter.

12.215: Cf. 8.284.

12.228: Transitivado "vogar", mas na mesma acepção do intransitivo, isto é, 'fazer vogar'.

12.270: Mais distanciamentos de termos de sintagmas

oracionais, agora excepcionais (como se houvesse abismos sintáticos!). "Hasta" dista 38 vocábulos de "transadigit"!, notando-se que o OD se separa do suj. e do pred., respectivamente, por 19 e 18 termos, sendo "costas" acus. de relação. Os tradutores lidos dividem a passagem e, então, para "unum" se dá um verbo subentendido e, para "costas", o acus. de "transadigit".

12.294: Como do tamanho de uma trave, de uma viga.

12.305: O -que de "primaque" não tem um correspondente formal em port.: em latim, Virg. põe em igualdade de função sintática um nome, "Alsum", seguido de um aposto, "pastorem", e um part. pres. Na verdade, este –que é um rípio métrico.

12.312: "Atque" equivalente a "ao mesmo tempo que"; ou "et" = simul (ac).

12.320: Impulsionada, lembramos.

12.340: Em que pese a distinção, em poesia, não ser feita regularmente, aqui Virgílio diferencia claramente "sanguis" (o em circulação) e "cruor" (o derramado e já um tanto condensado).

12.343: Inversão nossa para "os quais Ímbraso".

12.400: "O outro" = "aquele", por Iápix.

12.400: Conforme o modo de se trajar de Péon, médico dos deuses.

12.415: "Cum", em indicativo, pode marcar uma generalização ou um hábito (ou preferência); aqui é o 2º caso.

12.418: Às escondidas.

12.423-4: a) Em "secuta" estão os semas de "movimento" e "facilidade"; b) "in pristina" é a forma métrica para "in pristinas (uires)".

12.427: Lit.: Com habilidade, perícia "mestra".

12.439: O part. pres., multifuncional, mostra aqui ideia de finalidade.

12.444: Depois de influir, confluir, refluir, afluir, defluir, e profluente, por que não "exfluir"?

12.457: Em estratégia militar, formação do exército em forma de cunha.

12.495: Perseguia os de Turno, de quem não se esqueceu.
12.513: Isto é, Eneias.
12.516: = Turno.
12.568: Em "acatar" reduzimos "aceitar e obedecer".
12.584: Com base em "desferrar", ocorre "desferrolhar" por "desaferrolhar".
12.601: Para compensar a aliteração do v. anterior, onde não é funcional, transpomos para o v. seguinte um efeito, aí então, significativo.
12.680: V. 11.638.
12.695: Quebrado, é claro.
12.702: Um detalhe de admirar: o "-que" de "gaudetque" deveria estar acoplado a "quantus". Isso rarissimamente ocorre em toda a grande poesia latina; dizemos grande por não termos podido ler muitos autores menos conhecidos.
12.712: a) Para a peleja; b) Lit.: "com broquéis e bronze soante".
12.718: A rigor, novilhas.
12.738: Lit.: "davam costas dispersas".
12.738: Transformação de "as armas divinas de Vulcano".
12.750: De um espantalho.
12.754: Lit.: "semelhante a quem apanha". A raiz *sem, de "similis", indica, aliás, unidade; portanto, não-repetição; logo, igualdade, e daí, semelhança.
12.790: De uma guerra.
12.794: "Bem", "muito bem", é uma forma de verter "ipse" = precisamente, perfeitamente sabes...
12.800: "Iam" com o imperativo tem função emotiva por parte do emissor.
12.822: Por "leis e contratos".
12.845: Ou Erínias. "Dirae" corresponde ao grego δειναι (αι δειναι), as Terríveis [acentuar os is no grego].
12.849: Logo, duas delas no Olimpo e uma no inferno de Plutão.
12.869: Por "o zunido e as asas".
12.876: Juturna generaliza a queixa ao trio das Fúrias.
12.887: 96 versos depois, reata-se o combate.

12.900: "Massas" diz respeito a "corpora".
12.902: Impulsionado.
12.908: Aspecto ativo, ou verbal, do adjetivo, comum em latim.
12.908: Por "mas, desejosos".
12.914: A Fúria que desceu sobre Juturna.
12.912: A máquina de atirar pedras.
12.928: O mesmo "co-" de outros casos empregados ao longo da tradução dos livros.
12.942: Bola de metal precioso ou não usada por filhos de patrícios até a idade de 17 anos.

# Glossário de nomes próprios

Compreende nomes próprios (substantivos e adjetivos onomásticos, patronímicos e gentílicos).

O leitor deve levar em conta que:

a  Além desses nomes, que sempre terão inicial maiúscula na tradução, serão também marcados com maiúscula os nomes de entidades mitológicas greco-romanas, bem como "pai" e "mãe" quando no sentido de "patriarca" ou "matriarca", em oposição a "pai" e "mãe" quando significando progenitor ou progenitora.

b  1º nome próprio: Troiae (I. v. 1); último: Pallas (XII, v. 948).

c  Não nos interessa dar as posições de cada nome ao longo de toda a obra, exceto se ocorrerem significados diferentes para o mesmo significante, porque a direção normal é ir do texto para o glossário, e não deste para aquele.

d  Evidentemente, por se tratar apenas de um glossário, o enunciado do genitivo correspondente a cada vocábulo de entrada bem como uma informação mais detalhada sobre qualquer termo de todo o universo deste apêndice ficarão por conta de recurso a dicionários, enciclopédias ou outras fontes.

e "Não mencionado" significa que o termo em questão não está explicitamente incluído na *Aeneis*.

f Em cada entrada de verbete, bem como no texto explicativo de cada termo, o nome completo repetido entre parênteses (ou, no 2º. caso previsto, com indicação apenas de outra terminação do nominativo) é outra forma ou variante do primeiro à esquerda ou corresponde à forma do nominativo plural do nome básico.

g As variantes, em todo o glossário, não se referem necessariamente a uso no texto latino traduzido.

---

## A

**ÁBARIS:** Ábare, guerreiro Rútulo.
**ABAS:** Abante (Etrusco: X, 170); Grego (III, 286 – rei de Argos); Troiano (I, 121).
**ABELLA (ABELLAE):** Abela, ou Abelas, cidade da Campânia.
**ACAMAS:** Acamante, filho de Teseu.
**ACARNAN:** da Acarnânia, região da Grécia que é parte do Epiro; acarnane.
**ACCA:** Aca, companheira de Camila.
**ACESTA (ACESTE):** Acesta, cidade da Sicília.
**ACESTES:** Acestes, rei da Sicília.
**ACHAEMENIDES:** Aquemênides (-da), companheiro de Ulisses.
**ACHAICUS, A, UM:** da Acaia, parte norte do Peleponeso, Acaico, Grego.
**ACHILLEUS, A, UM:** De Aquiles, rei da Tessália.
**ACHIUUS, A, UM:** da Acaia, Acaico, Aquivo, Grego.
**ACIDALIUS, A, UM:** de Acidália, na Beócia.
**ACMON:** Ácmon, guerreiro Troiano.
**ACOETES:** Acetes, guerreiro Árcade.
**ACONTEUS:** Aconteu, cavaleiro Latino.

**ACRAGAS:** Agrigento, na Sicília.
**ACRISIONEUS, A, UM:** de Acrísio, rei de Argos; donde, também, de Argos.
**ACRISIUS:** rei de Argos.
**ACRON:** Ácron, guerreiro Grego.
**ACTIUS, A, UM:** de Ácio, cidade e promontório da Acarnânia.
**ACTOR:** Áctor, Aurunco (q.v.) em XII, 94; Troiano (IX, 500).
**ADAMASTUS:** Adamasto, de Ítaca.
**ADRASTUS:** Adrasto, rei de Argos.
**AEACIDES:** "filho de Éaco" = Aquiles, neto de Éaco (I, 99 e VI, 58); filho de Aquiles, bisneto de Éaco (= Perseu, VI, 839); Pirro, tetraneto de Éaco (III, 296); Eácida.
**AEAEUS, A, UM:** de Eeia, ilha Grega.
**AEGAEON:** Egéon (Egeão), gigante com cem braços. O mesmo que Briareu.
**AEGAEUS, A, UM:** da antiga Egeia (cid. de Netuno); do mar Egeu.
**AEGYPTIUS, A, UM:** do Egito, Egípcio.
**AEGYPTUS:** Egito.
**AENEADAE:** companheiros ou descendentes de Eneias.
**AENEAS:** Eneias, filho de Anquises e Vênus, príncipe Troiano, tido como fundador da nação romana. 1ª aparição do nome: I, 92 (em dativo); última: XII, 939 (em nominativo) de um total de 237 vezes; (Sílvio) Eneias, rei de Alba e descendente de Eneias (VI, 769).
**AENEIDES:** o mesmo que Aenides.
**AENEIUS, A, UM:** de Eneias.
**AENIDES:** filho de Eneias: Iúlo ou Ascânio.
**AEOLIA:** uma das ilhas eólias (Lípara) ou uma das ilhas Égates, Híera, vizinha à Sicília.
**AEOLIDES:** filho ou descendente de Éolo: Clítio (IX, 774); Miseno, fundador da Eólia (VI, 164) e Ulisses (VI, 529).
**AEOLIUS, A, UM:** de Éolo (V, 791); da Eólia (VIII, 454.).
**AEOLUS:** Éolo, rei dos ventos (I, 52); guerreiro Troiano (XII, 542).
**AEPYTUS** e **AEPYTIDES:** ver Epytus e Epytides.
**AEQUI:** os équos, vizinhos dos latinos e dos volscos.

**AEQUICULUS, A, UM:** dos équos; (gens) Aequicula: os equículos, vizinhos dos équos.
**AETHIOPES:** os etíopes.
**AETHON:** Éton, Etão (propriamente, um dos cavalos do Sol, mas em XI, 89, o cavalo de Palas).
**AETNA:** o Etna, vulcão da Sicília.
**AETNEUS, A, UM:** do Etna.
**AETOLUS, A, UM:** da Etólia, de Diomedes, nascido aí; de soldado de Diomedes, substantivado, em XI, 308.
**AETOLI:** os Etólios. Cf. o verbete anterior.
**AFER:** um africano.
**AFRICUS:** vento do sul.
**AFRICUS, A, UM:** africano.
**AGAMEMNONIUS, A, UM:** filho ou descendente de Agamemnão (ou Agamêmnon): Haleso (VII, 723) e Orestes, nos demais versos.
**AGATHYRSI:** Agatirsos, povo da Cítia, região a norte da Europa e da Ásia.
**AGENOR:** Agenor, rei de Tiro (Fenícia), irmão ou filho de Belo, que é pai de Dido.
**AGIS:** Ágis (Age), da Lícia.
**AGRIPPA:** Agripa, tenente de Tibério.
**AGYLLINUS:** de Agila, cidade da Etrúria. Cf. Caere.
**AIAX:** Ajax (Ájace), filho de Oileu (leia-se: o-i-leu).
**ALBA:** cidade do Lácio, ou Alba Longa.
**ALBANUS, A, UM:** de Alba, Albano.
**ALBULA:** Álbula, rio, antigo nome do Tibre.
**ALBÚNEA:** Albúnea, floresta perto de Tíbur.
**ALCANDER:** Alcânder, guerreiro Troiano.
**ALCANOR:** Alcânor (Alcanor), guerreiro Rútulo (X, 338); guerreiro Troiano (IX, 672).
**ALCATHOUS:** Alcátoo, guerreiro Troiano.
**ALCIDES:** filho ou descendente de Alceu; neto de Alceu (= Hércules, Alcides).
**ALECTO:** v. Allecto.
**ALETES:** Aletes, guerreiro, companheiro de Eneias.

**ALLECTO:** Alecto, uma das Fúrias.
**ALLIA:** Ália, regato sabino.
**ALMO:** um rio (aqui, um guerreiro: Almão).
**ALOIDAE:** filhos de Aloeu, Aloídas, gigantes gêmeos.
**ALPES:** os Alpes.
**ALPHEUS:** Alfeu, rio da Élida, província Itálica.
**ALPHEUS, A, UM:** de Alfeu, rio da Élida.
**ALPINUS, A, UM:** alpino, dos Alpes.
**ALSUS:** Also, guerreiro Rútulo.
**AMASENUS:** Amaseno, rio do Lácio.
**AMASTRUS:** Amastro, guerreiro Troiano.
**AMATA:** Amata, esposa de Latino.
**AMATHUS:** Amatunte, cidade de Chipre.
**AMAZON:** uma Amazona.
**AMAZONIS:** idem.
**AMAZONIUS, A, UM:** de Amazona (-s).
**AMITERNUS:** Amiterno, cidade Sabina.
**AMOR:** o Amor (personificação), deus, filho de Vênus. Cf. Cupido.
**AMPHITRYONIADES:** filho ou descendente de Anfitrião; no caso, Hércules; Anfitrioníada.
**AMPHRISIUS (AMPHRYSIUS), A, UM:** de Anfriso, rei da Tessália; aqui: "de Apolo".
**AMSANCTUS:** Amsancto, lago no território dos Hirpinos, em região vizinha ao Lácio.
**AMYCLAS:** Amiclas, cidade da Campânia.
**AMYCUS:** Âmico, rei dos Bébrices (V, 373) v. Bebrycius; pai de Mimante (X, 704); da estirpe de Príamo (I, 221); guerreiro Troiano (IX, 772).
**ANAGNIA:** Anágnia, cidade do Lácio.
**ANCHEMOLUS:** Anquémolo, filho do rei dos Marrúbios.
**ANCHISES:** Anquises, pai de Eneias.
**ANCHISEUS, A, UM:** de Anquises.
**ANCHISIADES:** filho de Anquises, Eneias.
**ANCUS:** Anco Márcio, rei de Roma.

**ANDROGEOS:** Androgeu, filho de Minos (VI, 20); um guerreiro Argivo (II, 371).
**ANDROMACHE:** Andrômaca, esposa de Heitor.
**ANGITIA:** Angícia, feiticeira entre os Marsos.
**ANIEN (ANIO):** Ânio, afluente do Tibre.
**ANIUS:** Ânio: rei de Delos.
**ANNA:** Ana, irmã de Dido.
**ANTAEUS:** Anteu, guerreiro Rútulo.
**ANTEMNAE:** Antenas, cidade Sabina.
**ANTENOR:** Antenor, príncipe Troiano.
**ANTENORIDES** (em plural): Antenóridas, filhos de Antenor: Pólibo, Agenor e Ácamas.
**ANTHEUS:** Anteu, companheiro de Eneias.
**ANTIPHATES:** Antífates, filho de Sarpédon.
**ANTONIUS:** Marco Antônio, imperador Romano.
**ANTORES:** Antores, companheiro de Hércules.
**ANTRANDOS (-US):** Antrandos, cidade da Frígia Menor.
**ANUBIS:** Anúbis, divindade do Egito.
**ANXUR:** Ânxur, guerreiro Rútulo.
**ANXURUS:** Anxuro, epíteto de Júpiter; o de Ânxur, cidade dos volscos que deu nome ao primeiro Ânxur, segundo Virgílio; Anxuriano.
**AORNOS (-US):** Aorno, o lago Averno, na Campânia.
**APHIDNUS:** Afidno, guerreiro Troiano.
**APOLLO:** Apolo, deus da medicina, da música, do arco e flecha, da profecia e da luz, identificado com o sol. Cf. Sol.
**AP(P)ENNINICOLA:** habitante da região do Apenino.
**AP(P)ENNINUS:** Apenino, monte da península italiana.
**AQUICULUS:** Aquículo, guerreiro Rútulo.
**AQUILO:** Aquilão, vento do norte.
**ARA MAXIMA:** altar, chamado de "o maior", entre o Aventino e o Palatino.
**ARABS:** um Árabe.
**ARABUS, A, UM:** Árabe.
**ARAE:** Aras, ou Altares, rochedos constituídos por recifes no golfo de Cartago.

**ARAXES:** Araxes, rio da Armênia.
**ARCADIA:** Arcádia, província do Peleponeso.
**ARCADIUS, A, UM:** da Arcádia, Árcade.
**ARCAS:** árcade, habitante da Arcádia.
**ARCENS:** Arcente, guerreiro Sículo.
**ARCHETIUS:** Arquécio (Arquétio), guerreiro rútulo.
**ARCHIPPUS:** Arquipo, rei dos Marsos.
**ARCITENENS:** epíteto de Apolo ("o que segura o arco").
**ARCTO:** plural indeclinável de Arctos (-us), i, Ursa, constelação setentrional; o plural designa as Duas Ursas, a Maior e a Menor; setentrião.
**ARCTURUS:** Arcturo, estrela mais brilhante de Bootes (Boieiro).
**ARDEA:** Árdea, capital dos Rútulos.
**ARETHUSA:** Aretusa, fonte de Siracusa, do nome da ninfa perseguida por Alfeu, caçador que deu nome ao rio de igual designação. CF. Alpheus.
**ARGI:** Argos, cidade do Peleponeso.
**ARGILETUM:** Argileto, bairro de Roma.
**ARGIUUS, A, UM:** de Argos, Argivo; Grego.
**ARGOLICUS, A, UM:** de Argos, Argólico; Grego.
**ARGUS:** Argo, guardião de Io (VII, 791); um hóspede de Evandro (VIII, 346).
**ARGYRIPA:** Argiripa (paroxítona, por causa da grafia de Argyrippa, variante deste verbete), cidade da Apúlia.
**ARICIA:** Arícia, ninfa.
**ARISBA:** Arisba, cidade da Tróada.
**ARPI:** Árpi, e também Arpos, cidade, o mesmo que Argiripa.
**AR(R)UNS:** Arunte, guerreiro Etrusco.
**ASBYTES:** Ásbites, ou Ásbutes, guerreiro Troiano.
**ASCANIUS:** Ascânio, filho de Eneias e Creúsa; o mesmo que Iulus.
**ASIA:** Ásia, continente.
**ASILAS** (Asylas): Asilas, guerreiro Etrusco (X, 175); guerreiro Troiano (IX, 571).
**ASIUS:** Ásio, guerreiro Troiano.
**ASIUS, A, UM:** da Lídia, da Meônia. Asia palus: lago da Mísia, na fronteira com a Lídia.

**ASSARACI:** plural do nome imediatamente seguinte: dois guerreiros com o mesmo nome (X, 124).

**ASSARACUS:** Assáraco, antepassado de Eneias.

**ASTYANAX:** Astianacte, filho de Heitor e Andrômaca. Outra possível forma: Astíanax.

**ASTYR:** Ástir, guerreiro etrusco.

**ATHESIS:** Átese, rio da Venécia, dito Ádige hoje em dia.

**ATHOS:** Atos, montanha entre a Macedônia e a Trácia.

**ATII:** os Ácios, família Romana.

**ATINA:** Atina, cidade dos volscos, no Lácio.

**ATINAS:** Atinas, guerreiro Rútulo.

**ATLANTIS:** Atlântide, filha de Atlas.

**ATLAS:** Atlas, rei da Mauritânia e gigante fabuloso.

**ATRIDA (-ES):** Atrida, filho de Atreu: Agamêmnon ou Menelau.

**ATRIDES:** Atrides (plural), os dois, do termo imediatamente anterior, designados juntamente.

**AT(T)YS:** Átis, Troiano, companheiro de Ascânio.

**AUENTINUS:** Aventino, filho de Hércules (VII, 657); colina Romana (VII, 659).

**AUERNA:** o mesmo que Auernus, como lago infernal, só que em plural neutro (III, 442; VII, 91).

**AUERNUS:** Averno (V, 813; VI, 126, 201) lago da Campânia, dito ter uma passagem para os infernos; donde: Averno, lago dos infernos; inferno.

**AUERNUS, A, UM:** do Averno (IV, 512; VI, 118, 564). Obs.: em V, 732, pode haver dupla interpretação: *alta* seria o substantivo e *Auerna, o* adjetivo; ou o contrário...

**AUFIDUS:** Áufido, rio da Apúlia.

**AUGUSTUS:** Otávio Augusto, imperador Romano.

**AULESTES:** Aulestes, guerreiro Etrusco.

**AULIS:** Áulide, porto da Beócia.

**AUNUS:** Auno, pai de um guerreiro dos Apeninos.

**AURORA:** Aurora, esposa de Titão (ou Titono).

**AURUNCUS, A, UM:** de Aurunca, cidade da Campânia; em XI, 318, no plural, com substantivação, os Auruncos.

**AUSÔNIA:** Ausônia, designação antiga, e poética, da Itália.
**AUSONIDAE (-ES):** os habitantes da Ausônia, os Ítalos.
**AUSONIUS, A, UM:** da Ausônia.
**AUSTER:** o vento Austro, do meio-dia. No plural, como em I, 51 e III, 61, corresponde a ventos impetuosos em geral.
**AUTOMEDON:** Automedonte, cocheiro de Aquiles.

## B

**BACCHUS:** Baco, deus do vinho.
**BACTRA:** Bactra, capital de Bactriana, na Ásia Central.
**BAIAE:** Baias, cidade praieira da Campânia.
**BARCAEI:** habitantes de Barce, cidade e região do Egito.
**BARCE:** Barce, ama de Siqueu.
**BATULUM:** Bátulo, fortaleza da Campânia.
**BEBRYCIUS, A, UM:** da Bebrícia, região da Ásia Menor (= Bitínia).
**BELIDES:** Belida, descendente de Belo (q. v. em Belus): Palamedes.
**BELLIPOTENS:** "poderoso na (ou pela) guerra", epíteto de Marte; Belipotente.
**BELLONA:** Belona, deusa da guerra.
**BELLUM:** deus da guerra (personificação).
**BELUS:** Belo, rei fenício, pai de Dido.
**BENACUS:** Benaco, lago personificado como deus.
**BERECYNTIUS, A, UM:** de Berecinto, monte da Frígia; de Cibele; frígio.
**BÉROE:** Béroe, esposa de Dóriclo.
**BITIAS:** Bícias, companheiro de Eneias (IX, 672, p. ex.); só em I, 738, um cartaginês.
**BOLA:** Bola, cidade do Lácio.
**BOREAS:** Bóreas, vento do norte, o mais violento dos ventos.
**BRIAREUS:** Briareu, gigante. Cf. Aegaeon.
**BRONTES:** Brontes, um dos ciclopes do Etna.
**BRUTUS:** Bruto, neto de Tarquínio, o Soberbo.
**BUTES:** Butes (ou Buta): guerreiro Troiano (XI, 690); outro Troiano, escudeiro de Anquises (IX, 647); em V, 372, guerreiro desconhecido.

**BUTHROTUS:** Butroto, cidade do Epiro.
**BYRSA:** Birsa, cidadela de Cartago.

## C

**CACUS:** Caco, gigante, filho de Vulcano.
**CAECULUS:** Céculo, filho de Vulcano.
**CAEDICUS:** Cédico, guerreiro etrusco (X, 747); hóspede de Rêmulo (IX, 362).
**CAENEUS:** Ceneu ou Cênide, da Tessália, primeiramente mulher, mudado em homem. Depois de morto, retoma, nos infernos, o sexo feminino (VI, 448); Ceneu, guerreiro Troiano (IX, 573).
**CAERE** (indeclinável) **(CAERES):** Cere, ou Agila, cidade da Etrúria.
**CAESAR:** Júlio César (I, 286; VI, 789); Octauianus (nos demais trechos): Otávio Augusto.
**CAICUS:** Caíco, companheiro de Eneias.
**CAIETA (-E,):** Caieta, ama de Eneias (VII, 2); cidade do Lácio (VI, 900).
**CALCHAS:** Calcante, um adivinho.
**CALES:** Cales, cidade da Campânia.
**CALLÍOPE:** Calíope, musa de poesia épica.
**CALYBE:** Cálibe, sacerdotisa de Juno.
**CALYDON:** Cálidon, ou Calidão, cidade da Etólia.
**CAMERINA (CAMARINA):** Camarina, colônia Grega.
**CAMERS:** Camerte, guerreiro Rútulo.
**CAMILLA:** Camila, rainha dos volscos. Casmilla era seu antigo nome.
**CAMILLUS:** Camilo, comandante Romano.
**CAMPANUS, A, UM:** da Campânia
**CAPENUS, A, UM:** de Capena, cidade da Etrúria.
**CAPHAREUS (CAPHEREUS):** Cafareu, promontório da Eubeia. Caphereus, embora registrado na edição de Oxford, não nos parece boa lição.
**CAPITOLIUM:** Capitólio, colina romana.
**CAPREAE:** ilha de Cápreas (= Cápri).
**CAPYS:** Cápis, rei de Alba (VI, 768); nos demais, guerreiro Troiano.

**CARES:** Cares, habitantes da Cária, região da Grécia.
**CARINAE:** Carinas, bairro de Roma.
**CARMENTALIS, E:** de Carmenta; Carmentalis porta: porta ao pé do Capitólio.
**CARMENTIS:** Carmenta, ninfa, mãe de Evandro.
**CARPATHIUS, A, UM:** de Cárpato, ilha do Mar Egeu; aqui, substantivado (Carpathium): o mar de Cárpato.
**CARTHAGO:** Cartago, cidade do norte Africano.
**CASPÉRIA:** Caspéria, cidade dos Sabinos.
**CASPIUS, A, UM:** do Mar Cáspio.
**CASSANDRA:** Cassandra, sacerdotisa, profetisa, filha de Príamo e Hécuba. Tirou-lhe depois Apolo o dom da profecia.
**CASTOR:** Cástor, irmão de Pólux, filho de Leda.
**CASTRUM INUI:** Castro, fortaleza perto de Árdea.
**CATILINA:** Catilina, patrício romano conspirador.
**CATILLUS:** Catilo, guerreiro e possível fundador de Tíbur (Tibur, q.v.).
**CATO:** Catão, o Velho (VI, 841); Catão, de Útica (VIII, 670).
**CAUCASUS:** o monte Cáucaso.
**CAULON:** Caulônia, cidade de Brútio, região da Itália.
**CAURUS:** V. Corus.
**CECROPIDAE:** lit., descendentes de Cécrops, primeiro rei de Atenas; os atenienses.
**CELAENO:** Celeno, uma das harpias.
**CELEMNA (CELENNA):** Celena, cidade da Campânia.
**CENTAURI:** os centauros.
**CENTAURUS:** Centauro, um dos navios de Eneias.
**CERAUNIA:** Montes Ceráunios, ou Acroceráunios.
**CERBERUS:** Cérbero, cão vigia dos infernos.
**CEREALIS, E:** relativo a Ceres, deusa da agricultura.
**CERES:** Ceres, deusa da agricultura, dos cereais; cereal; pão.
**CETHEGUS:** Cetego, guerreiro Rútulo.
**CHALCIDICUS, A, UM:** relativo a Cumas, cidade da Campânia; relativo a Cálcis, o mesmo que Cumas.
**CHAON:** Cáon, filho de Príamo e de Hécuba.

**CHAONIA:** Caônia, região do Epiro.
**CHAONIUS, A, UM:** da Caônia, Caônio.
**CHAOS:** Caos, filho de Érebo, confundido com divindades infernais.
**CHARON:** Caronte, barqueiro dos infernos.
**CHARYBDIS:** Caribdes, sorvedouro perto de Messina.
**CHIMAERA:** Quimera, monstro fabuloso (VI, 288); um navio de Eneias (V, 118).
**CHLOREUS:** Cloreu, guerreiro Troiano, antigo sacerdote de Cibele (XI, 768); outro guerreiro Troiano (XII, 363).
**CHROMIS:** Crômis, guerreiro Troiano ou etrusco.
**CIMINUS:** Címino, lago da Etrúria.
**CIRCAEUS, A, UM:** de Circe, feiticeira.
**CIRCE:** Circe, feiticeira, moradora num promontório do Lácio, Circeios, de acordo com a Eneida.
**CIRCENSES:** espetáculos ou jogos de circo. Tomado já como nome próprio desse gênero de diversão.
**CISSEIS:** filha de Cisseu, Cisseide (= Hécuba).
**CISSEUS:** Cisseu, rei da Trácia (V, 537); um guerreiro Rútulo (X, 317).
**CITHAERON:** Citerão, monte da Beócia.
**CLARIUS, A, UM:** relativo a Claro, cidade da Jônia; Clarius é aqui substantivado como Apolo, por ser lá venerado.
**CLARUS:** Claro, filho de Sarpédon.
**CLAUDIUS, A, UM:** relativo a Cláudio, por ser fundador da família Cláudia (gens Claudia).
**CLAUSUS:** Clauso, fundador da família Cláudia. Explica-se por ter esse mudado o nome para Cláudio antes de constituí-la.
**CLOANTHUS:** Cloanto, companheiro de Eneias.
**CLOELIA:** Clélia, jovem Romana.
**CLONIUS:** Clônio, guerreiro Troiano.
**CLONUS:** Clono, um Tapeceiro.
**CLUENTIUS, A, UM:** relativo à família Cluência, segundo Virgílio, com nome derivado de Cloanto.
**CLUSINUS, A, UM:** de Clúsio, cidade da Etrúria.
**CLUSIUM:** Clúsio, cidade da Etrúria.

**CLYTIUS:** Clício, nome de guerreiros: Troianos (IX, 774; X, 129 e XI, 666); Rútulo (X, 225).
**CNOSIUS, A, UM:** v. Gnosius.
**COCLES:** Cocles, soldado Romano.
**COCYTIUS, A, UM:** do Cocito.
**COCYTUS:** Cocito, um dos rios dos infernos.
**COEUS:** Céu, um dos Titãs (propriamente Titanes).
**COLLATINUS, A, UM:** de Colácia, cidade dos sabinos.
**CORA:** Cora, cidade dos Volscos.
**CORAS:** Coras, fundador de Cora.
**CORINTHUS:** Corinto, cidade do Peleponeso.
**COROEBUS:** Corebo, guerreiro Frígio.
**CORUS:** vento do Nordeste; aqui tomado num conjunto; por isso, o plural.
**CORYBANTIUS, A, UM:** dos coribantes, sacerdotes de Cibele.
**CORYNAEUS:** Corineu, guerreiro Troiano.
**CORYTHUS:** Córito, filho de Páris.
**COSA(E):** Cosa, cidade da Etrúria.
**COSSUS:** Cornélio Cosso, guerreiro Romano.
**CRES:** de Creta, cretense.
**CRES(S)IUS, A, UM:** de Creta, Cretense.
**CRESSUS, A, UM:** de Creta, Cretense.
**CRETA:** Creta, ilha do Mediterrâneo.
**CRETAEUS, A, UM:** de Creta, cretense.
**CRETHEUS:** Creteu, um músico e poeta (IX, 774/5); guerreiro Árcade (XII, 538).
**CREUSA:** Creúsa, esposa de Eneias.
**CRINISUS:** Criniso, rio da Sicília.
**CRUSTUMERI:** Crustumério, ou Crustúmio, cidade dos Sabinos.
**CUMAE:** Cumas, cidade da Campânia.
**CUNARUS:** Cúnaro, capitão Lígure.
**CUPAUO:** Cupavo, guerreiro Lígure.
**CUPENCUS:** Cupenco, guerreiro Rútulo.
**CUPIDO:** Cupido, filho de Vênus; deus do amor.
**CURAE:** as Inquietações, os Remorsos (personificação).

**CURES:** Cures, cidade Sabina.
**CURES:** habitante de Cures.
**CURETES:** sacerdotes de Reia, em Creta.
**CYBEBE:** Cibebe = Cibele, mãe dos deuses.
**CYBELUS:** Cíbelo, montanha da Frígia.
**CYCLADES:** Cícladas, ilhas do Mar Egeu.
**CYCLOPEUS, A, UM:** dos ciclopes.
**CYCLOPS:** ciclope.
**CYCNUS:** Cicno, rei dos lígures e filho de Estênelo.
**CYDON:** Cidão, guerreiro Rútulo (X, 325); de Cidão, da ilha de Creta, Cidônio (XII, 858).
**CYLLENE:** Cilene, monte do Peleponeso.
**CYLLENIUS, A, UM:** de Mercúrio, mensageiro dos deuses.
**CYMAEUS, A, UM:** de Cumas.
**CYMODOCE:** Cimódoce, ninfa marinha.
**CYMODOCEA:** Cimódoce.
**CYMOTHOE:** Cimótoe, uma das Nereidas.
**CYNTHUS:** Cinto, montanha da ilha de Delos.
**CYPROS (-US):** Cipre, isto é, hoje ilha de Chipre.
**CYTHERA:** Citera, ilha do Mar Egeu.
**CYTHEREA:** Vênus, venerada na ilha de Citera.

# D

**DAEDALUS:** Dédalo.
**DAHAE:** Daas, povo da Cítia.
**DÂNAE:** Dânae (também, possivelmente, Dánae), mãe de Perseu.
**DANAI:** filhos de Dânao, Dânaos, Gregos. Dánaos (v. o termo imediatamente abaixo).
**DANAUS, A, UM:** dos filhos de Dânao, dos dânaos, dos gregos, gregos; dánaos (v. o termo Danae).
**DARDANIA:** Dardânia, província do norte de Troia.
**DARDANIDAE:** Dardânidas (filhos de Dárdano); Troianos; Romanos.
**DARDANIDES:** (no sing.) Eneias; no plural, os Troianos.
**DARDANIS:** Creúsa.

**DARDANIUS, A, UM:** de Dárdano.

**DARDANUS:** Dárdano, fundador de Troia, em alguns versos, como em III, 167; em outros, Eneias, como em IV, 662.

**DARDANUS, A, UM:** de Dárdano.

**DARES:** Darete (-s), guerreiro Troiano. Forma também possível: Dares.

**DAUCIUS, A, UM:** de Dauco, nome de homem de origem desconhecida.

**DAUNIUS, A, UM:** de Dauno, pai de Turno.

**DAUNUS:** Dauno, pai de Turno.

**DECII:** Décios (família a partir do primeiro Décio).

**DEIOPEA:** Deiopeia, ninfa.

**DEIPHOBE:** Deífobe, a sibila de Cumas.

**DEIPHOBUS:** Deífobo, filho de Príamo e vizinho de Anquises, em Troia.

**DELIUS:** deus venerado na ilha de Delos: Apolo.

**DELOS (-US):** Delos, ilha do Mar Egeu.

**DEMODOCUS:** Demódoco, tocador de lira.

**DEMOLEOS (-US):** Demóleo, guerreiro grego.

**DEMOPHOON:** Demofoonte, filho de Teseu.

**DERCENNUS:** Derceno, rei dos Laurentes.

**DIANA:** Diana, deusa da caça.

**DICTAEUS, A, UM:** de Dicte, de Creta, Cretense.

**DIDO:** Dido, fundadora e rainha de Cartago.

**DIDYMAON:** Didimáon, cinzelador.

**DINDYMA:** Díndimo, monte da Frígia.

**DIOMEDES:** Diomedes, rei da Trácia.

**DIONAEUS, A, UM:** de Diona, mãe de Vênus; no texto: a própria Vênus (mater Dionaea).

**DIORES:** Diores, guerreiro Troiano.

**DIOXIPPUS:** Dioxipo, guerreiro Troiano.

**DIRAE:** "As terríveis", as Fúrias.

**DIRCAEUS, A, UM:** de Dirce, transformada em fonte; da fonte de Dirce; Tebano.

**DIS:** Plutão, deus dos infernos, Dite. Poeticamente, também seria plausível a forma Dis.

**DISCORDIA:** a Discórdia (personificação).
**DODONAEUS:** de Dodona, cidade da Caônia.
**DOLICHAON:** Dolicáon, nome de homem desconhecido.
**DOLON:** Dólon, espião Troiano.
**DOLOPES:** Dólopes, povo da Tessália.
**DONUSA:** Donusa, ilha do Mar Egeu.
**DORICUS, A, UM:** dórico, Grego.
**DORYCLUS:** Dóriclo, habitante de Tmaro, monte do Epiro.
**DOTO:** Doto, uma Nereida.
**DRANCES:** Drances, conselheiro de Latino.
**DREPANUM:** Drépano, cidade da Sicília.
**DRUSI:** os drusos (família a partir do primeiro Druso).
**DRYOPE:** Dríope, uma ninfa.
**DRYOPES:** Dríopes, povo do Egito.
**DRYOPS:** Dríope, guerreiro Troiano.
**DULICHIUM:** Dulíquio, ilha do Mar Jônico.
**DYMAS:** Dimas, ou Dimante, guerreiro Troiano.

### E

**EBUSUS:** Ébuso, guerreiro Rútulo.
**ECHIONIUS, A, UM:** de Equiônio, guerreiro Rútulo.
**EDONUS, A, UM:** de Édon, monte da Trácia.
**EGERIA:** Egéria, uma ninfa.
**EGESTAS:** a Necessidade, a Privação (personificação).
**ELECTRA:** Electra, filha de Atlas.
**ELIS:** Élida, região do Peleponeso.
**ELISSA:** Elissa, Dido.
**ELYSIUM:** o Elísio, os campos elísios.
**EMATHION:** Ematião, ou Emátion, guerreiro Troiano.
**ENCELADUS:** Encélado, gigante e montanha da Sicília, no Etna.
**ENTELLUS:** Entelo, Siciliano, fundador de Entela (não mencionada).
**EOUS, A, UM:** de Eos (=Aurora); da estrela da manhã; oriental.
**EPEOS:** Epeu, construtor do cavalo de Troia.
**EPIROS (-US):** Epiro, província ocidental da Grécia.
**EPULO:** Epulão, guerreiro Rútulo.

**EPYTIDES:** Epítides, guerreiro Troiano.
**EPYTUS:** Épito, pai de Perifante (não mencionado).
**ÉRATO:** Érato, musa da poesia erótica.
**EREBUS:** Érebo, um dos rios dos infernos; os infernos.
**ERETUM:** Ereto, cidade Sabina.
**ERICH(A)ETES:** Ericetes, guerreiro Troiano.
**ERIDANUS:** Erídano, rio da Itália, o Pó.
**ERIN(N)IS:** Erínis, nome comum às Fúrias.
**ERIPHYLE:** Erifila, esposa do adivinho Anfiareu.
**ERULUS (ERYLUS):** Érulo, ou Érilo, rei de Preneste.
**ERYCINUS, A, UM:** de Érice, enquanto monte da Sicília. V. Eryx.
**ERYMANTHOS (-US):** Erimanto, montanha da Arcádia.
**ERYMAS:** Erimante, guerreiro Troiano.
**ERYX:** Érice, monte da Sicília (XII, 701); rei dos Sículos (I, 570, etc.).
**ETRURIA:** Etrúria, província Italiana.
**ETRUSCUS, A, UM:** etrusco, da Etrúria.
**EUADNE:** Euadne, esposa de Capaneu, não mencionado.
**EUANDER (EUANDRUS):** Evandro, rei da Arcádia.
**EUANDRIUS, A, UM:** de Evandro, rei da Arcádia.
**EUANT(H)ES:** Evante, guerreiro frígio.
**EUBOICUS, A, UM:** da Eubeia, ilha do Mar Egeu.
**EUMEDES:** Eumedes, troiano, companheiro de Eneias.
**EUMELUS:** Eumelo, troiano, companheiro de Eneias.
**EUMÊNIDES:** as "Benfazejas", as Fúrias, por eufemismo. V. Erynis e Furiae.
**EUN(A)EUS:** Euneu, guerreiro troiano.
**EUPHRATES (EUPHRATIS, só em Estácio):** Eufrates, rio da Síria.
**EUROPA:** Europa.
**EUROTAS:** Eurotas, rio da Lacônia.
**EURUS:** Euro, vento do leste.
**EURYALUS:** Euríalo, guerreiro Troiano.
**EURYPYLUS:** Eurípilo, comandante no cerco de Troia.
**EURYSTHEUS:** Euristeu, rei de Micenas.
**EURYTIDES:** Eurítides, filho de Êurito: Clono (Clonus, q.v.).
**EURYTION:** Euritião, ou Eurítion, companheiro de Eneias.

## F

**FABARIS:** Fábaris, rio Sabino.
**FABII:** os Fábios (família a partir do primeiro Fábio).
**FABRICIUS:** Luscínio Fabrício, vencedor dos Samnitas.
**FADUS:** Fado, guerreiro Rútulo.
**FALISCI:** os Faliscos, povo da Etrúria.
**FAMA:** Fama (personificação).
**FAMES:** Fome (personificação).
**FAUNUS:** Fauno, divindade, gênio silvestre.
**FERONIA:** Ferônia, deusa etrusca de bosques e pastagens.
**FESCENNINUS, A, UM:** de Fescênia, cidade da Etrúria.
**FIDENA:** Fidena, cidade Sabina.
**FIDES:** Boa Fé (personificação).
**FLAUINIUS, A, UM:** de Flavina, cidade da Etrúria.
**FORMIDO:** o Terror (personificação).
**FORS:** a Fortuna (personificação).
**FORTUNA:** Fortuna (personificação).
**FORULI:** Fórulos, cidade Sabina.
**FUCINUS:** Fúcino, lago da Itália.
**FUGA:** a Fuga (personificação).
**FURIAE:** as Fúrias, um trio; divindades infernais (Alecto, Megera e Tisífone).
**FUROR:** o Furor (personificação).

## G

**GABII:** Gábios, cidade do Lácio.
**GABINUS, A, UM:** de Gábios.
**GAETULUS, A, UM:** da Getúlia, na África; Getulo.
**GALAESUS:** Galeso, guerreiro Latino.
**GALATEA:** Galateia, uma ninfa.
**GALLUS:** Gaulês.
**GANGES:** Ganges, rio da Índia.
**GANYMEDES:** Ganimedes, copeiro de Júpiter.
**GARAMANTES:** Garamantes, povo da Numídia, África.
**GARAMANTIS:** natural de Garamantes.

**GARGANUS:** Gargano, montanha da Apúlia.
**GAUDIA (MALA):** as Falsas Alegrias (personificação).
**GELA:** Gela, cidade da Sicília.
**GELONI:** Gelonos, povo da Cítia.
**GELOUS, A, UM:** de Gela, cidade da Sicília.
**GERYONES:** Gerião, monstro de três corpos.
**GETAE:** Getas, povo da Sarmácia (vasto país antigo, ao norte da Europa e da Ásia, não mencionado).
**GETICUS, A, UM:** dos Getas, Gético.
**GLAUCUS:** Glauco, deus marinho (V, 286; VI, 36); guerreiro troiano, filho de Antenor (Antenórides) em VI, 483; guerreiro troiano, filho de Ímbraso (Imbrásides) em XII, 343).
**GNOSSIUS, A, UM:** de Gnosso, de Creta.
**GORGO(N):** uma das Górgonas, Medusa (VIII, 438); em VI, 289, as três: Euríale, Esteno e Medusa.
**GORGONEUS, A, UM:** de Górgona (-s).
**GORTYNIUS, A, UM:** de Gortine, cidade da ilha de Creta.
**GRACCHUS:** Cornélio Graco, tribuno.
**GRADIUUS:** Gradivo, epíteto de Marte.
**GRAECIA:** Grécia.
**GRAIUGENA:** descendente de Graio, Grego.
**GRAIUS, A, UM:** graio, Grego.
**GRAUISCAE:** Graviscas, cidade da Etrúria.
**GYAROS:** Gíaro, uma das Cícladas.
**GYAS:** Gias, um guerreiro latino (X, 318); nos demais, companheiro de Eneias.
**GYGES:** Giges, guerreiro Troiano.
**GYLIPPUS:** Gilipo, guerreiro Árcade.

## H

**HADRIACUS, A, UM:** do Mar Adriático.
**HAEDI:** os Cabritos, constelação.
**HAEMON:** Hémon, ou Hemão, guerreiro Rútulo.
**HAEMONIDES:** filho de Hémon, Hemônides, guerreiro Latino.
**HALAESUS:** Haleso, rei ítalo, filho de Agamêmnon.

**HALIUS:** Hálio, guerreiro Troiano.
**HALYS:** Hális, guerreiro Troiano.
**HAMMON:** Hámon, ou Hamão, epíteto de Júpiter.
**HARPALICUS:** Harpálico, guerreiro Troiano ou Etrusco.
**HARPALYCE:** Harpálice, rainha das Amazonas.
**HARPYIAE:** as Harpias.
**HEBRUS:** Hebro, guerreiro de origem desconhecida (X, 696); nos demais: rio da Trácia.
**HECATE:** Hécate, filha de Júpiter e Latona.
**HECTOR:** Heitor, filho de Príamo.
**HECTOREUS, A, UM:** de Heitor, filho de Príamo.
**HECUBA:** Hécuba, esposa de Príamo.
**HELENA:** Helena, esposa de Menelau.
**HELENOR:** Helenor, guerreiro Troiano.
**HELENUS:** Heleno, filho de Príamo, adivinho e guerreiro, gêmeo de Cassandra e marido de Andrômaca.
**HÉLICON:** Hélicon, montanha da Beócia.
**HELORUS:** Heloro, rio da Sicília.
**HELYMUS:** Hélimo, guerreiro troiano (V, 73); nos demais: guerreiro siciliano.
**HERBESUS:** Herbeso, guerreiro Rútulo.
**HERCULES:** Hércules, semideus, filho de Júpiter e de Alcmene. Cf. Alcides, Amphytrioniades e Tirynthius.
**HERCULEUS, A, UM:** de Hércules.
**HERMINIUS:** Hermínio, guerreiro Troiano.
**HERMIONE:** Hermíone, filha de Menelau e Helena.
**HERMUS:** Hermo, rio da Lídia.
**HERNICUS, A, UM:** dos hérnicos, povo do Lácio.
**HESIONE:** Hesíone, filha de Laomedonte.
**HESPERIA:** Hespéria: Itália ou Hispânia.
**HESPERIDES:** as filhas de Héspero, Hespérides, ninfas.
**HESPERIS:** a Hespéria, a Itália ou a Hispânia.
**HESPERIUS, A, UM:** da Hespéria (Itália, Hispânia e Gália)
**HIBERUS, A, UM:** da Ibéria, Ibero.
**HICETAONIUS, A, UM:** de Hicetáon (= Timetes), ou Hicetaão.

**HIEMS:** o Inverno (personificação).
**HIPPOCOON:** Hipocoonte, filho de Ébalo, não mencionado.
**HIPPOLYTE:** Hipólita, rainha das Amazonas.
**HIPPOLYTUS:** Hipólito, filho de Teseu.
**HIPPOTADES:** filho de Hípota (-es) = Amastro, guerreiro Troiano ou Etrusco.
**HISBO:** Hisbão, guerreiro Rútulo.
**HÓMOLE:** Hómole, montanha da Tessália.
**HORAE:** as Horas (personificação).
**HYADES:** Híades, filhas de Atlas, constelação.
**HYDASPES:** Hidaspes, guerreiro Troiano.
**HYLAEUS:** Hileu, um centauro.
**HYLLUS:** Hilo, guerreiro Troiano.
**HYMELLA:** Himela, rio Sabino.
**HYPANIS:** Hípanis, guerreiro Troiano.
**HYRCANUS, A, UM:** da Hircânia, região da Ásia Menor.
**HYRTACIDES:** filho de Hírtaco, Hirtácides, guerreiro troiano. O mesmo que Nisus (Niso).
**HYRTACUS:** Hírtaco, guerreiro Troiano.

**IAERA:** Iera, uma ninfa.
**IANICULUM:** Janículo, colina de Roma.
**IANUS:** Jano, antigo rei da Itália, divinizado como o deus de duas caras.
**IAPYX:** Iápige, vento do noroeste (VIII, 710); um cavalo (XI, 678); guerreiro Troiano, nos demais versos.
**IAPYX:** de Iápige, ou Iapígio, relativo à Apúlia (por ser parte dela), região da Itália.
**IARBAS:** Iarbas, ou Jarbas, rei Getulo.
**IÁSIDES:** filho de Iaso, Iáside (= Iápige, em XII, 392, e diferente dos citados no verb. Iapyx); Palinuro (V, 843).
**IASIUS:** Iásio, irmão de Dárdano.
**ICARUS:** Ícaro, filho de Dédalo.
**IDA:** Ida, montanha de Creta (XII, 412); mãe de Niso (IX, 177); nos demais: montanha da Frígia.

**IDAEUS:** Ideu, troiano, condutor do carro de Príamo.
**IDAEUS, A, UM:** relativo ao Ida frígio.
**IDALIA:** Idália, cidade da Itália.
**IDALIUM:** o mesmo que Idália.
**IDALIUS, A, UM:** relativo a Idália.
**IDAS:** Idas, guerreiro Troiano.
**ÍDMON:** Ídmon, ou Idmão, guerreiro Rútulo.
**IDOMENEUS:** Idomeneu, rei Cretense.
**IGNIPOTENS:** "poderoso pelo fogo", Ignipotente, Vulcano.
**ILIA:** Ília ou Reia Sílvia, mãe de Rômulo e Remo.
**ILIACUS, A, UM:** de Ílio, ou Ílion, Troia; Ilíaco, Troiano.
**ILIADES:** mulheres de Ílio, mulheres de Troia, Troianas.
**ILIONE:** Ilíone, filha de Príamo.
**ILIONEUS:** Ilioneu, companheiro de Eneias.
**ILIUM:** Ílio, ou Ílion, cidade de Troia.
**ILIUS, A, UM:** de Ílio (ou Ílion), Ílio, Ilíaco.
**ILLYRICUS, A, UM:** da Ilíria, região do Adriático.
**ILUA:** Ilva, ilha da costa toscana; hoje, Elba.
**ILUS:** Ilo, antigo rei de Troia (VI, 650); nome de Iúlo (I, 268); guerreiro Rútulo (X, 400/401).
**IMAON:** Imáon, ou Imaão, guerreiro Ítalo.
**IMBRASIDES:** filho de Ímbraso.
**IMBRASUS:** Ímbraso, guerreiro da Lícia (v. Lycia).
**INACHIUS, A, UM:** de Ínaco.
**INACHUS:** Ínaco, rei de Argos e pai de Io.
**INÁRIME:** Inárime, ilha no golfo de Nápoles.
**INDIGES:** indígite, deus de determinado país, deus nacional.
**INDUS:** o Indo, rio da Índia.
**INOUS, A, UM:** de Ino, mulher de Atamante (não mencionado).
**INSIDIAE:** as Ciladas (personificação).
**IO:** Io, ninfa, filha de Ínaco.
**IOLLAS:** Iolas, guerreiro Troiano.
**IONIUM:** o Mar Jônio.
**IONIUS, A, UM:** da Jônia, jônio, jônico, do Mar Jônio.
**IOPAS:** Iopas, rei africano, tocador de cítara.

**IPHITUS:** Ífito, guerreiro Troiano.
**IRAE:** as Iras (personificação).
**IRIS:** Íris, mensageira de Juno. Cf. Thaumantias.
**ISMARUS, A, UM:** de Ísmara, cidade da Trácia.
**ITALIA:** Itália.
**ITALIDES:** mulheres da Itália (antiga).
**ITALUS:** Ítalo, rei da Itália, filho de Telégone e Penélope.
**ITALUS, A, UM:** ítalo, da antiga Itália.
**ITHACA:** Ítaca, ilha do Mar Jônio.
**ITHACUS:** de Ítaca: Ulisses.
**ITYS:** Ítis, filho de Tereu e Procne.
**IULIUS:** Júlio César.
**IULUS:** Iúlo, filho de Eneias e Creúsa. Cf. Ascanius.
**IUNO:** Juno, irmã e esposa de Júpiter, filha de Saturno.
**IUPPITER:** Júpiter, rei dos deuses.
**IUTURNA:** Juturna, ninfa, irmã de Turno.
**IXION** Ixião, ou Ixíon, rei dos Lápitas.

### K

**KARTHAGO:** Cartago. O mesmo que Carthago.

### L

**LABICI:** habitantes de Labico, no Lácio.
**LABOS:** o Sofrimento (personificação).
**LABYRINTHUS:** o Labirinto de Creta.
**LACAENA:** mulher da Lacedemônia = Helena.
**LACEDAEMON:** Lacedemônia, cidade do Peleponeso.
**LACEDAEMONIUS, A, UM:** da Lacedemônia; espartano.
**LACINIA:** Lacínia, sobrenome de Juno.
**LADON:** Ladão, ou Ládon, guerreiro Troiano.
**LAERTIUS, A, UM:** de Laertes, pai de Ulisses.
**LAGUS:** Lago, guerreiro Rútulo.
**LAMUS:** Lamo, guerreiro Rútulo.
**LAMYRUS:** Lâmiro, guerreiro Rútulo.
**LAOCOON:** Laocoonte, sacerdote de Apolo.

**LAODAMIA:** Laodamia, filha de Acasto (não mencionado, filho de Pélias).
**LAOMEDONTEUS, A, UM:** de Laomedonte, pai de Príamo.
**LAOMEDONTIADAE:** descendentes de Laomedonte.
**LAOMEDONTIADES:** filho de Laomedonte: Príamo.
**LAOMEDONTIUS, A, UM:** de Laomedonte.
**LAPITHAE:** Lápitas, povo da Tessália.
**LAR (LARES):** Lares, espíritos tutelares das casas.
**LARIDES:** Larides, guerreiro Rútulo.
**LARINA:** Larina, companheira de Camila.
**LARISAEUS, A, UM:** de Larissa, cidade da Tessália.
**LATAGUS:** Látago, guerreiro Troiano.
**LATINAE:** as Latinas.
**LATINI:** os Latinos.
**LATINUS:** Latino, rei dos latinos, esposo de Amata.
**LATINUS, A, UM:** do Lácio, Latino.
**LATIUM:** Lácio, região central da Itália e cuja capital é Roma.
**LATONA:** Latona, mãe de Apolo.
**LATÔNIA:** filha de Latona: Diana.
**LAUINIA:** Lavínia, filha de Latino.
**LAUINIUM:** Lavínio, cidade fundada por Eneias.
**LAUINIUS, A, UM:** de Lavínio.
**LAURENS:** de Laurento, cidade dos Latinos.
**LAURENTIUS, A, UM:** de Laurento; Laurêncio.
**LAUSUS:** Lauso, filho de Mezêncio.
**LEDA:** Leda, mulher de Tíndaro, mãe de Helena de Troia.
**LÉLEGES:** Léleges, povo nômade da Ásia Menor.
**LEMNIUS, A, UM:** de Lemnos, ilha do Mar Egeu; de Vulcano.
**LENAEUS, A, UM:** de Leneu, Baco. Também se diz Lineu.
**LERNA:** Lerna, pântano perto de Argos.
**LERNAEUS, A, UM:** de Lerna.
**LETHAEUS, A, UM:** do Letes, um dos rios dos infernos.
**LETUM:** a Morte (personificação).
**LEUCASPIS:** Leucáspide, troiano, companheiro de Eneias.
**LEUCATES:** Leucates, promontório, na ilha de Lêucade, na costa da Acarnânia, Grécia.

**LIBER:** "Líber" = Baco (i.e., "o que livra, assossega (o espírito)".
**LIBURNI:** Liburnos, habitantes da Libúrnia, parte da antiga Ilíria.
**LIBYA:** Líbia, norte da África; África.
**LIBYCUS, A, UM:** da Líbia.
**LIBYSTIS:** natural da Líbia.
**LICHAS:** Licas, guerreiro Latino.
**LICYMNIA:** Licínia, uma escrava.
**LIGER:** Líger, guerreiro etrusco.
**LIGUS:** lígure, da Ligúria (província marítima da Itália, correspondente à Gália Cisalpina antiga, e não mencionada).
**LILYBEIUS, A UM:** de Lilibeu, promontório da Sicília.
**LIPARE:** Lípare, uma das ilhas Eólias.
**LIRIS:** Líris, guerreiro Etrusco ou Troiano.
**LOCRI:** habitantes de Locros que fundaram colônia em Brútio (III, 399) e na Líbia (XI, 265).
**LUCAGUS:** Lúcago, guerreiro Etrusco.
**LUCAS:** Lucas, guerreiro Rútulo.
**LUCETIUS:** Lucécio, guerreiro Ítalo.
**LUCIFER:** lit. "que traz a luz (o dia)", Lúcifer, filho de Júpiter e Aurora; estrela da manhã.
**LUCTUS:** o Pranto (personificação).
**LUNA:** a lua = Diana.
**LUPERCAL:** Lupercal, gruta no monte Aventino.
**LUPERCI:** lupercais, sacerdotes de Fauno.
**LYAEUS:** Lieu, um dos nomes de Baco.
**LYAEUS, A, UM:** de Lieu, de Baco (i.e., "o que livra, assossega (o espírito").
**LYCAEUS, A, UM:** do Liceu, monte da Arcádia.
**LYCAON:** Licáon, ou Licaão, um artista Cretense.
**LYCAONIUS, A, UM:** da Licaônia, região da Ásia Menor.
**LYCIA:** Lícia, província da Ásia Menor, entre a Cária e a Panfília, a Pisídia e a Frígia.
**LYCII:** habitantes da Lícia.
**LYCIUS, A, UM:** da Lícia.
**LYCTIUS, A, UM:** de Licto, cidade de Creta.

**LYCURGUS:** Licurgo, legislador da Tessália [para Saraiva]; da Trácia [para Rat].
**LYCUS:** Lico, guerreiro Troiano.
**LYDI:** os lídios, da Lídia, província da Ásia Menor.
**LYDIUS, A, UM:** da Lídia.
**LYNCEUS:** Linceu, guerreiro Troiano.
**LYRNESUS:** Lirnesso, cidade da Tróada.
**LYRNESIUS, A, UM:** de Lirnesso.

## M

**MACHAON:** Macáon, ou Macaão, filho de Esculápio (deus da medicina, não mencionado).
**MAEANDER:** Meandro, rio da Ásia Menor.
**MAEON:** Méon, ou Meão, guerreiro Rútulo, filho de Forco.
**MAEÔNIA:** Meônia, antigo nome da Lídia e cantão dela.
**MAEONIDAE:** descendentes de Méon, rei que deu nome à Meônia; Etruscos.
**MAEOTIUS, A, UM:** dos Meotas, povo da lagoa Meótida, da Cítia.
**MAGUS:** Mago, guerreiro Latino.
**MAIA:** Maia, ninfa da Arcádia, mãe de Mercúrio.
**MALEA:** Málea, promontório do Peleponeso.
**MANES:** manes, almas dos defuntos.
**MANLIUS:** Mânlio, Patrício Romano.
**MANTO:** Manto, sacerdotisa e adivinha, filha de Tirésias.
**MANTUA:** Mântua, cidade da Itália, terra natal de Virgílio (na verdade, em Andes, perto de Mântua).
**MARCELLUS:** Marcelo, o Velho, que tomou Siracusa (VI, 855); filho de Otávia (VI, 883).
**MARICA:** Marica, ninfa, mãe de Latino e amante de Fauno.
**MARPESIUS, A, UM:** de Marpesso, monte da ilha de Paros.
**MARRUUIUS (MARRUBIUS), A, UM:** de Marrúbio, cidade dos Marsos.
**MARS:** Marte, deus da guerra. Cf. Mauors e Gradiuus.
**MARTIUS, A, UM:** de Marte ou da guerra.
**MASSICUS:** Mássico, guerreiro Etrusco;

**MASSICUS, A, UM:** do Mássico, monte da Campânia.
**MASSYLI:** Massilos, povo da Líbia.
**MASSYLUS, A, UM** dos Massilos.
**MATER:** a mãe Cibele (ou Cibebe), mãe dos deuses.
**MAUORS:** Mavorte, antigo nome de Marte.
**MAUORTIUS, A, UM:** de Marte, de Mavorte.
**MAURUSIUS, A, UM:** relativo aos mauros, da Mauritânia (não mencionada).
**MAXIMUS Q.:** Fábio Máximo, o "cunctator" (lit. o "temporizador", "o retardador").
**MEDON:** Médon, ou Medão, guerreiro Troiano.
**MEGAERA:** Megera, uma das Fúrias.
**MEGARUS, A, UM:** de Mégara, cidade da Sicília.
**MELIBOEUS, A, UM:** de Melibeu, cidade da Tessália.
**MELITA (-ES):** Mélita, uma das Nereidas.
**MEMMIUS:** um dos Mêmios, família romana, iniciada com o primeiro Mêmio.
**MEMNON:** Mêmnon, ou Memnão, rei da Etiópia.
**MENELAUS:** Menelau, esposo de Helena de Troia.
**MENESTHEUS:** Menesteu, Troiano, companheiro de Eneias.
**MENOETES:** Menetes, Árcade (XII, 517); nos demais: um Troiano.
**MERCURIUS:** Mercúrio, mensageiro dos deuses. Cf. Cyllenius.
**MEROPS:** Mérope, guerreiro Troiano.
**MESSAPUS:** Messapo, guerreiro Latino, filho de Netuno.
**METABUS:** Métabo, rei dos Volscos.
**METISCUS:** Metisco, rútulo, cocheiro de Turno.
**METTUS (METTIUS):** Meto, general ditador dos Albanos.
**METUS:** o Medo (personificação).
**MEZENTIUS:** Mezêncio, rei da Etrúria.
**MIMAS:** Mimante, guerreiro Troiano; Mimas, outro nome possível.
**MINCIUS:** Míncio, rio da Gália Transpadana.
**MINERUA:** Minerva, deusa da sabedoria. Cf. Pallas e Tritonis.
**MINIO:** Minião, rei da Etrúria.
**MINOIUS, A, UM:** de Minos, de Creta.

**MINOS:** Minos, rei de Creta.
**MINOTAURUS:** Minotauro.
**MISENUS:** Miseno, montanha da Campânia (VI, 234); nos demais: guerreiro Troiano.
**MNESTHEUS:** Mnesteu, companheiro de Eneias. O mesmo que Menestheus.
**MONOECUS:** Moneco, cidade fortificada no sul da Gália; hoje, Mônaco.
**MORBI:** as Doenças (personificação).
**MORINI:** Morinos, povo da Bélgica.
**MORS:** a Morte (personificação).
**MÚLCIBER:** Mulcíbero ("o que suaviza, consola, alivia"), Vulcano.
**MURRANUS:** Murrano, guerreiro Latino.
**MUSAE:** as musas.
**MUSAEUS:** Museu, poeta.
**MUTUSCA:** Mutusca, cidade dos Sabinos.
**MYCENA (-AE):** Micenas, cidade da Argólida.
**MYCENAEUS, A, UM:** de Micenas.
**MYCONOS:** Míconos, uma das Cícladas.
**MYGDONIDES:** filho de Migdão: Corebo.
**MYRMIDONES:** Mirmidões, povo do sul da Tessália.

## N

**NAR:** Nar, rio dos Sabinos.
**NARYCIUS, A, UM:** de Narício, cidade da Beócia.
**NAUTES:** Nautes (Nauta), sacerdote Troiano.
**NAXOS:** Naxos, uma das ilhas das Cícladas.
**NEALCES:** Nealces, guerreiro Troiano.
**NEM(A)EA:** Nemeia, cidade e floresta da Argólida.
**NEOPTOLEMUS:** Neoptólemo, filho de Aquiles: Pirro.
**NEPTUNUS:** Netuno, deus do mar.
**NEPTUNUS, A, UM:** de Netuno.
**NEREIDES:** filhas de Nereu; as Nereidas, ninfas do mar.
**NEREUS:** Nereu, deus do mar.
**NERITOS (-US):** Nérito, ilha perto de Ítaca.

**NERSAE:** Nersa, cidade dos Équos.
**NESAEE (NISAEE):** Nesae, uma das Nereidas.
**NILUS:** Nilo, rio Africano.
**NIPHAEUS:** Nifeu, guerreiro Rútulo.
**NISUS:** Niso, guerreiro Troiano.
**NOEMON:** Noêmon, ou Noemão, guerreiro Troiano.
**NOMADES:** Nômades, povo nômade da Numídia, África.
**NOMENTUM:** Nomento, cidade dos Sabinos.
**NOTUS:** Noto, vento do sul.
**NOX:** a Noite (personificação).
**NUMA** Numa, guerreiro Rútulo (IX, 454); outro guerreiro Rútulo (X, 562).
**NUMANUS:** Numano, guerreiro Rútulo.
**NUMICUS:** Numico, riacho do Lácio.
**NUMIDAE:** Númidas, povo Africano, vizinho a Cartago.
**NÚMITOR:** Númitor, rei de Alba (VI, 768); guerreiro Rútulo (X, 342).
**NÚRSIA:** Núrsia, cidade dos Sabinos.
**NYMPHA:** ninfa, divindade inferior das águas.
**NYSA:** Nisa, montanha da Índia.

## O

**OCEANUS:** Oceano, deus do mar e esposo de Tétis.
**OCNUS:** Ocno, fundador de Mântua.
**OEBALUS:** Ébalo, rei dos Teléboas, na Campânia.
**OECHALIA:** Ecália, cidade da Eubeia (V. Euboicus).
**OENOTRIUS, A, UM:** da Enótria, prov. da Itália.
**OILEUS:** Oileu (pronunciar "o-i-leu"), rei dos Lócrios.
**OLEAROS ou OLIAROS:** (-US) Oléaro, ou Olíaro, uma das Cícladas.
**OLYMPUS:** Olimpo, montanha da Tessália.
**ONITES:** Onites, guerreiro Rútulo.
**OPHELTES:** Ofeltes, Troiano, pai de Euríalo.
**OPIS:** Ópis, ninfa, companheira de Diana.
**ORCUS:** Orco, divindade infernal, o Plutão dos latinos.

**OREADES:** Oréades, ninfas das montanhas.
**ORESTES:** Orestes, filho de Agamêmnon.
**ORICIUS, A, UM:** de Órico, cidade do Epiro.
**ORIENS:** o Oriente (I, 289; V, 42; VIII, 687); o sol (V, 739).
**ÓRION:** Órion, ou Orião, gigante, filho de Hirieu (X, 763); nos demais: Órion, constelação equatorial.
**ORITHYIA:** Orítia, ou Orícia, filha de Ere(c)teu (rei de Atenas, não mencionado).
**ORNYTUS:** Órnito, guerreiro Etrusco.
**ORODES:** Orodes, guerreiro Troiano.
**ORONTES:** Orontes, guerreiro Troiano.
**ORPHEUS:** Orfeu, tocador de Lira.
**ORSES:** Orses, guerreiro Troiano.
**ORSILOCHUS:** Orsíloco, guerreiro Troiano.
**ORTINUS (HORTINUS), A, UM:** de Hortano, cidade da Etrúria.
**ORTYGIA:** Ortígia, ilha perto de Siracusa (III, 694); nos demais: ilha de Delos.
**ORTYGIUS:** Ortígio, guerreiro Rútulo.
**OSCI:** os Oscos, povo Itálico.
**OSINIUS:** Osínio, rei de Clúsio.
**OSIRIS:** Osíris, um guerreiro Latino.
**OTHRYADES:** filho de Ótris, Otríades (Otríada): Panto.
**OTHRYS:** Ótris, montanha da Tessália.

# P

**PACHYNUS (-UM):** Paquino, promontório da Sicília.
**PACTOLUS:** Pactolo, rio da Lídia, célebre por suas areias auríferas. Cf. Ovídio, MET., XI, 85-193.
**PADUS:** Pado (= Pó), rio da Itália.
**PADUS:** A Padusa, braço do Pó (hoje, "Canal de Santo Alberto").
**PAEONIUS, A, UM:** de Péon, médico dos deuses.
**PAGASUS:** Págaso, guerreiro Troiano.
**PALAEMON:** Palémon, ou Palemão, divindade marinha, filho de Ino.
**PALAMEDES:** Palamedes, um Argonauta.

**PALATINUS:** Palatino, uma das colinas de Roma.
**PALLANTEUM:** Palanteu, cidade da Arcádia.
**PALLANTEU, A, UM:** de Palanteu.
**PALLAS:** Palas Atenas (Minerva), em I, 39, 479; II, 15, 163, 615; III, 544; V, 704; VI, 154; VIII, 435; XI, 477.
**PALLAS:** Palante, avô de Evandro (VIII, 51 e 54); nos demais: Palante, rapaz Troiano, filho de Evandro, e companheiro de Eneias.
**PALMUS:** Palmo, guerreiro Troiano.
**PAN:** Pã, filho de Mercúrio e deus dos bosques.
**PANDARUS:** Pândaro, filho de Licáon (V, 496); nos demais: Troiano, companheiro de Eneias.
**PANOPEA:** Panopeia, uma das Nereidas.
**PANOPES:** Pânopes, Siciliano, companheiro de Eneias.
**PANTAGIAS:** Pantágias, regato da Sicília.
**PANTHUS:** Panto, sacerdote Troiano de Apolo.
**PAPHUS:** Pafo, cidade da ilha de Chipre.
**PARCAE:** as Parcas.
**PARIS:** Páris, raptor de Helena.
**PARIUS, A, UM:** da ilha de Paros.
**PAROS (-US):** Paros, uma das Cícladas.
**PARRHASIUS, A, UM:** de Parrásia, cidade da Arcádia; da Arcádia.
**PARTHENIUS:** Partênio, guerreiro Troiano.
**PARTHENOPAEUS:** Partenopeu, rei da Arcádia.
**PARTHUS, A, UM:** dos Partos, dos Persas.
**PASIPHAE:** Pasifaé (Pasífae), esposa de Minos.
**PATAUIUM:** Patávio (= Pádua), cidade Italiana.
**PATRON:** Pátron, ou Patrão, guerreiro Árcade.
**PELASGI:** Pelasgos, antigos habitantes da Trácia; Gregos.
**PELASGUS, A, UM:** de Pelasgos, (de) Gregos.
**PELIAS:** Pélias, guerreiro da Tessália.
**PELIDES:** filho de Peleu, Pelides: Neoptólemo (II, 263); nos demais: Aquiles.
**PELOPEUS, A, UM:** de Pélops; aqui, o Peleponeso; da Grécia, em geral.
**PELORUS:** Peloro, promontório da Sicília.

**PENATES:** Penates, os deuses Penates.
**PENELEUS:** Penéleo, guerreiro pretendente de Helena.
**PENTHESILEA:** Pentesileia, rainha das Amazonas.
**PENTHEUS:** Penteu, rei de Tebas;
**PÉRGAMA:** Pérgamo, em Creta, como imitação de Pérgamo (v. verbete seguinte), em III, 133.
**PÉRGAMA:** Pérgamo, fortaleza de Troia; a própria Troia.
**PERGAMEUS, A, UM:** de Pérgamo, de Troia.
**PERIDIA:** Perídia, mãe de Onites.
**PERIPHAS:** Perifante, guerreiro grego.
**PETELIA (PETÍLIA):** Petélia, cidade do Brútio, Itália.
**PHAEACES:** Feácios, habitantes da ilha de Corcira (= Corfu, moderna).
**PHAEDRA:** Fedra, filha de Minos e Pasifaé.
**PHAETON:** Faetonte, o filho do Sol (X, 189); o Sol (V, 105).
**PHALERIS:** Fálaris, guerreiro Troiano.
**PHARUS:** Faro, guerreiro Rútulo.
**PHEGEUS:** Fegeu, Troiano, ajudante de guerreiro.
**PHENEUS:** Fêneo, cidade da Arcádia.
**PHERES:** Ferete (-s), guerreiro Troiano.
**PHILOTECTES:** Filotectes, companheiro de Hércules.
**PHINEIUS, A, UM:** de Fineu, rei da Arcádia.
**PHLEGETON:** Flegetonte, um dos rios dos infernos.
**PHLEGYAS:** Flégias, rei dos Lápitas.
**PHOEBIGENA:** filho de Febo, Febígena (= Esculápio).
**PHOEBEUS, A, UM:** de Febo, Febeu.
**PHOEBUS:** Febo, o Sol.
**PHOENICES:** os Fenícios.
**PHOENISSA:** a Fenícia (=Dido).
**PHOENIX:** Fênix, filho de Amintas e preceptor de Aquiles.
**PHOLOE:** Fóloe, mulher Cretense.
**PHOLUS:** Folo, centauro (VIII, 294); guerreiro Troiano (XII, 341).
**PHORBAS:** Forbante, ou Forbas, filho de Príamo.
**PHORCUS:** Forco, deus marinho (V, 240 e 824); guerreiro Latino (X, 328).

**PHRYGIA:** Frígia, região da Ásia Menor.
**PHRYGIUS, A, UM:** da Frígia, Frígio; de Troia, de Troianos.
**PHRYX** frígio; Troiano (substantivo e adjetivo).
**PHTHIA:** Ftia, cidade da Tessália.
**PICUS:** Pico, rei do Lácio, transformado em pica-pau.
**PILUMNUS:** Pilumno, pai de Dauno e avô de Turno.
**PINARIUS, A, UM:** de Pinário, membro da família dos Pinários, cultuadores de Hércules.
**PIRITHOUS:** Pirítoo, rei dos Lápitas, filho de Ixião e amigo de Teseu.
**PISAE:** Pisas, cidade da Etrúria (= Pisa).
**PLEMYRIUM:** Plemírio, promontório perto de Siracusa.
**PLUTON:** Plutão, rei dos infernos. V. Dis.
**PODALIRIUS:** Podalírio, Troiano, companheiro de Eneias.
**POENI:** os Púnicos, os Cartagineses.
**POLITES:** Polites, filho de Príamo.
**POLLUX:** Pólux, irmão de Cástor e filho de Leda.
**POLYBOETES:** Polibetes, Troiano, amigo de Eneias.
**POLYDORUS:** Polidoro, filho de Príamo.
**POLYPHEMUS:** Polifemo, um dos ciclopes (o mais famoso).
**POMETII:** Pomécia, cidade dos Volscos.
**POPULONIA:** Populônia, cidade da Etrúria.
**PORSENNA:** Porsena, Etrusco, rei de Clúsio.
**PORTUNUS:** Portuno, deus dos portos.
**POTITIUS:** Potício, Árcade, da família dos Potícios, cultuadores de Hércules.
**PRAENESTE:** Preneste, cidade do Lácio.
**PRAENESTINUS, A, UM:** de Preneste.
**PRIAMEIUS, A, UM:** de Príamo, rei de Troia.
**PRIAMIDES:** filho de Príamo, Priâmides (=Heleno), em III, 295 e 346); Deífobo (VI, 494 e 509).
**PRIAMUS:** Príamo, rei de Troia; em V, 564, trata-se de seu neto.
**PRISTIS (PISTRIS):** Prístis (= Baleia), um dos navios de Eneias.
**PRIUERNUM:** Priverno, cidade dos Volscos.
**PRIUERNUS:** Priverno, guerreiro Rútulo.

**PROCAS:** Procas, rei dos Albanos.
**PROCHYTA:** Próquita (Prócida), ilha do golfo de Nápoles.
**PROCIS:** Prócis, filha de Ere(c)teu (rei de Atenas, não mencionado).
**PROMOLUS:** Prômulo, guerreiro Etrusco.
**PROSERPINA:** Prosérpina, rainha dos infernos, filha de Júpiter e Ceres.
**PROTEUS:** Proteu, guarda do rebanho de Netuno.
**PRYTANIS:** Prítane, guerreiro Troiano.
**PUNICUS, A, UM:** de Cartagineses, Púnico; de Cartago.
**PYGMALION:** Pigmalião, irmão de Dido.
**PYRACMON:** Pirácmon, um dos ciclopes do Etna.
**PYRGI:** Pirgos, cidade da Etrúria.
**PYRGO:** Pirgo, ama dos filhos de Príamo.
**PYRRHUS:** Pirro, filho de Príamo. V. Neoptolemus.

### Q

**QUERCENS:** Quercente, guerreiro Rútulo.
**QUIRINALIS, E:** de Quirino; quirinal.
**QUIRINUS:** Quirino (= Rômulo).
**QUIRITES:** Quirites, antigos habitantes de Cures; cidadãos romanos.

### R

**RAPO:** Rapão, guerreiro Etrusco.
**REMULUS:** Rêmulo, Tiburtino (IX, 360); Rútulo (IX, 593 e 633); cavalciro latino (XI, 636).
**REMUS:** Remo, irmão de Rômulo (I, 292); guerreiro Rútulo (IX, 330).
**RHADAMANTUS:** Radamanto, juiz dos infernos.
**RHAMNES:** Ramnete(-s), guerreiro Rútulo.
**RHEA:** Reia Sílvia, mãe de Rômulo e Remo.
**RHENUS:** o rio Reno.
**RHESUS:** Reso, rei da Trácia.
**RHIPHEUS:** Rifeu, guerreiro Troiano.

**RHOEBUS (RHAEBUS):** Rebo, cavalo de Mezêncio.
**RHOETE(I)US, A, UM:** relativo ao cabo Reteu (este, como substantivo, não mencionado). Obs.: o cabo Reteu (Rhoetion) é banhado pelo mar de Troia.
**RHOETEUS:** Reteu, guerreiro Rútulo.
**RHOETUS:** Reto, rei dos Marrúbios.
**ROMA:** Roma, capital do Lácio e, depois, de toda a Itália.
**ROMANUS:** cidadão Romano.
**ROMANUS, A, UM:** de Roma, Romano.
**ROMULEUS, A, UM:** de Rômulo; de Roma.
**ROMULIDES:** descendentes de Rômulo.
**ROMULUS:** Rômulo.
**ROSEUS, A, UM:** de Rósea, região dos Sabinos.
**RUFRAE:** Rufras, cidade da Campânia.
**RUTULUS:** cidadão Rútulo.
**RUTULUS, A, UM:** de Rútulo (-s), Rútulo.

### S

**SABAEUS:** o povo Sabeu, de Sabeia, parte da Arábia Feliz.
**SABAEUS, A, UM:** de Sabas, cidade da Arábia Feliz.
**SABELLUS, A, UM:** dos Sabelos, povo vizinho dos Sabinos.
**SABINAE:** mulheres Sabinas.
**SABINI:** Sabinos.
**SABINUS:** Sabino, o primeiro da família dos Sabinos.
**SACES:** Saca (Saques), guerreiro Rútulo.
**SACRANUS, A, UM:** dos Sacranos, povo do Lácio.
**SACRATOR:** Sacrátor, guerreiro Etrusco.
**SÁGARIS:** Ságaris, guerreiro Troiano.
**SALAMIS:** Salamina, ilha perto do Peleponeso.
**SALII:** os Sálios (família).
**SALIUS:** Sálio, guerreiro Etrusco (X, 753); nos demais, guerreiro Acarnaniano.
**SALLENTINUS, A, UM:** dos Salentinos, povo da Calábria.
**SALMONEUS:** Salmoneu, filho de Éolo.
**SAME:** Same, cidade e porto perto de Ítaca.

**SAMOS (-US):** Samos, ilha do Mar Egeu.

**SAMOTHRACIA:** Samotrácia, ilha do Mar Egeu, nas costas da Trácia.

**SARNUS:** Sarno, rio da Lucânia, província meridional da Itália.

**SARPEDON:** Sarpédon, filho de Júpiter e Laodamia.

**SARRASTES:** Sarrastes, povo da Campânia.

**SATICULUS:** Satículo, habitante de Satícula, cidade do Sâmnio, região próxima ao Lácio.

**SATURA:** Sátura, planície do Lácio.

**SATURNIA:** Satúrnia, cidade de Saturno (VIII, 358); nos demais: a Saturniana, isto é, Juno (IUNO, q.v.).

**SATURNIUS, A, UM:** de Saturno.

**SATURNUS:** Saturno, deus, filho de Urano e Vesta.

**SCAEAE (PORTAE):** as Portas Ceias em Troia.

**SCIPIADAE:** os Cipiões.

**SCYLACEUM:** Cilaceu, promontório da Calábria.

**SCYLLA:** Cila, navio de Eneias (V, 122); nos demais: rochedo na Sicília (monstro marinho).

**SCYLLAEUS, A, UM:** de Cila, rochedo (monstro marinho).

**SCYRIUS, A, UM:** de Ciros, ilha do mar Egeu.

**SEBÉTIDE:** filha de Sebeto, uma ninfa.

**SELINUS:** Selinunte, ilha da Sicília.

**SENECTUS:** a Velhice (personificação).

**SERESTUS:** Seresto, guerreiro Troiano.

**SERGESTUS:** Sergesto, guerreiro Troiano, amigo de Eneias.

**SERGIUS, A, UM:** de Sérgio, da família dos Sérgios.

**SERRANUS:** Atílio Régulo Serrano (VI, 844); guerreiro Rútulo (IX, 335 e 454).

**SEUERUS (MONS):** monte Severo, dos Sabinos.

**SIBYLLA:** Sibila, profetisa.

**SICANI:** Sicanos, povo da Ibéria, estabelecido na Sicília.

**SICANIA:** Sicânia (= Sicília,).

**SICANIUS, A, UM (ou SICULUS, A, UM):** relativo à Sicília.

**SIDICINUS, A, UM:** de Sidicino, cidade da Campânia.

**SIDON:** Sídon, cidade da Fenícia.

**SIDONIUS, A, UM:** de Sídon; Fenício.
**SIGEUS, A, UM:** de Sigeu, promontório da Tróada; Troiano.
**SILA:** Sila, monte e floresta do Brútio, região meridional da Itália, hoje Calábria.
**SILUANUS:** Silvano, deus das florestas.
**SILUIA (SYLUIA):** Sílvia, filha de Tirreno.
**SILUIUS:** Sílvio, filho póstumo de Eneias.
**SIMOIS:** Simoente, rio do Epiro (III, 302); nos demais: rio da Tróada. V. Teucria, quanto a Tróada.
**SINON:** Sinão, grego, que, enganando os Troianos, abriu o alçapão do Cavalo de Troia para os soldados compatriotas.
**SIRENES:** as sereias.
**SIRIUS:** Sírio, estrela da Canícula; a Canícula; o sol.
**SOL:** o deus Sol. O mesmo que Oriens, Phaeton, Phoebus e Titan.
**SOMNIA:** os Sonhos (personificação).
**SOMNUS:** o Sono (personificação).
**SOPOR:** o Sono (personificação).
**SORACTE:** Soracte, montanha dos Faliscos, na Etrúria.
**SPARTA:** Esparta, cidade grega do Peleponeso.
**SPARTANUS, A, UM:** de Esparta, Espartano.
**SPIO:** Espio, uma das Nereidas.
**STEROPES:** Estérope, um dos ciclopes do Etna.
**STHENELUS:** Estênelo, guerreiro Grego (II, 261); guerreiro Troiano (XII, 341).
**STHENIUS:** Estênio, guerreiro Rútulo (X, 388). Obs.: para Rat, esse Sthenius é registrado como Sthenelus (q.v.), sendo, pois, Troiano.
**STROPHADES:** Estrófadas, ilhas do Mar Jônio.
**STRYMONIUS:** Estrimônio, guerreiro Troiano.
**STRYMONIUS, A, UM:** de Estrimão, rio da Trácia.
**STYGIUS, A, UM:** do Estige.
**STYX:** Estige, lago dos infernos.
**SUCRO:** Súcron, guerreiro Rútulo.
**SULMO:** Sulmão, guerreiro Rútulo.

**SYBARIS:** Síbaris, guerreiro Troiano.
**SYCHAEUS:** Siqueu, marido de Dido.
**SYCHAEUS, A, UM:** de Siqueu.
**SYMAETHIUS, A, UM:** de Simétio, rio da Sicília.
**SYRTES:** Sirtes, dois golfos perto de Cartago.
**SYRTIS:** Sirte. Cf. notas 43 e 833 de Rat, vol. I.

## T

**TABURNUS:** Taburno, montanha do Sâmnio.
**TAGUS:** Tago, guerreiro Rútulo.
**TÁLON:** Tálon, guerreiro Rútulo.
**TANAIS:** Tânais, guerreiro Rútulo.
**TARCHON:** Tarcão, chefe etrusco.
**TARENTUM:** Tarento, cidade da Calábria.
**TARPEIA:** Tarpeia, companheira de Camila.
**TARPEIUS, A, UM:** de Tarpeia, filha de Tarpeio, que entregou Roma aos Sabinos.
**TARQUINII:** Tarquínios, três reis de Roma, distinguíveis de Tarquínio Prisco.
**TARQUINIUS:** Tarquínio Prisco, rei de Roma.
**TARTARA (TARTARUS):** o Tártaro, os infernos.
**TARTAREUS, A, UM:** do Tártaro, infernal.
**TATIUS:** Tácio, rei sabino.
**TEGEAEUS, A, UM:** de Tégea, na Arcádia; árcade.
**TELEBOES (TELEBOAE):** Teléboas, povo da Arcanânia.
**TELLUS:** a Terra (personificação).
**TÉLON:** Telão, ou Télon, chefe dos Teléboas.
**TEMPESTATES:** as Tempestades (personificação).
**TENEDOS:** Tênedos, ilha defronte de Troia.
**TEREUS:** Tereu, guerreiro Troiano.
**TERRA:** a Terra (personificação).
**TETRICA:** Tétrica, montanha no território dos Sabinos.
**TEUCRI:** os Teucros: os Troianos.
**TEUCRIA:** Têucria: a Tróada, a região de Troia.

**TEUCRUS (TEUCER):** Teucro, de Creta, rei de Troia que deu seu nome aos troianos; irmão de Ajax (I, 619).
**TEUCRUS, A, UM:** Teucro, como subst. e adjetivo.
**TEUTHRAS:** Teutrante, troiano, companheiro de Eneias.
**TEUTONICUS, A, UM:** dos Teutões, povo Germânico.
**THAEMON:** Têmon, ou Temão, guerreiro Lício.
**THALIA:** Tália, ninfa.
**THAMYRUS:** Tâmiro, guerreiro Troiano.
**THAPSUS:** Tapso, península da Sicília.
**THAUMANTIAS:** filha de Taumante(-s): Íris.
**THEANO:** Teano, mulher de Ámico e mãe de Mimante.
**THEBAE:** Tebas, cidade da Beócia.
**THEBANUS, A, UM:** de Tebas, Tebano.
**THEMILLAS:** Temilas, guerreiro Troiano.
**THERMODON:** Termodonte, rio da Capadócia.
**THERON:** Terão, ou Téron, guerreiro rútulo.
**THERSILOCUS:** Tersíloco, um guerreiro Troiano em VI, 483 e outro, em XII, 363.
**THESEUS:** Teseu, rei de Atenas.
**THESSANDRUS:** Tessandro, guerreiro Grego.
**THETIS:** Tétis, uma das nereidas.
**THOAS:** Toante, guerreiro grego, em II, 262, e Troiano, em X, 415.
**THRACES:** habitantes da Trácia, Trácios.
**THRACIUS, A, UM (THR(A)EICIUS, A, UM):** da Trácia, região setentrional da Grécia, perto do Ponto Euxino; Trácio.
**THRONIUS:** Trônio, guerreiro Troiano.
**THYBRINUS, A, UM:** do Tibre, rio principal da Itália central, tiberino.
**THYBRIS:** Tibre, rei ítalo (VIII, 330); o rio Tibre, nos demais.
**THY(I)AS:** "Tíade", bacante.
**THYMBER:** Timbre, guerreiro Rútulo (X, 391 e 294).
**THYMBRAEUS:** Timbreu, guerreiro Troiano (XII, 458); de Timbra, cidade da Tróada (= Apolo), em III, 85.
**THYMBRIS:** Timbre, guerreiro Troiano (X, 124).

**THYMOETES:** Timetes (Timeta), filho de Laomedonte (II, 32); filho de Hicetáon (v. Hicetaonius), nos demais.
**TIBERINUS:** o Tibre enquanto divindade fluvial.
**TIBERINUS, A, UM:** do Tibre, Tiberino.
**TIBERIS (TIBRIS):** o rio Tibre.
**TIBUR:** Tíbur, cidade perto de Roma.
**TIBURS:** habitante de Tíbur (XI, 757; de Tíbur, nos demais.
**TIBURTUS:** Tiburto, fundador de Tíbur.
**TIGRIS:** Tigre, um dos navios de Eneias.
**TIMAUUS:** Timavo, rio da Venécia.
**TIMOR:** o Temor (personificação).
**TIRYNTHIUS:** de Tirinto; de Hércules.
**TISÍPHONE:** Tisífone, uma das Fúrias.
**TITAN:** Titane (= Titã), neto de Titane e filho de Hiperião: o sol, tomado como astro.
**TITANIUS, A, UM:** de Titã (=Titane, o neto), do sol, solar.
**TITHONUS:** Titono, esposo de Aurora.
**TITYOS (-IUS):** Tício, um gigante.
**TMARIUS, A, UM:** de Tmaro, monte do Epiro.
**TMAROS:** monte do Epiro.
**TMARUS:** Tmaro, guerreiro Rútulo.
**TOLUMNIUS:** Tolúmnio, adivinho Latino.
**TORQUATUS:** Mânlio Torquato, cônsul.
**TRINÁCRIA:** a Sicília. Lit.: "a de três pontas".
**TRINACRIUS, A, UM:** da Trinácria, da Sicília.
**TRIONES:** constelação, as duas Ursas, setentrião.
**TRITON:** Tritão, um navio (X, 209); deus marinho, nos demais.
**TRITONES:** os Tritões, filhos de Netuno.
**TRITONIA:** "Tritônia", Minerva, (II, 171). V. verbete seguinte.
**TRITONIS:** filha de Tritão, Tritônide, Tritônia, Minerva.
**TRIUIA:** Trívia, Diana.
**TRÓADES:** Troianas.
**TROIA:** como jogo com nome de Troia (V, 602); Troia, cidade da Frígia, nos demais.
**TROIANUS, A, UM:** de Troia, Troiano.

**TROILUS**: Troilo, filho de Príamo.
**TROIUS, A, UM**: de Troia, Troiano.
**TROS**: habitante de Troia; Troiano.
**TULLA**: Tula, companheira de Camila.
**TULLUS**: Tulo Hostílio, rei de Roma.
**TURNUS**: Turno, rei dos rútulos, pretendente de Lavínia e rival de Eneias. 1ª. aparição: VII, 56; última: XII, 943 (ambas em nominativo). Obs.: 152 citações.
**TUSCI**: os Etruscos (= Toscanos).
**TUSCUS, A, UM** da Etrúria, Etrusco.
**TYDEUS**: Tideu, filho de Eneu.
**TYDIDES**: filho de Tideu: Diomedes.
**TYNDARIS**: filha de Tíndaro: Helena.
**TYPHOEUS**: Tifeu, um gigante dos Titás.
**TYPHOEUS, A, VM**: de Tifeu.
**TYRES**: Tires, guerreiro Troiano.
**TYRIUS, A, UM**: de Tiro, cidade Fenícia; Fenício.
**TYROS (-US)**: Tiro, cidade da Fenícia.
**TYRRHENUS, A, UM**: de "Tirro": tirreno, da Etrúria, etrusco.
**TYRRHIDES**: filhos ou descendentes de Tirreu.
**TYRRHUS**: Tirreu, pastor do Lácio.

## V

**VALERUS**: Válero, guerreiro Etrusco.
**VCALEGON**: Ucalegonte, vizinho de Anquises, em Troia.
**VELINUS**: Velino, porto da cidade da Lucânia, à borda do lago de Velino (VI, 366); o próprio porto (VII, 517).
**VENILIA**: Venília, mãe de Turno.
**VENULUS**: Vênulo, guerreiro Latino.
**VENUS**: Vênus, deusa do amor, mãe de Eneias.
**VESPER**: Vésper, estrela da tarde; Vênus (o planeta).
**VESTA**: Vesta, deusa do fogo, da lareira, como tradição Romana.
**VESULUS**: Vésulo, monte da Ligúria.
**VFENS**: Ufente, rio da Itália.
**VICTORIA**: a Vitória (personificação).

**VIRBIUS:** Vírbio, filho de Hipólito (VII, 762); o próprio Hipólito (VII, 777).
**VLIXES:** Ulisses, rei de Ítaca, filho de Laertes. Cf. Ithacus.
**UMBER:** Úmbrio, cão da Úmbria.
**VMBRO:** Umbrão, guerreiro Marso. Obs.: Marsos são um povo do Lácio.
**VOLCANIUS (VULCANIUS), A, UM:** de Vulcano.
**VOLCANUS (VULCANUS):** Vulcano, deus do fogo; o fogo.
**VOL(S)CENS:** Volscente, ou Volscens, guerreiro latino.
**VOLSCI:** os volscos, povo do Lácio.
**VOLSCUS, A, UM:** dos Volscos, Volsco.
**VOLTURNUS (VULTURNUS):** Vulturno, rio da Campânia.
**VOLUSUS (VOLESUS):** Vóluso, chefe volsco.

## X

**XANTHUS:** Xanto, rio do Epiro (III, 350); nos demais: rio da Tróada.

## Z

**ZACYNTHOS (-US):** Jacinto, ilha do Mar Jônio.
**ZEPHYRI:** zéfiros, no sentido comum de ventos brandos, favoráveis.
**ZEPHYRUS:** Zéfiro, vento do ocidente.

## Sobre o autor e sobre o tradutor

**Públio Virgílio Marão** (*Publius Virgilius Maro*) nasceu em Andes, lugarejo pertencente a Mântua, cidade da Itália, junto ao rio Pó, em 70 a.C. Morreu em Brindes, hoje Bríndisi, em 19 a.C. Criado no meio rural, estudou em Cremona, depois em Milão e, por fim, em Roma. Voltando à terra natal, escreveu as *Bucólicas* (42-39 a.C.), ou seja, 10 éclogas, poemas que exaltam o campo e a vida pastoril e em que geralmente pastores travam diálogo. Mais tarde, de 39 a 29 a.C., elaborou as *Geórgicas*, em 4 cantos, e que constituem uma espécie de miniepopeia cujo objetivo é mostrar o relacionamento do homem com a natureza, para renovar nos romanos o gosto pela agricultura. Amigo do imperador Augusto, compôs, finalmente, de 29 a.C. até sua morte, em 12 cantos, a *Eneida*, para pôr em relevo a grandeza do império romano, um verdadeiro espelho do destino de Roma, com o passado lendário a explicar o presente da nação. Nos 6 primeiros cantos, inspira-se na *Odisseia*, de Homero, e nos 6 últimos, na *Ilíada*, do mesmo autor. Sua influência na literatura latina, bem como na literatura ocidental em termos gerais, é enorme. Está entre os maiores poetas de todos os tempos.

**João Carlos De Melo Mota**, nascido em Belo Horizonte em 1942, estudou em Belo Horizonte e em Congonhas e, tardiamente, se formou em Letras pela Fale/UFMG, onde lecionou, por 24 anos, Português, Latim e Espanhol. Aí mesmo, tornou-se mestre, doutorando-se, a seguir, em Besançon, França. Aposentou-se em 1995. Como tradutor, passou 68 sambas-enredo e 32 canções de cunho crítico da MPB para o francês, além de ter traduzido o romance *Ah se eu soubesse*, de Rose dos Santos, para o esperanto. Desde os 11 anos, dedica-se a estudar línguas e a versejar nelas, com predominância do português e do latim.

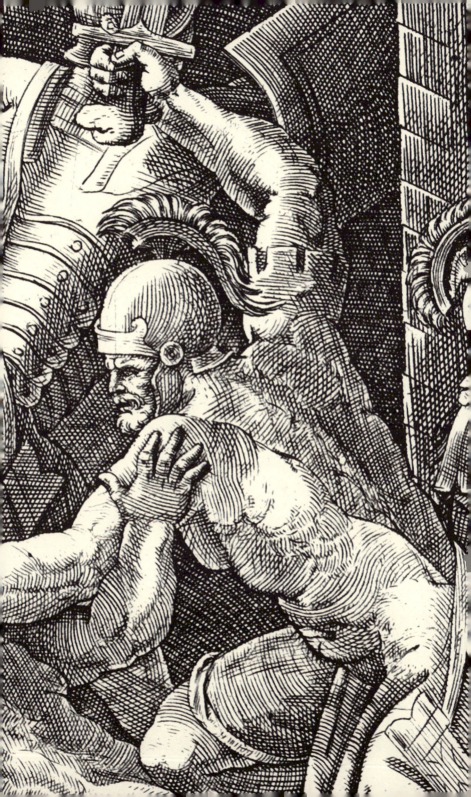

*Página 1*
Enéias e Anquises (1815)
Eugène Delacroix (1798-1863)

*Páginas 2/3*
Enéias foge com sua família de Tróia.
Gravura de Agostino Carracci, 1595

*Páginas 12/13*
Queda de Tróia e a Fuga de Enéias.
Gravura de Giorgio Ghisi, (1530-1582)

*Páginas 14/15*
Trazendo o Cavalo de Tróia,
Gravura atribuída a Jean Mignon, 1543-1545

*Páginas 36/37*
Enéias e Sibila Entrando nas Regiões Infernais
Giovanni Francesco Romanelli (1610-1662)

Esta edição de *Eneida* foi impressa para a Autêntica Editora
pela Ipsis Gráfica e Editora em junho de 2022, ano em que se celebram:

c. 2800 anos de Hesíodo (séc. VIII a.C.);
c. 2800 anos de Homero (séc. VIII a.C.);
c. 2500 anos dos mais antigos textos bíblicos (séc. VI a.C.);
c. 2212 anos de Terêncio (c. 190 a.C.-159 a.C.);
2124 anos de Julio Caesar (102-44 a.C.);
2092 anos de Virgílio (70-19 a.C.);
2087 anos de Horácio (65-8 a.C.);
2065 anos de Ovídio (43 a.C.-18 d.C.);
2021 anos do fim do uso da escrita cuneiforme (1 a.D.)
1668 anos de Agostinho de Hipona (354-430)
e
25 anos da fundação da Autêntica (1997).

O papel do miolo é Off-White 70g/m².
A tipografia é a Adobe Garamond.